W9-AWV-762

Vislumbres del Amor de Dios

panish—*Glimpses of God's Love*

Vislumbres del Amor de Dios

Lecturas Devocionales para Cada Día del Año

SANTIAGO Y PRISCILA TUCKER

PUBLICACIONES INTERAMERICANAS

Bogotá — Caracas — Guatemala — Madrid — Managua
México — Panamá — San José, C. R. — San Juan, P. R.
San Salvador — Santo Domingo — Tegucigalpa

Título de este libro en inglés:
Glimpses of God's Love

Editado e impreso por
PUBLICACIONES INTERAMERICANAS
División Hispana de la Pacific Press Publishing Association:
- P.O. Box 7000 Mountain View, California 94039, EE.UU. de N.A.
- Apartado 86, Montemorelos, Nuevo León, México

Primera edición: 1984
35.000 ejemplares en circulación

ISBN 0—8163—9906—9
Offset in México

PROLOGO

Dios ha puesto a nuestra disposición dos libros para que lo conozcamos mejor: la Biblia y la naturaleza. El primer libro que el Señor preparó fue la naturaleza (Salmo 33:6-9). El segundo libro de Dios es la Biblia, escrita durante varios siglos mediante autores inspirados por el Espíritu Santo (2 Pedro 1:21). Ambos libros llevan la firma del Creador, y ambos merecen estudiarse con atención y oración.

El único libro de estudio que tenían Adán y Eva en el comienzo era la naturaleza. El maestro mismo les enseñó a leer en sus páginas las maravillas del carácter del Creador: su amor inigualable y su justicia eterna.

Cuando Adán y Eva pecaron, perdieron el privilegio de estudiar la versión original del libro de la naturaleza. Con el paso de los años esa hermosa obra fue malograda por el pecado.

Por eso Dios vio necesario proporcionarle al hombre la Biblia, para que pudiera entender correctamente la naturaleza y su Creador.

Sólo al estudiar la Biblia podemos entender bien lo que Dios escribió al principio en las páginas de la naturaleza. Y sólo mediante la orientación del Espíritu Santo, que Dios ha prometido a quienes la pidan, podemos entender el mensaje de salvación en su totalidad.

Se ha dicho con acierto que el libro de la naturaleza presenta las ilustraciones de la Palabra de Dios, y que la Biblia contiene la descripción o explicación de esas ilustraciones. ¡Qué hermosa es la forma en que estos dos libros se complementan! ¡Y qué fascinantes son sus lecciones! Los niños y los jóvenes, especialmente, pueden disfrutar de las enseñanzas de la Palabra de Dios, tal como se las revela en la naturaleza.

Los mensajes presentados en esta obra tienen como objetivo ilustrar algunas de las lecciones que Dios nos comunica en sus dos libros. Son solamente ejemplos de las muchas enseñanzas que se podrían sacar de los hechos presentados. Como lector, tú puedes encontrar otras lecciones. Por eso te animamos a que permitas que el Espíritu Santo guíe tus pensamientos al observar cada día algunas "vislumbres del amor de Dios" a través de su creación.

LOS EDITORES

DEDICATORIA

A nuestros padres, quienes nos dieron un imperecedero amor al Creador al familiarizarnos con las bellezas de su creación.

EL SOL SOBREVIVE PORQUE DA

***Entonces los justos resplandecerán como el sol en el reino de su Padre* (Mateo 13:43).**

Cuando Jesús pronunció las palabras de este pasaje bíblico, acababa de explicar la parábola de la cizaña, o malezas, que crecen en el sembrado de trigo. Luego comparó a los justos con el resplandor del sol. ¿Tienes una idea clara de cuán brillante es el sol?

Piensa en el sol como si fuera un enorme bombillo o foco eléctrico. Generalmente la gente no compra bombillos de más de 300 watts, por lo que para comparar el sol con un foco eléctrico tendrás que recurrir a tu imaginación. El sol brilla con una potencia de 380 septillones de watts, lo que es igual al número 380 seguido de 24 ceros. ¡Eso es un resplandor deslumbrante!

La luz brota del interior del sol, donde átomos de hidrógeno se estrellan violentamente unos contra otros, lo que produce átomos de helio. Esto genera una liberación de inmensas cantidades de energía, la que sale del sol en forma de luz e ilumina los planetas, sus lunas y todos los demás cuerpos del sistema solar. La luz del sol brilla hasta en los puntos más alejados del universo, lo que permite que el sol se vea como una estrella distante. De modo que el planeta Tierra recibe solamente una pequeña parte de la energía solar, pero esa parte es indispensable para la vida.

Los científicos explican que si el sol no liberara su energía hacia el espacio se tornaría cada vez más caliente, hasta que finalmente explotaría. El sol, al dar luz y vida, se mantiene activo y se libra de la destrucción. El sol sobrevive porque da.

A los seguidores de Jesús se los puede describir en igual forma. El dijo: "Más bienaventurado es dar que recibir" (Hechos 20:35). Mediante el acto de dar podemos continuar dando. Cuando dejamos de dar, nuestra "temperatura" comienza a subir y hasta podríamos explotar. Aunque esto último lo decimos figuradamente, recuerda que la gente egoísta se impacienta fácilmente y explota hasta por las cosas más pequeñas que le incomodan.

El sol que brilla en el cielo es un recordativo permanente de lo importante que es tener una actitud dadivosa.

Enero 2

UN PERRO LLAMADO CLANCY

***Para que busquen a Dios, si en alguna manera, palpando, puedan hallarle, aunque ciertamente no está lejos de cada uno de nosotros* (Hechos 17:27).**

Se cuentan muchas historias de perros que han regresado a la casa de sus amos después de recorrer grandes distancias. La mejor de todas la leí en el libro *El desconocido mundo de los animales silvestres y domésticos,* escrito por Vicente y Margarita Gaddis.

Desde cachorro y hasta los seis meses de edad, Clancy vivió con una familia radicada en la ciudad de Buffalo, Nueva York. Ahí estaba su hogar, que era el único que había conocido, y los miembros de ese hogar eran los únicos amigos que había tenido.

Cierto día la familia con la que vivía Clancy decidió mudarse a Michigan City, Indiana. Decidieron no llevar al perro. Pensaron que por ser muy joven se adaptaría fácilmente a vivir con otra familia del vecindario. Cuando se mudaron, lo dejaron con gente conocida de Buffalo. Aunque no le desagradaba el vecindario, Clancy no se sentía a gusto con sus nuevos amos, porque no eran su propia familia.

Un día, sin dar señal de advertencia, Clancy abandonó a sus amos y se fue del vecindario donde había nacido. Salió en busca de su querida familia. Podrás imaginarte que no sabía dónde empezar la búsqueda; pero esto constituye la parte conmovedora de la historia.

Seis meses más tarde llegó a Michigan City, ciudad situada a cientos de kilómetros de distancia en la que nunca había estado antes, y se puso a arañar la puerta de la casa donde vivía su propia familia. Había enflaquecido mucho y tenía las patas tan heridas que apenas podía mantenerse en pie; pero cuando la sorprendida familia lo dejó entrar, el perro no tardó en descubrir la alfombra que le había servido de cama. Después de inspeccionar el cuarto, se echó en la alfombra y se arrolló como en sus mejores días. Pronto dormía plácidamente. El hecho de que se encontrara en Michigan City, en el Estado de Indiana, no tenía importancia. Lo que realmente le interesaba era que finalmente había llegado a su hogar.

En nuestro caso, como cristianos, nuestro hogar se encuentra donde está Cristo, y recorreremos cualquier distancia para encontrarnos con él.

UNA CRIATURA CON ARMADURA Y SANGRE AZUL

***Entonces dijo David al filisteo: Tú vienes a mí con espada y lanza y jabalina; mas yo vengo a ti en el nombre de Jehová de los ejércitos* (1 Samuel 17:45).**

Goliat, con toda su armadura, no pudo hacer frente al joven David con su honda. A Goliat le encantaba burlarse de sus enemigos. Es indudable que hasta sus compañeros filisteos se mantenían alejados de él para evitar que se irritara contra ellos. Te diré que existe una criatura marina que tiene una disposición parecida. Se trata de la langosta marina.

La langosta de mar está protegida por un caparazón o armadura y tiene un genio terrible. Se ha dicho que es uno de los animales más irritables, porque ni siquiera se lleva bien con otras langostas.

La langosta de mayor tamaño de que se tenga noticia pesaba 20 kilos (40 libras) y tenía más de 50 años de edad. Pero actualmente las langostas no viven ni cerca de esa edad, porque la contaminación de las aguas se ha ido extendiendo rápidamente. Una pequeña cantidad de petróleo bastará para destruir las langostas que vivan en esas aguas, a pesar de su armadura y mal genio.

Una langosta hembra puede producir hasta 15.000 huevecillos, pero las langostitas que nacen no están protegidas por un caparazón, y como son tan pequeñitas, son fácil presa de otras criaturas marinas. ¡De ese gran número sobreviven solamente unas 15!

Algunas variedades de langosta respiran por las patas, usan las antenas como órganos del gusto, tienen los dientes en el estómago, carecen de oídos y tienen sangre azul. Tú podrás decir que una criatura con tantos problemas no tiene razón para manifestar un genio tan terrible; pero debes tomar en cuenta que esan son características normales de las langostas.

Cuando Dios creó las langostas, seguramente no eran tan irritables, así como tampoco lo era Adán, antepasado de Goliat. Las langostas, la gente y la disposición de ánimo de ambas han cambiado negativamente. Ni siquiera una armadura puede protegernos, porque basta una piedra, como ocurrió en el caso de Goliat, o cierto grado de contaminación del agua, como en el caso de la langosta, para destruir los organismos de esta tierra. Solamente Dios puede protegernos y transformarnos.

Enero 4

EL CASAMIENTO DE LAS HORMIGAS

***Y a la medianoche se oyó un clamor: ¡Aquí viene el esposo; salid a recibirle!* (Mateo 25:6).**

Todos sabemos que éste pasaje es una parábola acerca de la venida de Jesús y de la forma como debemos prepararnos para recibirlo, a fin de estar listos en todo momento. En la Biblia se ha comparado la segunda venida de Cristo con una boda, en la que el Esposo (Cristo) llega y recibe a la esposa (la iglesia). El vuelo nupcial de algunas hormigas ilustra el hecho de que nadie conoce el momento cuando ocurrirá este acontecimiento.

Existe un sólo período en la vida de estas hormigas cuando poseen alas: cuando los machos y las hembras abandonan su nido y vuelan en el día o en la noche para iniciar una nueva colonia en un lugar diferente. Lo interesante de este vuelo es que los machos y las hembras están preparados mucho antes del momento de iniciar el vuelo y esperan ansiosamente la llegada de ese día. Pero las hormigas obreras no los dejan salir hasta que llega el momento oportuno.

Las obreras deciden el día de la partida. Nadie sabe por qué esperan. Tal vez esperan que el tiempo tenga ciertas características, o bien puede suceder que tengan un mecanismo interno que les indica el momento más apropiado para el casamiento de las hormigas. Eso no lo sabemos, pero cuando llega el momento, las puertas se abren y las hormigas salen por cientos de miles. Debe existir algún misterioso medio de comunicación entre las colonias, porque el día señalado, las hormigas salen de todos los nidos de la zona más o menos al mismo tiempo, aun las que se encuentran más separadas.

Se nos habla en el libro de Apocalipsis de cuatro ángeles que retienen los cuatro vientos de la tierra, hasta que el pueblo de Dios —su iglesia o la esposa— esté preparado.

Tal como ocurre con las hormigas obreras, los ángeles están esperando una señal definida para abrir las puertas para que comience la acción. Pero el vuelo no se podrá realizar hasta que todo esté preparado. ¿Estamos listos para ese día?

VOLANDO ALTO

***¿Quién como Jehová nuestro Dios, que se sienta en las alturas?* (Salmo 113:5)**

Hasta 1973 la altitud máxima de vuelo conocida de un pájaro era 8.882 metros (26.902 pies) sobre el nivel del mar. En 1953 una bandada de chovas alpinas siguió a un grupo de alpinistas que escalaban el monte Everest, en el Himalaya, hasta que llegaron a la cumbre, que tiene la altura mencionada al comienzo. Pero seguían estando al nivel del suelo, por muy alto que se encontraran. En 1962, un pato chocó con un avión en Nevada, Estados Unidos, a una altura de 7.000 metros (21.000 pies) sobre el nivel del mar, pero a mayor altura sobre el nivel del suelo que las chovas.

El jueves 29 de noviembre de 1973, un piloto de un avión de pasajeros volaba muy alto sobre la ciudad de Abidján, Costa de Marfil, Africa occidental. Repentinamente sintió un golpe; al parecer el avión había chocado con algo. Observó el altímetro y vio que el avión volaba a 12.300 metros (37.000 pies) ¿Qué podía haber en el espacio a tanta altura? No se tenía información de que un ave volara tan alto. ¿Qué podía ser? Cualquier cosa que fuera, había dañado una de las turbinas del avión a tal punto que el piloto tuvo que pararla, y hacer aterrizar la nave en el aeropuerto más cercano.

Los mecánicos comenzaron a desarmar la turbina dañada para descubrir la causa del desperfecto. Lo único que encontraron fueron unas cuantas plumas: cinco plumas completas y quince pedazos de plumas de las alas de un ave. Las plumas fueron enviadas al Museo Nacional de Historia Natural de Washington, donde las identificaron como plumas de un buitre de la variedad Ruppell. Esta ave de rapiña de gran tamaño vive en las zonas áridas de Africa central, desde Etiopía hasta el océano Atlántico.

¿Qué hacía el buitre volando a esa altura? ¿Cómo podía respirar en una atmósfera de aire enrarecido? ¿A qué altura vuelan esos buitres? ¿Pueden volar a mayor altura aún? Los hombres de ciencia están formulando estas preguntas. En este momento, solamente "nuestro Dios que se sienta en las alturas" conoce la respuesta.

Enero 6

LA RANA PARADOJICA

***Así que, el que piensa estar firme, mire que no caiga* (1 Corintios 10:12).**

Es fácil sentirnos orgullosos cuando algo que hemos hecho nos ha salido bien, y deberíamos trabajar de tal manera que siempre podamos sentirnos satisfechos con lo que hacemos. Pero cuando nos enorgullecemos porque hemos hecho bien un trabajo y pensamos que *somos mejores* que los demás, entonces es el momento de ponernos en guardia. Si alguna vez sientes esa tentación, conviene que prestes atención a lo que Pablo dice a los corintios en el pasaje del comienzo.

La llamada rana paradójica es un buen ejemplo que ilustra la mala costumbre de hincharse por nada. Te interesará saber que nace de un huevecillo como cualquier rana común. Pero a medida que el renacuajo se va desarrollando, se nota de inmediato que no se trata de un renacuajo ordinario, porque llega a medir 25 centímetros (10 pulgadas).

Tal vez estarás pensando que un renacuajo tan grande tiene que producir una enorme rana. Si consideras que la llamada rana toro de los Estados Unidos surge de un renacuajo de menor tamaño que el otro, ¿qué rana monstruosa producirá uno de 25 centímetros? Bueno, prepárate para recibir una gran sorpresa, porque si esperas ver a ese enorme renacuajo convertirse en una rana descomunal, te vas a desilusionar. Una vez que ese renacuajo se transforma en rana y salta a la tierra donde pasa la mayor parte de su vida, mide apenas cinco centímetros (dos pulgadas) de largo. ¡Qué decepción!

Esta rana vive en la parte norte de Sudamérica, donde la gente se resiste a creer que una rana tan chica salga de un renacuajo tan grande. Prefiere pensar que el renacuajo gigante sale de la pequeña rana. La gente cree que a medida que los seres humanos aumentan en edad se hacen más grandes, y que cuanto más grandes se tornan, tanto mejores son.

La grandeza, la inteligencia, la belleza y otras cualidades no tienen nada que ver con lo importante o lo bueno que eres. Todos somos igualmente importantes, porque Dios nos ama por igual y porque Jesús murió por nosotros. Si no aceptamos esto nos exponemos a creer en el error, lo cual resulta muy peligroso.

LA ELECCION DE LOS ESPOSOS CRISLER

***El Espíritu del Señor está sobre mí, por cuanto me ha ungido para dar buenas nuevas a los pobres; me ha enviado a sanar a los quebrantados de corazón; a pregonar libertad a los cautivos, y vista a los ciegos; a poner en libertad a los oprimidos* (Lucas 4:18).**

Los esposos Cristian y Lois Crisler habían establecido su campamento en las montañas Brooks del norte de Alaska, con el fin de estudiar la vida de los caribús o renos. Cierto día les llevaron cinco lobeznos para que los criaran. Los animalitos habían perdido su hogar en el monte cuando alguien los sacó de la madriguera donde vivían con sus padres, por lo que en adelante tendrían que depender de los Crisler para recibir cuidado y sustento. Ellos los recibieron con una mezcla de alegría y preocupación. Antes habían criado varios lobeznos y los habían devuelto al monte; pero esta vez su situación era diferente. Según sus planes, tenían que salir de la zona ártica del país dentro de algunos meses, por lo que no tendrían ei tiempo necesario para criar los lobeznos, enseñarles a cazar y hacer que fueran aceptados por una de las manadas de la zona.

En poco tiempo los cinco animalitos se habían adueñado del campamento de los Crisler. Les dieron los siguientes nombres: Alatna, Artico, Barrow, Killik y Tundra. Corría el mes de junio. Para octubre, el avión aterrizaría en el lago helado para recoger a los esposos Crisler, que sentían gran preocupación por no saber qué hacer con los lobeznos. Los lobos recorrían la zona ártica en completa libertad y en estado salvaje. Si los llevaban con ellos al Estado de Washington tendrían que mantenerlos en jaulas durante el resto de sus vidas, lo que sería una suerte peor que la muerte. Finalmente se pusieron de acuerdo en que tendrían que matar a los cinco lobos, porque pensaron que dadas las circunstancias, esa era la forma más misericordiosa en que podían proceder. Podrás imaginarte que los cachorros de lobo no podrían sobrevivir por su cuenta el crudo invierno ártico, y jamás serían felices viviendo en jaulas.

Cuando llegó el día fatal, los lobeznos meneaban alegremente la cola y miraban a los ojos a sus amos. Cristian le pasó el rifle a su esposa y le dijo que ella matara al primero. Por cierto que no pudo hacerlo. Finalmente decidieron llevarlos a Washington, aunque sabían que tendrían que dedicar varios años a criarlos y entrenarlos. Decidieron proveer un lugar donde esas hermosas criaturas pudieran vivir en estado natural y con libertad.

¿NOS ESCUCHAN DESDE EL ESPACIO?

***Entonces me invocaréis, y vendréis a mí, y yo os oiré; y me buscaréis y me hallaréis, porque me buscaréis de todo vuestro corazón* (Jeremías 29:12-13).**

En una depresión natural de una montaña de Puerto Rico se encuentra instalado el radiotelescopio de Arecibo. Contrariamente a lo que sucede con los telescopios comunes usados para mirar, con éste se *escucha.* Se trata de un telescopio reflector de unos 300 metros (mil pies) de diámetro destinado a recibir redioseñales procedentes del espacio exterior, y también a transmitir señales de la misma clase.

Los astrónomos que manejan el telescopio no saben si en el espacio existen seres inteligentes, pero tienen la esperanza de que su radiotelescopio captará un mensaje que les permitirá hablar con los seres que puedan existir en la vastedad del espacio. La construcción de ese telescopio costó millones de dólares. Está hecho con unas mil toneladas de aluminio y acero y trece mil metros cúbicos de concreto.

El telescopio está conectado con un sistema de computadoras de gran precio, atendido día y noche por hombres de ciencia que procuran captar cualquier palabra que pueda llegarles desde el espacio exterior. ¿Nos escuchan desde el espacio? Si se lo preguntas a los astrónomos, te contestarán que no lo saben.

En 1974 los científicos decidieron hablar al espacio, de modo que prepararon un mensaje y lo difundieron. Duró dos minutos y 49 segundos, y consistió de ecuaciones científicas, de una descripción de los seres humanos y la población de nuestro planeta, de un mapa del sistema solar y de una descripción del radiotelescopio de Arecibo. Es probable que los científicos que no creen en Dios atribuyan un gran valor al esfuerzo realizado por comunicarse con otros seres del universo. Esperan que alguien capte el mensaje, lo interprete y envíe una respuesta que ellos, a su vez, esperan captar e interpretar.

Los que creemos en la Biblia y en su contenido, sabemos por fe que Dios se encuentra en algún lugar del espacio y que escucha y contesta hasta las oraciones más sencillas hechas con fe, sin necesidad de enviarlas mediante un enorme instrumento que ha costado millones de dólares.

LA ALONDRA HERIDA

***No os dejaré huérfanos; vendré a vosotros* (Juan 14:18).**

El eminente poeta Jorge Abbe cuenta una increíble historia de devoción manifestada por dos alondras. Una mañana de enero en el hemisferio norte, en que la temperatura era muy inferior a cero grado y cuando el viento hacía girar el polvo de nieve, el Sr. Abbe viajaba en su carro por un camino del campo de su propiedad. Una bandada de alondras voló del lugar donde se alimentaban, pero una que tenía una ala herida no pudo volar, sino que corrió a ocultarse. El Sr. Abbe y su esposa bajaron del carro y tomaron la alondra. Se la llevaron a su casa y le entablillaron el ala.

Así comenzó una interesante historia que pocas veces se ha repetido. El espacio no permite referir los detalles admirables de este caso, por lo que nos limitaremos a presentar un aspecto de la historia que nos parece muy llamativo.

El Sr. Abbe hizo una jaula para la alondra herida, que era una hembra, y la puso en el campo. El pajarillo comía y se ejercitaba diariamente protegido por la jaula. Un macho de llamativos colores se apartó de la bandada, se aproximó a la jaula y comenzó a cantar los dulces trinos característicos de esas avecillas. Eso era increíble, porque las alondras no suelen cantar en invierno, y mucho menos en la nieve. Los Abbe le dieron el nombre de Carlitos al macho.

Carlitos era el compañero de la alondra herida. Nunca la abandonó. El la esperaba todos los días hasta que la llevaban a la jaula, y entonces comenzaba su serenata. Pasaron varios meses hasta que el avecilla cobró fuerzas suficientes para ejercitar el ala. Pero Carlitos estaba siempre cerca de la jaula. No sentía miedo de la presencia de los Abbe y se aproximaba hasta quedar muy cerca de ellos. Parecía que su única preocupación era su compañera.

Finalmente llegó el día cuando el Sr. Abbe puso en libertad a la alondra, porque ya tenía el ala completamente curada. El avecilla voló un corto trecho, ¿y sabes qué hizo después? Fue adonde se encontraba Carlitos, quien revoloteó junto a ella para saludarla con gran alegría. Las dos alondras se quedaron en ese lugar y con el tiempo construyeron un nido y llegaron a tener numerosos descendientes. Hermosa recompensa del amor, ¿verdad?

Enero 10

EL TORPE ELEFANTITO

Aun el muchacho es conocido por sus hechos, si su conducta fuere limpia y recta **(Proverbios 20:11).**

Ser niño tiene sus problemas. ¡Los chicos tienen tanto que aprender! Por supuesto que tampoco los adultos lo saben todo, pero se supone que poseen suficiente experiencia para valerse por sí mismos. Los niños, por su parte, necesitan mucha preparación y entrenamiento. Hay cosas que no pueden aprender hasta que el cuerpo y el cerebro adquieren un grado de desarrollo suficiente; en cambio pueden aprender otras cosas sin dificultad a una edad temprana.

Existe un principio en zoología según el cual, mientras más tiempo pasan los hijos con sus padres de una especie determinada y aprenden con ellos, tanto más inteligente es la especie. Los hijos de ningún animal se aproximan al tiempo que los hijos de los seres humanos permanecen aprendiendo junto a sus padres. Algunos animales nacen y son adultos casi de inmediato o en muy poco tiempo; pueden valerse por sí mismos desde el comienzo y ni siquiera ven a sus padres.

Los hijos de muchos animales permanecen con sus padres durante años. Tal es el caso del elefante. El elefantito nace con un cerebro que tiene solamente un tercio del tamaño del cerebro de sus padres. Este órgano tiene desarrollo suficiente tan sólo para dirigir el funcionamiento de los órganos vitales, pero no para impedirle que tropiece con su propia trompa. El elefantito es muy torpe. La madre tiene que que entrenarlo durante muchos meses para que aprenda a valerse de su trompa. Antes de que esto suceda, cuando el animalito desea beber tiene que arrodillarse y meter toda la cara debajo del agua. Los elefantes jóvenes pasan por lo menos diez años de aprendizaje con los miembros maduros de la manada. Y tal como sucede con la gente inteligente, nunca dejan de aprender nuevas cosas de los elefantes más viejos.

Cuando nacemos, ni siquiera estamos desarrollados hasta el punto de ser torpes —eso vendrá más adelante. Necesitamos una gran cantidad de ayuda, comprensión y amor mientras crecemos y nos dearrollamos. ¡Por eso Dios creó a los padres y a las madres!

LOS TESOROS DE LA NIEVE

***¿Has entrado tú en los tesoros de la nieve?* (Job 38:22).**

En este capítulo, Dios le pide a Job que explique algunos de los secretos de la naturaleza relacionados con hechos familiares pero misteriosos en muchos aspectos. Habrás escuchado decir que no hay dos copos de nieve que sean idénticos. Por cierto que eso es así, pero hay muchas cosas más que podemos aprender de los copos de nieve.

La forma y estructura de los copos de nieve están determinadas por la temperatura del aire en el que se forman por los vientos que soplan durante su formación y por la composición de los vapores a partir de los que nacen. La razón por la que los cristales de nieve siempre tienen seis lados es que se originan del agua, la que se presenta en estado sólido (hielo) únicamente como cristales hexagonales. La razón por la que los seis lados se ven idénticos, condición llamada simetría, es que las condiciones atmosféricas que rodean al copo de nieve en formación son idénticas en todos los lados.

Un copo de nieve demora unos 15 minutos en completarse. Cada copo se inicia a partir de una microscópica partícula de polvo a la que se adhieren moléculas de agua. Continúa formándose hacia afuera en todas direcciones hasta convertirse en un copo completo, pero su diámetro nunca sobrepasa los tres o cuatro milímetros. Los copos grandes que se ven caer, en realidad están formados por conjuntos de muchos copos de nieve.

La formación de los copos requiere nubes con temperaturas entre -16° C y -10° C (4° F y 14° F), cargadas de vapor de agua. Mientras más espesa sea la nube, tanto más detallados e intrincados serán los copos de nieve.

Cuando no hay viento, los copos descienden a razón de unos tres kilómetros por hora (2 millas). Cuando la capa de aire más próxima a la tierra tiene una temperatura de más de 0° C (32° F), la nieve se derrite y cae como lluvia. Cuando el aire tiene menos de esta temperatura, entonces cae nieve.

Hay mucho más que se puede aprender de la nieve; por ejemplo, a diferentes temperaturas los cristales se congelan en formas distintas, pero los científicos no saben por qué. Unicamente Dios conoce todos los tesoros de la nieve.

Enero 12

LOS MAMIFEROS MAS NUMEROSOS

***Aunque ande en valle de sombra de muerte, no temeré mal alguno, porque tú estarás conmigo; tu vara y tu cayado me infundirán aliento* (Salmo 23:4).**

¿Cuáles crees tú que son los mamíferos que más abundan en el mundo? ¿Serán los perros o los gatos? Los encuentras en todas partes. ¿O bien serán los ratones? ¡Hay tantos! No son los perros, los gatos ni los ratones. Te daré algunas pistas.

Los mamíferos más abundantes del mundo prefieren la oscuridad, pero también se sienten a sus anchas en la luz del día, especialmente a la hora del crepúsculo. Existen numerosas variedades de este animal y su tamaño varía desde unos ocho centímetros (tres pulgadas) hasta un metro o más. Se alimentan mayormente de insectos, aunque también comen animales pequeños, fruta y hasta el néctar de algunas flores. ¿Sabes ya de qué animal se trata?

Ahora te daré la última pista y la mejor de todas: estos mamíferos vuelan. ¡Has acertado! Son los murciélagos. Se calcula que uno de cada diez mamíferos en el mundo es un murciélago. ¿Puedes imaginar la cantidad de millones de murciélagos que hay?

Seguramente has oído la expresión "ciego como un murciélago". Esto es verdadero y falso al mismo tiempo. Aunque es cierto que los murciélagos no ven muy bien, para ellos la vista como nosotros la conocemos no es muy importante, porque pueden volar en la oscuridad tan bien como tú y yo podemos caminar a la luz del día. Se han realizado experimentos en los que los murciélagos volando en la oscuridad pueden detectar y evitar alambres finísimos que nosotros no podríamos distinguir a plena luz.

Los murciélagos pueden ilustrar muy bien la vida que debe vivirse por fe. Utilizando la facultad de percibir que el Creador les ha dado, pueden evitar los peligros y vivir con toda seguridad en una situación que para nosotros sería difícil. Cuando Jesús mora en el corazón nos concede el poder necesario para evitar los peligros de este mundo de pecado. No necesitamos temer la oscuridad de la tentación ni del pecado cuando Jesús es nuestro amigo. Puedes tener la absoluta seguridad de que él es tu amigo.

¿CUAN OSCURAS SON LAS TINIEBLAS?

***Así alumbre vuestra luz delante de los hombres, para que vean vuestras buenas obras, y glorifiquen a vuestro Padre que está en los cielos* (Mateo 5:16).**

¿Te has encontrado alguna vez en el interior de una caverna, o en otro lugar parecido, cuando alguien ha apagado todas las luces? ¿Qué descripción puedes hacer de las tinieblas. A veces oímos decir: "Estaba tan oscuro que ni siquiera podía verme las manos". Eso es muy oscuro. ¿Pero cuán oscuras son las tinieblas? La oscuridad se mide por la cantidad de luz que *no* hay en el lugar. Decimos que la noche es oscura, pero siempre hay algo de luz, ya sea de la luna, de las estrellas, de las luces de la calle o de algún otro lugar.

Para conseguir completa oscuridad tienes que apagar todas las luces, hasta las fuentes más insignificantes de luminosidad. Cuando desaparece toda luz entonces existe la oscuridad absoluta. En tales condiciones no puedes ver nada, por muy cerca de los ojos que coloques un objeto.

¿Qué sucedería si repentinamente se apagaran todas las fuentes de luz que existen en el mundo? No habría luz del sol, de la luna ni de las estrellas. No habría luz eléctrica, ni de velas, ni de linternas, ni fuego, ni fósforos, ni luciérnagas, ni luz de materiales radiactivos. En ese caso reinaría la más absoluta oscuridad. Y supón que no hubiera esperanza de volver a ver una luz. ¿Cómo te sentirías?

Si no hubiera luz alguna, no podrías ver la cara de tu mamá, tu perro, ni la puesta del sol. No podrías ver una mariposa revoloteando sobre las flores del prado. No verías nada. Vivirías en un mundo de completas tinieblas.

¿Puedes creer que mucha gente vive en densas tinieblas espirituales? La Biblia dice que Jesús es la luz del mundo (Juan 8:12), y él es la *única* fuente de luz. Imagínate lo hermoso que sería si en un mundo de completas tinieblas alguien encendiera la luz. Eso es lo que sucede cuando Jesús llega a nuestra vida y a la vida de otros cuando compartimos nuestra fe.

¿POR QUE EL CARDENAL TIENE PLUMAJE ROJO?

***¿Por qué es rojo tu vestido, y tus ropas como del que ha pisado el lagar?* (Isaías 63:2)**

Antiguamente, cuando llegaba el momento de convertir las uvas en vino, echaban los racimos en una gran batea y los pisaban con los pies desnudos para extraer el jugo. El que trabajaba en eso quedaba cubierto de jugo rojo. El texto de hoy habla de Jesús, quien murió por nuestros pecados y fue manchado por la sangre de ese sacrificio.

En la Biblia los colores rojo y escarlata se identifican con la sangre, ya sea en relación con los sacrificios que simbolizan a Jesús o bien con el sacrificio que él realizó en la cruz; también se los relaciona con el derramamiento de sangre como resultado de las obras impías de los seguidores de Satán.

¿Por qué se presenta a Jesús ataviado con ropaje manchado de sangre? Tal vez el cardenal, avecilla de plumaje rojo, podría ayudarnos a entender cuál es la razón. El color rojo tiene la interesante propiedad de ser muy visible a la luz del sol, pero difícil de ser percibido a la sombra de los árboles o arbustos. De modo que cuando el cardenal macho desea anunciar que se encuentra en su territorio y atraer una hembra, se posa en una rama bien iluminada por el sol y canta para acompañar el esplendor de su colorido. Sin embargo, cuando llega el momento de alimentarse, de construir el nido o de cuidar los hijuelos ocultos en un lugar sombrío, el cardenal de vistosas plumas rojas está a salvo de las aves rapaces y otros enemigos que no logran distinguirlo en las sombras.

Creo que es interesante que Jesús, el Rey del universo, que habría podido brillar como el sol en todo su esplendor, haya velado su magnificencia al entrar a este mundo de sombras y revestirse de la naturaleza humana.

Cuando Jesús se levante como Rey de reyes para recibir a su esposa, que es la iglesia triunfante, manifestará el esplendor deslumbrante que le pertenece. Pero indudablemente también mostrará, por lo menos en las cicatrices de las manos y los pies, que derramó su sangre por nosotros.

CON LA EXACTITUD DEL CUARZO

***Toda buena dádiva y todo don perfecto desciende de lo alto, del Padre de las luces, en el cual no hay mudanza, ni sombra de variación* (Santiago 1:17)**

Probablemente sabes lo que sucede cuando a alguien le da la corriente. Tal vez tú mismo has tocado un alambre eléctrico y has recibido un fuerte sacudón, o bien has experimentado un pequeño golpe de corriente al caminar sobre ciertas alfombras y al tocar un objeto metálico. Los golpes de corriente ejercen cierto efecto en objetos inanimados. Por ejemplo, si aplicas corriente eléctrica a un trozo de cuarzo o "cristal de roca", éste vibra. No puedes percibir las vibraciones, pero éstas se producen de todos modos.

Alguien se tomó el trabajo de medir las vibraciones del cuarzo y encontró que vibra exactamente 32.768 veces por segundo, lo cual es una razón por la que no puedes percibir las vibraciones. Ese descubrimiento revolucionó la forma de medir el tiempo. Seguramente has oído hablar de los relojes de cuarzo, y tal vez hasta tienes uno. Debido a que el cuarzo vibra exactamente 32.768 veces por segundo cuando se le aplica una corriente eléctrica, hasta el reloj de cuarzo más barato es sumamente exacto, ya que varía menos de un minuto por año.

Funciona en la forma que explicamos a continuación. Si fueras un matemático, sabrías que el número 32.768 tiene algo especial. Si tomas el número 1 y lo duplicas, tienes 2; si duplicas el 2, tienes 4; y si sigues duplicando los números que vas obteniendo, hasta 15 veces, finalmente llegarás al número 32.768. Los fabricantes de relojes, que estaban al tanto de este hecho, sabían que si podían encontrar la forma de limitar el número de vibraciones del cuarzo a la mitad 15 veces, obtendrían intervalos de un segundo. Y eso es exactamente lo que hicieron. El reloj de cuarzo tiene un trocito de cuarzo, una pequeña pila y una serie de minúsculos circuitos eléctricos que reducen los pulsos eléctricos a la mitad 15 veces para producir una ínfima descarga de energía eléctrica una vez por segundo. Esa pequeña descarga es la que hace funcionar el reloj de cuarzo.

Nuestro Dios, que hizo el cuarzo, también lleva un registro preciso del tiempo. Sabe exactamente cuándo Jesús vendrá a buscarnos para llevarnos al cielo. No hay duda alguna de que eso sucederá, por lo cual debemos estar preparados.

Enero 16

MUERTO A PICOTAZOS

¡Jerusalén, Jerusalén, que matas a los profetas y apedreas a los que te son enviados! ¡Cuántas veces quise juntar a tus hijos, como la gallina junta a los polluelos debajo de las alas, y no quisiste! **(Mateo 23:37).**

¿Has observado el comportamiento de la gallina con sus pollitos? Si ve que se aproxima un ave de rapiña, un gato u otro animal peligroso, cloquea en forma característica y los pollitos corren a refugiarse bajo sus alas. Cuando los pollitos son muchos, a veces les cuesta trabajo meterse debajo; los que llegan último tienen que empujar y abrirse paso trabajosamente, hasta que logran hallar lugar, y ahí permanecen hasta que pasa el peligro.

Jesús había derramado sus bendiciones especiales sobre la casa de Israel y sobre Jerusalén, la hermosa ciudad donde había estado durante siglos el gran templo levantado para su honra y gloria. Poco antes de ser muerto por los mismos a quienes había venido a salvar, Jesús se encontraba muy afligido, por lo que pronunció las palabras de nuestro texto de hoy.

Los criadores de aves dicen que un pollo fue "muerto a picotazos" cuando los demás pollos lo pican hasta matarlo. En todo gallinero hay un pollo que es más débil e inferior. Los otros pollos lo pican con frecuencia, hasta que lo matan. Este mismo comportamiento agresivo se da en los seres humanos. Por alguna razón una persona cae en desgracia, y todos la atacan como si fuera un enemigo mortal.

Eso mismo le sucedió a Jesús, ¿verdad? Había sido amigo de la gente del pueblo. Entre la multitud que se mofaba de él y que gritaba "¡Crucifícale!" se encontraban muchos que sólo pocos días antes lo habían alabado con hosannas y lo exaltado como su rey. Muchos habían sido sanados por él cuando padecían de enfermedades incurables, y otros habían sido alimentados cuando tenían hambre. Pero ahora querían matarlo. Jesús se encontraba en la misma posición del pollo atacado por los demás, pero aun en medio de esa situación desventajosa actuó como la gallina con sus pollitos cuando están amenazados por un peligro, y deseó ardientemente proteger a su pueblo.

EL CANGREJO BAYONETA

***Porque os digo que muchos profetas y reyes desearon ver lo que vosotros veis, y no lo vieron; y oír lo que oís, y no lo oyeron* (Lucas 10:24).**

¿No crees que habría sido admirable ser uno de los discípulos de Jesús? Lo consideraban su amigo personal. Vieron cosas que no percibieron otros seres humanos antes ni después de ellos. ¿Tenían ojos especiales? ¿Podemos nosotros ver al Señor en la forma como lo contemplaron sus discípulos?

Existen diferentes clases de ojos. Consideremos, por ejemplo, el caso del cangrejo bayoneta. A este crustáceo no le basta un solo par de ojos. ¡Tiene tres clases de ojos!

Tiene grandes ojos compuestos encima del caparazón. Esos ojos son sensibles a ínfimos cambios de la luz visible, de la luz ultravioleta y hasta de la luz polarizada. Cada ojo compuesto está formado por ochocientas caras separadas, cada una de las cuales se conecta con el cerebro mediante receptores especiales. De modo que el cerebro de este humilde crustáceo posee un complejo centro de procesamiento de datos en cada ojo. Los científicos están estudiando esos ojos para descubrir la forma como funcionan. Piensan que sus descubrimientos contribuirán a prevenir y tratar la ceguera en los seres humanos.

Este cangrejo tiene, además, dos minúsculos ojos en el centro del caparazón. Parece que son sensibles únicamente a la luz ultravioleta y tal vez le advierten al cangrejo cuando éste se expone excesivamente a esos peligrosos rayos, y lo hacen enterrarse en la arena para esperar la noche o la llegada de la marea alta.

Finalmente, este cangrejo tiene otro ojo en la parte inferior del caparazón, justamente frente a la boca. Este ojo es sensible a la luz visible, pero nadie sabe para qué le sirve.

Puedes pensar que posees una sola clase de ojos, los que tienes en la cara. ¿Pero acaso no olvidas el "ojo de la mente"? Aunque no hayamos estado con Jesús cuando anduvo entre los hombres, de todos modos podemos verlo con nuestra imaginación y apreciar su sonrisa al contemplar su rostro lleno de amor y bondad.

Enero 18

LOS MACACOS JAPONESES

***Y tomó el pan y dio gracias, y lo partió y les dio, diciendo: Esto es mi cuerpo, que por vosotros es dado; haced esto en memoria de mí* (Lucas 22:19).**

En una isla situada frente a la costa del Japón habita una colonia de monos macacos. Originalmente vivían en la selva y no se aventuraban a ir a la playa ni a entrar en el agua. Cierto día llegaron unos científicos con la intención de estudiar a los simios. Colocaron comida cerca del mar. Con el tiempo los macacos aprendieron a vivir en la playa. Pero surgió un problema.

Naturalmente, había arena y ésta ensuciaba la comida, y a los macacos no les gustaba comer arena, como tampoco nos agrada a nosotros. Trataron de comer alrededor de las partes sucias con arena, y también procuraron escupir la arena; pero no pudieron evitar que se les metiera en la boca.

Un macaco joven particularmente inteligente descubrió la forma de lavar las batatas o boniatos. Otros simios jóvenes siguieron su ejemplo. Cuando los macacos se hicieron adultos y tuvieron hijos, les enseñaron a lavar los boniatos.

Aunque parezca extraño, ninguno de los macacos más viejos aprendió a lavar la comida, sino solamente los jóvenes. Esto ocurrió hace algunos años, y en la actualidad todos los monos que viven es esa isla son descendientes de los que aprendieron que resultaba más fácil comer los alimentos cuando se les lavaba la arena. De modo que ahora la nueva generación sigue lavando los boniatos. Todos aprendieron mediante el ejemplo.

Con frecuencia aparecen en nuestra vida pequeños problemas que son como arena en la comida. Tratamos de evitarlos y de escupirlos, como hicieron los macacos. Pero nada resulta y los problemas siguen intactos. Jesús vino a este mundo para vivir y morir para que nuestros pecados pudieran ser lavados. El es nuestro ejemplo. Imitando su manera de vivir cuando estuvo entre los seres humanos y con su ayuda, llegaremos a ser cristianos felices. No nos aferremos tanto a nuestra manera de ser y de actuar que no logremos aprender a seguir el ejemplo de Jesús en todas las cosas.

ESTAMOS TODOS EMPARENTADOS

Estas son las familias de los hijos de Noé por sus descendencias, en sus naciones; y de éstos se esparcieron las naciones en la tierra después del diluvio **(Génesis 10:32).**

Todos hemos dicho alguna vez que estamos emparentados unos con otros, a través de Noé o de Adán. ¿Pero te has preocupado de aclarar lo que eso significa? Cierta vez un hombre afirmó que había calculado en forma matemática el grado de proximidad en que todos estamos emparentados con los demás. Si sus cálculos son correctos, el grado de parentesco no puede ser más alejado que primos en trigésimo grado. Y ése sería el límite máximo de la *falta* de parentesco con los demás. En realidad, es probable que tengamos un grado de parentesco mucho más cercano. Según esto, tendríamos cinco mil millones de primos. ¡No te olvides de sus cumpleaños! ni de enviarles regalos en Navidad! No recuerdes solamente a dos o tres mil millones de primos favoritos. Los recuerdas a todos o no recuerdas a ninguno.

Esto puede parecer un comentario inútil, pero lo hacemos para mostrar que estamos emparentados con todos los habitantes del mundo. Tal vez pienses que eso no incluye a la gente de otras razas y nacionalidades; pero incluye a todos. Si fueras ciudadano alemán, no serías pariente más distante que primo en trigésimo grado de una criatura aborigen nacida ayer en una remota aldea a orillas del río Amazonas. ¿Les enviaste una tarjeta de felicitaciones a sus padres?

La persona promedio puede tener un millón de "parientes" que han vivido en los últimos quinientos años, de modo que no te entusiasmes demasiado procurando trazar tu árbol genealógico. Y todos tus antepasados tuvieron descendientes fuera de tu familia inmediata, de modo que las cosas se complican rápidamente cuando tratamos de probar que nuestra línea genealógica es de pura sangre.

En realidad, a la vista de Dios somos todos hermanos y hermanas si es que pertenecemos a su gran familia. Jesús vino a este mundo como Dios, llegó a ser nuestro hermano y murió por nosotros. Ahora piensa durante un momento. Recuerda que estás emparentado con todos los seres humanos que han existido. Jesús fue y es un ser humano, además de ser divino; por lo tanto, también estás emparentado con él. ¿Lo honrarás mediante un comportamiento correcto y cristiano?

ARBOLES BONSAI

***Y que desde la niñez has sabido las Sagradas Escrituras, las cuales te pueden hacer sabio para la salvación por la fe que es en Cristo Jesús* (2 Timoteo 3:15).**

La palabra "bonsai" hace referencia a un pasatiempo que los japoneses han practicado durante cientos de años. La palabra significa "árbol en tiesto", y eso es exactamente: un árbol en crecimiento o completamente desarrollado, plantado en un tiesto y colocado como adorno en un escritorio o en una repisa. El arte de cultivar árboles enanos data por lo menos de mil años en la China. Originalmente los coleccionistas de plantas bonsai iban al bosque y buscaban árboles que fueran enanos en forma natural y que pudieran trasplantar en un tiesto para adornar sus hogares. Pero hace trescientos o cuatrocientos años no había suficientes árboles enanos en la naturaleza para suplir la demanda. Como resultado, comenzaron a cultivarlos.

En esta época, cuando deseamos que todo se haga con rapidez, puede resultar difícil pensar que se necesitan décadas para cultivar un árbol bonsai; pero los ejemplares mejores son los que tienen la misma edad que los añosos árboles del bosque.

Resulta extraordinario ver un conjunto de siete u ocho cedros que crecen en fuentes planas puestas sobre una mesa. Se ven las raíces retorcidas y hasta los restos de las ramas secas que han sido cortadas y que causan la impresión de haber sido rotas por el viento. En realidad éstos y otros efectos se producen a costa de grandes esfuerzos efectuados por el encargado del cultivo. El ingrediente principal que se requiere para tener éxito en el cultivo de los árboles bonsai es la *paciencia.* Algunos de los cultivadores japoneses estudian sus árboles durante diez años antes de decidir en qué dirección orientarán ciertas ramas. La sabiduría manifestada al actuar con paciencia se resume en el dicho: "Arbol que crece torcido, su tronco nunca endereza".

Así como se requiere gran cuidado para cultivar un árbol bonsai, también Dios ha dado a los padres responsabilidades particulares relacionadas con el cuidado de los niños que les ha encomendado. La palabra de Dios, tiernamente cultivada en el corazón de los hijos que crecen, pagará abundantes dividendos en términos de una vida llena de paz y felicidad en Jesús.

EL GORRION ASESINO

***Y no temáis a los que matan el cuerpo, mas el alma no pueden matar; temed más bien a aquel que puede destruir el alma y el cuerpo en el infierno. ¿No se venden dos pajarillos por un cuarto? Con todo, ni uno de ellos cae a tierra sin vuestro Padre* (Mateo 10:28-29).**

Al escribir esta página, todavía me siento pasmado porque ayer asesinaron brutalmente a mi vecina. Vivimos en un mundo despiadado en el que la vida humana tiene escaso valor. El que una persona pueda matar a otra por cualquier razón ya es bastante malo, pero es mucho peor que lo haga sin tener razón alguna, y esto llena el corazón de temor. Afortunadamente los que conocemos a Jesús y confiamos en él nos sentimos seguros. No tememos a la muerte.

Cuando pensamos en la gente que comete tales atrocidades, la comparamos con las fieras sanguinarias que acechan a su presa. Parece que el pecado ha dejado su terrible huella en los mansos gorrioncillos. Cierta mañana de 1976 una señora del Estado de Luisiana, Estados Unidos, observó cómo un gorrión hembra atacaba a otra hembra de la misma especie. La atacante se lanzó en picada sobre la otra, la agarró del cuello con el pico y la mantuvo aferrada hasta que dejó de moverse. A continuación se paró sobre el cuerpo inerte y le asestó varios fuertes picotazos en plena cabeza. Otros gorriones se aproximaron y se quedaron observando durante un rato; finalmente todos volaron dejando el cadáver en el suelo. Algunos minutos más tarde un gorrión regresó (tal vez la misma hembra atacante), saltó sobre el gorrión muerto y le asestó varios picotazos más en la cabeza, y luego se retiró volando.

Nadie sabrá qué causó este incidente, pero esta mañana, al meditar en la tragedia humana que sucedió tan cerca de mí, mis pensamientos se han vuelto hacia Jesús, quien pudo haber visto una pelea de gorriones que podría haberlo inducido a pronunciar las consoladoras palabras de nuestro texto, dirigidas a quienes sentían temor por sus vidas. "No temáis; más valéis vosotros que muchos pajarillos" (Mateo 10:31).

Enero 22

¿DONDE ESTA LA MATERIA QUE FALTA?

***Cuando veo tus cielos, obra de tus dedos, la luna y las estrellas que tú formaste, digo: ¿Qué es el hombre, para que tengas de él memoria, y el hijo del hombre, para lo visites?* (Salmo 8:3-4).**

El Dr. Wallace Tucker, profesor de astrofísica de la Universidad de California, ha informado que existe un problema relacionado con la idea que tenemos de lo que es el universo. Se trata de un gran problema, tan grande como el universo mismo.

Cuando se reúnen las ideas humanas acerca de todas las cosas, y cuando se formulan todas las teorías que resumen la mejor comprensión que el hombre tiene acerca de la forma como el universo está constituido, desde el átomo más ínfimo hasta la galaxia más gigantesca, hay algo que falta. Y lo que falta es lo que se necesita para explicar por qué el universo se mantiene unido sin desintegrarse.

¿Qué falta? Según el Dr. Tucker, lo que falta es una parte de la materia del universo. Expresado con sencillez, el problema es el siguiente: si se toman todas las estrellas, planetas, lunas, asteroides, polvo estelar y todo lo demás que existe en el universo, y se lo reúne en un solo montón homogéneo, eso representaría la décima parte de lo que hay en el espacio. Noventa por ciento de la materia que se necesitaría para explicar la totalidad del universo no se ha encontrado nunca. Los científicos creen que la materia que falta está en alguna parte en el universo, pero no saben dónde buscarla.

¿Dónde crees tú que está?

El Dr. Wallace Tucker escribe que, de acuerdo con sus propias teorías, el universo debiera haber estallado en pedazos hace miles de años, y sin embargo hay algo que lo mantiene unido. Nuevas teorías formuladas sostienen que debe existir una vasta cantidad de algo que mantiene el orden en el universo. Pero los astrónomos y los físicos, con todos sus instrumentos de medición y cálculo, han sido incapaces de descubrir en qué consiste ese elemento aglutinante del universo.

¿Qué crees tú que es?

EL GATO LIMOSINA

***He aquí, yo estoy a la puerta y llamo; si alguno oye mi voz y abre la puerta, entraré a él, y cenaré con él, y él conmigo* (Apocalipsis 3:20).**

Tenemos un gato. Su nombre es Limosina. Es bastante grande y completamente negro. Antes pertenecía a un vecino, pero cuando éste adquirió un gran perro de caza, el gato se vino a vivir con nosotros. En realidad no se queda todo el tiempo, sino que viene a comer y en busca de caricias.

Con los años, Limosina ha aprendido a comunicarnos que tiene hambre y desea recibir comida. Al comienzo tratamos de alimentarlo en el patio, pero eso no resultó, porque todos los gatos del vecindario venían a comer, como también una zarigüeya y dos mapaches. No es que objetáramos la presencia de tantos y tan simpáticos animalitos, sino que gastábamos demasiado dinero en comida para gatos. De modo que tuvimos que adoptar una táctica diferente. Le dimos comida a Limosina adentro de la casa y nos preocupamos de dejarla entrar varias veces al día para que comiera. Pero nuestro horario y el del gato no siempre coincidían, por lo que el animalito se impacientaba. Trepaba por la tela metálica de la puerta y maullaba.

Pronto se creó un problema, porque el gato estaba destruyendo la tela de la puerta. Quitamos el resorte que cierra automáticamente la puerta, y con eso resolvimos la dificultad; en adelante, cuando Limosina trataba de trepar por la tela, la puerta se abría, lo cual no le hacía ninguna gracia al gato. De modo que dejó de hacerlo.

Cuando no pudo practicar su deporte favorito, buscó otra solución, que resultó excelente y que emplea hasta hoy día: ¡Ahora golpea! Nos ha causado asombro ver la inteligencia práctica de nuestro gato. ¿Cómo lo hace? Cuando desea entrar, con la pata abre un poquito la puerta y luego la suelta; la puerta se cierra por su propio peso y produce un golpe. Repite varias veces seguidas el mismo procedimiento, con lo que nos avisa que está ahí y desea entrar. Nunca dejamos afuera al gato, porque sus llamadas se hacen muy persistentes.

¿Atendemos nosotros a Jesús con prontitud cuando llama a la puerta de nuestro corazón?

IDENTIFICACION DE LAS AVES

***Pues aun vuestros cabellos están contados* (Mateo 10:30).**

Se usan números para identificar a la gente. Hay números de teléfono, números de tarjetas de crédito, números de registro de conductor y número de seguro social, para mencionar solamente algunos. Se usan números para mantener control sobre la gente, porque sería imposible conseguirlo utilizando los nombres y apellidos.

Poco después del comienzo de este siglo, los científicos comenzaron a colocar bandas numeradas en las patas de las aves. Lo hicieron con el fin de saber dónde van los pájaros, qué rutas siguen y cuánto tiempo viven. Pero cuando se concibió esta idea nadie sabía qué debían poner en las bandas. En 1903 colocaron una banda a una gaviota en Alemania; un tiempo después la encontraron en Francia, donde se produjo un gran debate por no saber interpretar el contenido de la banda. Algunos pensaron que se trataba de un mensaje enviado por un marino de un barco naufragado, y otros creyeron que era un mensaje de una muchacha para su novio. Por ese mismo tiempo alguien mató un águila que tenía una banda de identificación con el número 1285. El periódico del lugar confundió el número y supuso que se trataba del año, de modo que publicó un artículo en el que hablaba de un águila de más de 600 años de edad.

Los científicos finalmente se pusieron de acuerdo en lo que debían incluir en las bandas de identificación, pero se produjo un error divertido. Por ese tiempo el organismo que tenía a su cargo la identificación de las aves era el Biological Survey de Washington. Cierta vez hicieron un pedido de bandas de identificación e instruyeron a la fábrica que abreviaran la dirección en esta forma: "Biol. Surv. Wash." Cuando recibieron las bandas de la fábrica, venían con la siguiente inscripción: "Wash, Boil and Surv". Debido a que alteraron la grafía de una palabra y el orden de las tres, el significado en español de la banda es: "Lávelo, Hiérvalo y Sírvalo". Los cazadores habrían pensado que el ave con esa banda de identificación les proporcionaría un plato sabroso.

Jesús no necesita ponernos bandas de identificación para saber dónde estamos, qué nos sucede o qué necesitamos, porque nos conoce por nombre. El está dispuesto a socorrernos en cualquier momento.

MUERTO DE FRIO

Sembráis mucho, y recogéis poco; coméis, y no os saciáis; bebéis, y no quedáis satisfechos; os vestís y no os calentáis; y el que trabaja a jornal recibe su jornal en saco roto **(Hageo 1:6).**

"¡Brrr-r-r! ¡Me estoy muriendo de frío!" Tal vez has usado esta expresión, pero sin hablar en serio. La gente que se está muriendo de frío no siempre se da cuenta de lo que le sucede.

Si te encuentras en un ambiente helado sin estar suficientemente abrigado, o bien si te metes en agua helada, y la temperatura de la superficie de tu cuerpo baja considerablemente, de modo que tu organismo no puede seguir funcionando a la temperatura de 37° C (98,6° F), se interrumpirá la provisión de sangre a la piel y a las extremidades para que los órganos internos puedan mantenerse vivos. Se usa la expresión "hipotermia" para indicar la condición de un cuerpo cuya temperatura es inferior a la normal. El primer síntoma revelador de esta condición es un fuerte temblor de todo el cuerpo, mediante el cual el organismo trata de generar calor. Si no se produce la reacción debida, la persona se pone olvidadiza, se confunde y se torna incapaz de tomar decisiones. Probablemente no siente el frío. Si el cuerpo continúa helado, la persona perderá la capacidad de hacer movimientos coordinados, y el temblor se convertirá en espasmos musculares y finalmente en rigidez muscular. Finalmente caerá en la inconsciencia y morirá.

Te puedes morir de frío aun en el verano. Si te encuentras en una zona montañosa alta, donde la temperatura cambia imprevistamente, y si no tienes ropa adecuada para protegerte del frío, puedes experimentar hipotermia lo mismo que si te encontraras en medio del invierno. Vale la pena estar preparados en todo momento. Los manuales de primeros auxilios proveen instrucción acerca de cómo mantenerse abrigado cuando la temperatura es muy baja.

¿Te parece que podríamos hablar de hipotermia espiritual? La gran mayoría de la gente en el mundo se está muriendo de frío espiritual y no lo sabe. Cuando Pedro se calentaba junto al fuego, en ocasión del juicio de Jesús, no se daba cuenta de que se había enfriado su relación con el Señor. Afortunadamente Pedro experimentó el calor del amor de Cristo y eso lo salvó.

¿UNA BALLENA QUE CAMINA?

***Más que todos mis enseñadores he entendido, porque tus testimonios son mi meditación* (Salmo 119:99).**

No hace mucho tiempo, un profesor de la Universidad de Michigan exploraba las montañas Hindukush del Pakistán, no lejos del famoso Paso Khyber, cuando repentinamente encontró el cráneo y los dientes fosilizados de un animal desconocido. Eso era todo lo que tenía, el cráneo y algunos dientes. Por deducción concluyó que se trataba de los restos de un animal de 2 a 2,5 metros (6 a 8 pies) y de unos 250 Kilos de peso (500 libras), que, según su opinión, había sido una ballena que caminaba y que había vivido junto a un mar que él creía que había existido en esa región hace 50 millones de años.

El profesor supuso que debido a que el cráneo se había encontrado en un terreno arenoso que había sido una playa o la orilla de un río, y debido a que los dientes eran parecidos a los de otro fósil que se creía que era una ballena y que se había encontrado en la costa occidental de la India, tanto el cráneo como los dientes tenían que ser los de una ballena. ¿Y qué se puede decir de las patas? Aparentemente se trata nada más que de una especulación del profesor. Debido a que muchos expertos en ballenas creen que estos grandes cetáceos evolucionaron en la tierra y de ahí pasaron al mar, suponen que tuvo que haber un tiempo cuando las ballenas tenían patas. De modo que el profesor cree que el cráneo que encontró en la arena que una vez tal vez estuvo en contacto con el agua, muy bien podría pertenecer a uno de los primitivos antepasados de las ballenas, y por lo tanto tendría que haber tenido patas. Ha dicho que volverá al lugar donde encontró el cráneo y los dientes para buscar los huesos de las patas, pero admite que necesitará mucha suerte para encontrarlos. Si llega a encontrar huesos de patas, ciertamente no serán los de una ballena.

Sabemos que han existido animales extraños en tiempos pasados, pero creemos que fueron destruidos en el diluvio. Y aunque no comprendamos todos los detalles, resulta más fácil creer lo que dice la Palabra de Dios. El agua cubrió todo el mundo, por eso se encuentran animales fosilizados en todas partes. ¿Qué necesidad tenemos de teorías descabelladas para explicar lo que *se supone* que ocurrió?

PULGAS QUE HABLAN

***El da a la bestia su mantenimiento, y a los hijos de los cuervos que claman* (Salmo 147:9).**

Probablemente sea una exageración decir que la pulga es una *bestia,* pero cuando pica puede parecer un verdadero monstruo. También es exagerar decir que las pulgas hablan, pero sí se comunican. Hasta los seres más insignificantes se comunican unos con otros, pero en la mayor parte de los casos no sabemos cuáles son los medios que utilizan. Sólo sabemos que se envían mensajes unos a otros, ya sea mediante sonidos o utilizando sustancias olorosas.

Hace poco, un entomólogo (científico que estudia los insectos) de la Universidad de Virginia Occidental obtuvo evidencias de que las pulgas se comunican por medio de ondas sonoras de muy elevada frecuencia, que nosotros no podemos percibir. Las pulgas tienen en el abdomen un conjunto de minúsculos pelos que les sirven de antenas. Los sonidos de elevada frecuencia los hacen vibrar con gran rapidez, debido a lo cual los entomólogos creen que esos pelos son receptores de sonidos.

Además, las pulgas pueden producir los sonidos que hacen vibrar las antenas abdominales. Producen los ultrasonidos mediante diminutas aberturas que tienen en el abdomen. Esto hace creer que las pulgas cuentan con todo el equipo necesario para comunicarse unas con otras. ¿Qué crees tú que se dicen? Los entomólogos piensan que no tienen gran cosa que decirse, a no ser lo que se relaciona con el alimento. De modo que cuando una pulga encuentra una suculenta fuente de comida, como un perro, un gato u otro animal, comienza a difundir sus mensajes destinados a todas las pulgas del vecindario.

Por cierto que las pulgas no son nada populares entre la gente, y ni siquiera entre los perros y los gatos. No sabemos qué cambios han tenido las pulgas desde que sus antepasados fueron creados, pero el Creador las ha equipado con un admirable medio de comunicación que les ayuda a sobrevivir.

Enero 28

LAS HOJAS PARLANTES DEL INDIO SECOYA

***En el principio era el Verbo, y el Verbo era con Dios, y el Verbo era Dios... Todas las cosas por él fueron hechas, y sin él nada de lo que ha sido hecho, fue hecho* (Juan 1:1-3).**

Secoya era un indio que tenía mitad de sangre cheroquí, que vivió por los años 1800 en Tennessee, Estados Unidos. Cuando Secoya vio un libro por primera vez, un amigo le dijo que el hombre blanco había hechizado las páginas, y que ese hechizo le permitía leer los pensamientos. Secoya le dio a las páginas el nombre de "hojas parlantes". El y sus antepasados habían conocido únicamente el libro de la naturaleza, de modo que la página impresa constituía una forma de conocimiento que él ni siquiera había imaginado. La palabra escrita le causó una impresión tan profunda, que aprendió a leer y creó un alfabeto para la lengua cheroquí, el que resultó muy útil.

Jesús, nuestro Creador, escribió dos libros. Escribió el primero con su propia mano: el libro de la naturaleza en la forma que tenía en el Edén. Luego inspiró a hombres santos para que escribieran otro libro: la Santa Biblia con sus hojas parlantes. Estos dos libros, juntamente con otras formas de inspiración, como visiones especiales recibidas por los profetas y las impresiones que el Espíritu Santo ejerce sobre ciertas personas, constituyen el medio que Dios emplea para decirnos cómo es él y cuánto nos ama. Es importante que estudiemos ambos libros de Dios.

Sabemos que debemos estudiar la Biblia. Pero no siempre comprendemos claramente la necesidad de estudiar el mensaje de Dios manifestado en el libro de la naturaleza. En la Biblia encontramos que los hombres y las mujeres que Dios utilizó eran estudiantes de la naturaleza que procuraban captar la palabra de Dios revelada en las cosas grandes y pequeñas de la naturaleza. El pecado borroneó las páginas de la naturaleza, de modo que no las podemos leer correctamente sin la ayuda de las hojas parlantes de la Biblia. Mediante la dirección del Espíritu Santo podemos estudiar con oración todo lo que Dios ha revelado.

Cuando nos encontramos por primera vez frente a las páginas del libro de la naturaleza y no sabemos cómo leerlas, puede ser que mostremos algo de incredulidad. Debemos pedir al Creador que nos enseñe el alfabeto del libro de la naturaleza para poder leer todas sus obras.

¡TENIAN 64 PERROS!

***Y pondrá su mano sobre la cabeza de la ofrenda de expiación, y la degollará por expiación en el lugar donde se degüella el holocausto* (Levítico 4:33).**

Los esposos Snyder, de Pennsylvania, tenían 64 perros. Aunque querían mucho a sus animalitos y los cuidaban, los vecinos se quejaron y les hicieron una demanda judicial. El juez ordenó a los Snyder que se quedaran solamente con cinco perros, y que se deshicieran de todos los demás. Para los Snyder, los perros constituían una gran familia. Amaban a sus animales. Puedes considerar bastante raro que tuvieran un número tan grande de perros, ya que es algo fuera de lo común. Los esposos Snyder se afligieron mucho porque tenían que deshacerse de sus queridos perros. ¿Qué debían hacer?

Al parecer trataron de regalarlos, pero no pudieron encontrar gente interesada con la rapidez requerida por la corte. Les ordenaron entregar los perros a las autoridades. No pudieron soportar la idea de lo que les sucedería a sus animales cuando los entregaran a la Sociedad Protectora de Animales. De modo que decidieron matarlos uno por uno con inyecciones, mientras los sostenían con los brazos.

Después que cuarenta perros habían muerto tranquilamente, le tocó el turno a Campeón, un gran San Bernardo. Después de haber fallado tres intentos por matar a Campeón con inyecciones, el Sr. Snyder, hombre de 55 años que trabajaba en una fábrica de acero, con lágrimas en los ojos desistió de seguir destruyendo a sus animales. Dijo: "Campeón luchó tanto por seguir viviendo, que no pude matar el resto de los perros. Abracé a todos mis perros y lloré por cada uno de ellos".

Los esposos Snyder decidieron enviar a sus animales a un hogar para perros mientras les encontraban ubicaciones adecuadas, y las autoridades les permitieron llevar a cabo este plan. Campeón había cambiado las cosas. Su deseo de vivir había salvado al resto de los perros. Los animales nos pueden enseñar mucho.

Yo también lloré cuando leí esta historia. Es muy triste ver morir a nuestros animalitos amados. Pero nuestro amigo más querido de todos es Jesús. Después que el pecado entró en el mundo, Dios puso al alcance del ser humano un medio que le ayudaría a comprender cuál es el resultado del pecado: debían ofrecer sacrificios, en los que un cordero tenía que ser degollado por su dueño. Eso les enseñó que el pecado mata. Pero Jesús salva porque primero él mismo tuvo que morir por los pecadores. ¿Lo amas de todo corazón?

Enero 30

HACIENDOSE EL MUERTO

***Porque nosotros que vivimos, siempre estamos entregados a muerte por causa de Jesús, para que también la vida de Jesús se manifieste en nuestra carne mortal* (2 Corintios 4:11).**

Cierta mañana de enero, el Sr. McNair caminaba con su perro por una playa en las afueras de la ciudad de Wellfleet, Massachussetts. De pronto el perro vio un pato de flojel o eider que no podía volar y se encontraba a cierta distancia del agua. Cuando el perro se aproximó, el pato al parecer cayó muerto de miedo, lo cual no es infrecuente entre las aves silvestres. El cuerpo del pato se encontraba echado hacia adelante, tenía el cuello torcido y los ojos vidriosos y vueltos hacia arriba. No manifestaba señales de vida. El Sr. McNair supuso que estaba muerto, le levantó el cuello y le inspeccionó la cabeza; cuando la soltó, la cabeza y el cuello cayeron en el hielo. Le tiró las plumas de la espalda y las alas, pero no obtuvo señal de vida. Puso al pato de espaldas y repentinamente las dos patas comenzaron a moverse en un inútil intento por darse vuelta. ¡No estaba muerto, después de todo!

El Sr. McNair lo enderezó suavemente. El pato volvió a hacerse el muerto. Lo alzó y lo llevó al borde del agua. Lo dejó en el hielo. Luego se retiró a cierta distancia para observar. No se produjo movimiento alguno durante unos momentos. Repentinamente el pato levantó la cabeza y el cuello y miró al Sr. McNair y al perro. Cuando el perro lo vio moverse, comenzó a aproximarse para verlo más de cerca, pero esta vez el pato se metió en el agua y escapó nadando vigorosamente como si nada hubiera sucedido.

El ave sabía instintivamente que el perro no se interesaría en un pato muerto. Puesto que de todos modos no había otra forma de escapar, el pato optó por hacerse el muerto, y tuvo éxito. Tú y yo estamos frente a un astuto enemigo que anda en busca de alguien a quien devorar. Aunque no podemos hacernos pasar por muertos, podemos reclamar la muerte de Jesús, y su muerte real nos librará de ese viejo perro que es el diablo.

DOX, EL PERRO DETECTIVE

***Mas si así no lo hacéis, he aquí habréis pecado ante Jehová; y sabed que vuestro pecado os alcanzará* (Números 32:23).**

Se cuentan historias increíbles acerca de la habilidad que el perro, el mejor amigo del hombre, posee para detectar distintas cosas. No hablaremos de los perros que son empleados para descubrir drogas, alimentos y otros artículos introducidos ilegalmente en el país. Nos concentraremos en la historia de un perro que fue asignado a la unidad investigadora de homicidios de una ciudad italiana. Dox tenía el rango de cabo, lo que significaba que todos los policías de menor rango tenían que saludarlo al pasar frente a él. Hay numerosas historias de las hazañas protagonizadas por Dox, el perro detective. A continuación referiremos una de las mejores.

Un hombre había sido asesinado en el depósito de una joyería. Llevaron a Dox a ese lugar. Olisqueó por todas partes y luego comenzó a seguir una pista que lo llevó, juntamente con los policías, al escondite que un hombre tenía en el sótano de su casa. Los policías supusieron que era el asesino, de modo que lo sometieron a un extenso interrogatorio; pero finalmente se convencieron que él no había cometido el terrible hecho de sangre. No podían llevarlo detenido sin tener pruebas, de modo que se retiraron sin él. Pero Dox tenía otras ideas.

De vuelta en la joyería, los policías querían que el perro detective siguiera otras pistas, pero a Dox no le interesaban. Siguió olisqueando en el depósito hasta que de pronto encontró un botón. Luego condujo a los policías al mismo sótano sonde habían encontrado al hombre. Mientras los policías se disculpaban por molestarlo nuevamente y mientras el hombre volvía a afirmar su inocencia, Dox se dirigió a la puerta de un armario, lo abrió con la nariz y sacó un impermeable que había colgado. Puedes imaginarte el resto de la historia: le faltaba un botón, que era precisamente el que habían encontrado en el depósito de la joyería. Frente a una evidencia tan irrefutable, el hombre tuvo que admitir su culpa. La reputación de Dox se mantuvo intacta.

Es posible que en algunos casos los animales manifiesten más sensibilidad a los pecados de la gente que los mismos seres humanos.

Febrero 1

EL BENEFICIO DE LA FIEBRE

***Y no sólo esto, sino que también nos gloriamos en las tribulaciones, sabiendo que la tribulación produce paciencia* (Romanos 5:3).**

Suponemos que la fiebre no es buena, pues dedicamos tiempo y energía para hacer que el enfermo recupere la temperatura normal. Pero si no fuera por la fiebre, las defensas del organismo no podrían funcionar bien. A veces el médico desea que haya fiebre; sin embargo, en ciertos casos es peligrosa, especialmente si sube mucho.

El Dr. Thomas Sydenham declaró en el siglo XVII que la fiebre es la "maquinaria de la naturaleza, que ésta usa para desalojar a su enemigo". El enemigo es, por supuesto, la infección.

¿Sabes lo que sucede cuando la temperatura del cuerpo sube más de lo normal? Se acelera la circulación para llevar más glóbulos blancos hacia el foco de infección con el fin de combatirla; se acelera la producción de anticuerpos, y la proteína antiinfecciosa llamada interferón actúa más efectivamente.

Las investigaciones efectuadas utilizando lagartos han demostrado que los que enferman buscan el calor si se les permite hacerlo, y que los que son mantenidos en un ambiente frío, mueren en un porcentaje más elevado que los que viven en temperaturas normales. Los lagartos son reptiles de sangre fría, o sea que no generan calor; por lo tanto, lo adquieren exponiéndose a la luz del sol.

En nuestra relación con otros, y con Jesús, a veces comienza a subir la temperatura y se dañan las buenas relaciones. Hay diferentes circunstancias: en algunos casos nosotros producimos el calor, quizá porque no sabemos cómo actuar o porque nuestro comportamiento genera en otros disconformidad y antagonismo.

También hay momentos en que nuestra manera de seguir a Jesús disgusta a los demás. Jesús en nuestras vidas puede hacerles ver el pecado en las suyas, y como no desean cambiar su comportamiento, las cosas se tornan un poco difíciles para nosotros.

Nuestro pequeño mundo personal puede entonces sufrir de fiebre bajo estas circunstancias; pero se nos ordena que nos gocemos "en las tribulaciones", porque "la tribulación produce paciencia". Es muy posible que nuestra vida de continua paz en Jesús llegue a ser la causa que gane a una persona de corazón endurecido para que acepte a Jesús como su Salvador.

LAS SUPERCUCARACHAS

***No con ejército, ni con fuerza, sino con mi espíritu, ha dicho Jehová de los ejércitos* (Zacarías 4:6).**

En el sur de los Estados Unidos, en donde vivimos, uno de los insectos más molestos es la cucaracha corredora. Son insectos insoportables para las personas que vienen de otros lugares; y aunque usen insecticidas mortíferos, las cucarachas siguen llegando en una forma u otra. Parece que no hubiera ninguna manera de combatirlas.

Ahora sabemos que el uso de insecticidas ha favorecido el desarrollo de una supercucaracha que es casi inmune a los insecticidas corrientes. Para poder librarse de estos visitantes indeseables se han preparado insecticidas muy poderosos, tan poderosos que están amenazando la vida de los niños que viven en los hogares en donde se usan.

Hace poco un niño de ochos meses sufrió un ataque de corazón debido al uso de uno de estos insecticidas en su casa. El niño tuvo que ser revivido con respiración artificial.

Los primeros insecticidas eran suficientemente efectivos para combatir los insectos. Hace cuarenta años el DDT era el insecticida más popular. Una cantidad mínima era más que suficiente para eliminar las cucarachas; pero ahora puedes fumigar con DDT casi sin ningún resultado. Los insectos que se han reproducido durante los cuarenta últimos años se han hecho cada vez más inmunes a los nuevos insecticidas, hasta el punto de que casi nada logra matarlos. Parece, pues, que la guerra entre el hombre y la cucaracha arriba mencionada pronto terminará con la derrota del hombre. Seguramente pensarás que con todo el conocimiento que poseemos podríamos hacer algo definitivo para ganar esta batalla; pero bien parece que estamos indefensos ante esta cucaracha y frente a muchos otros insectos que nos invaden diariamente.

En la lucha contra los insectos dañinos somos tan indefensos como ante nuestro máximo enemigo: Satanás; pero tenemos un remedio que nunca falla: ¡Jesús!

Febrero 3

LOS VERDADEROS LEONES

Sed sobrios, y velad; porque vuestro adversario el diablo, como león rugiente, anda alrededor buscando a quien devorar **(1 Pedro 5:8).**

Probablemente no te guste lo que voy a decirte. Algunas veces no nos agrada escuchar la verdad, sobre todo cuando se nos ha enseñado a creer en cosas que son diferentes a la realidad; y los leones nos proporcionan un buen ejemplo de esto.

Casi todo el mundo cree que el león es la más noble de las bestias, un gran cazador, majestuoso, ¡el rey de las fieras! Si fuera así, ¿entonces por qué Pedro comparó a Satanás con un "león rugiente"? Bueno, la respuesta es quizá la parte que no te gustaría escuchar, porque los leones de Africa *son* un ejemplo apropiado de nuestro gran enemigo. ¡Los nobles leones de los mitos y leyendas nunca han existido!

El estudio más completo que alguna vez se haya hecho sobre el comportamiento de los leones lo llevó a cabo George Schaller, un biólogo de la Sociedad Zoológica de Nueva York. El Sr. Schaller pasó 2.900 horas observando cientos de leones en las llanuras de Africa, y publicó sus descubrimientos en un libro titulado *The Serengeti Lion* (El león de Serengeti). Serengeti es una llanura de Tanzania. La descripción que se hace del león en este libro no se parece a lo que yo he escuchado del león como el rey de las fieras.

Los leones prefieren robar la presa a otras bestias, antes que cazarla ellos mismos; en vez de matar a sus víctimas y dejar que las hienas se sacien con lo que ellos dejan, prefieren que las hienas cacen sus presas y luego ellos se las arrebatan.

Cuando la comida es escasa, los leones comen primero hasta saciarse, y dejan que sus hijos mueran de hambre. De 25 a 30 por ciento de las crías de los leones mueren debido a esta costumbre de sus padres, y la misma cantidad mueren porque sus madres los abandonan. Y —lo peor de todo— es muy común que tanto el macho como la hembra maten y devoren aun a sus propios hijos.

¿Son dignas estas atrocidades de una bestia llamada "el rey de las fieras"? No; pero sí representan exactamente a aquel que simbolizan: a Satanás. Nada le gusta más a Satanás que creamos que él es un rey maravilloso, y que ignoremos que se esfuerza por devorarnos.

LA ENERGIA DEL COLIBRI

***Jehová, no retengas de mí tus misericordias; tu misericordia y tu verdad me guarden siempre* (Salmo 40:11).**

¿Qué pensarías si vieras a una persona que ingiere 166 kilos (370 libras) de papas en una sola comida? Tal cosa es imposible; pero es exactamente la cantidad que tendrías que comer para igualar la cantidad de energía que un colibrí necesita diariamente.

Un colibrí volando consume —de acuerdo a su tamaño— diez veces la cantidad de energía que gasta un corredor que avanza a 15 kilómetros (9 millas) por hora. Más aún: un corredor no podrá mantener una gran velocidad muchos minutos; pero el colibrí genera diez veces ese nivel de energía y lo mantiene todo el día, y hasta lo aumenta al acelerar hacia una dirección, al girar, al volar hacia atrás, y al detenerse en el aire. Se dice que el colibrí, con una descarga de energía inicial, puede acelerar desde cero hasta 99 kilómetros (60 millas) por hora en una distancia de sólo 84 centímetros.

Un colibrí genera, en proporción a su tamaño, la misma cantidad de energía que produce un moderno helicóptero. Si una persona pudiera producir proporcionalmente la misma cantidad de energía que este pajarito, se evaporarían 45 kilos (100 libras) del agua de su cuerpo en una hora. Esta evaporación del agua elevaría su temperatura hasta el punto en que se funde el plomo, y más aún, y probablemente estallaría en llamas. Pero el organismo del colibrí puede fácilmente soportar tal cantidad de energía.

Para mantener este nivel de energía, el colibrí tiene que alimentarse constantemente, buscando el néctar sin cesar en todas las flores que encuentra a su paso. Algunas personas tratan de actuar como el colibrí: comen todo el día. Pero nuestro organismo es totalmente diferente: para el colibrí es completamente saludable comer en esa forma, pero para nosotros sería algo mortal.

A pesar de su enorme consumo de energía, Dios sostiene al colibrí; y él ha prometido suplir también todas nuestras necesidades físicas.

Pero la promesa más importante y decisiva que Dios ha hecho es que suplirá nuestra salud espiritual si nos alimentamos diariamente de su Palabra: la Biblia.

Febrero 5

DE LAS DROGAS A LOS BOSQUES

***Entonces salió Lot y habló a sus yernos, los que habían de tomar a sus hijas, y les dijo: Levantaos, salid de este lugar; porque Jehová va a destruir esta ciudad. Mas pareció a sus yernos como que se burlaba. Y al rayar el alba, los ángeles daban prisa a Lot, diciendo: Levántate, toma tu mujer y tus dos hijas que se hallan aquí, para que no perezcas en el castigo de la ciudad* (Génesis 19:14, 15).**

¡Qué terrible decisión tuvo que tomar Lot! Todo lo que poseía, todos sus amigos y la mayor parte de sus familiares estaban en Sodoma, ¡y tenía que escoger, y rápido, si salir o quedarse! Trató en vano de llevar a sus amados con él; pero éstos creían, sin duda alguna, que Lot estaba loco. Ante la orden de los ángeles, y quizá en el último minuto, Lot salió con sus dos hijas y su esposa, la cual no quería partir.

Peter Beach era un comerciante próspero que vivía en Chicago. Lamentablemente en su familia había una gran preocupación, aunque al principio no había sido tan grave: tenían unos adolescentes con una cantidad de problemas propios de su edad. Pero como sucede a menudo en tales circunstancias, los muchachos tenían amigos que los aconsejaban mal. Y el consejo que les daban tenía que ver, ante todo, con el uso de drogas para sentirse mejor y más felices.

Pero los esposos Beach eran de esa clase de personas extraordinarias que no abundan. Cuando se dieron cuenta que tenían un problema muy difícil, estuvieron dispuestos a tomar las medidas necesarias para resolverlo. La decisión extraordinaria consistió en vender todas sus posesiones, abandonar una carrera prominente y llena de éxito, e irse a vivir a una cabaña en las montañas del Estado de Wisconsin.

Si le preguntaras al Sr. Beach por qué tomó tal decisión, él respondería: "Vi que mi familia se desintegraba ante mis propios ojos. ¡Era un asunto de vida o muerte!"

Los cinco hijos experimentaron un gran cambio en sus vidas, y hoy agradecen a sus padres por haber tenido el valor y la decisión de haber hecho ese gran sacrificio.

MINKY Y SIMBA

***Jehová abre los ojos a los ciegos; Jehová levanta a los caídos; Jehová ama a los justos* (Salmo 146:8).**

Todos hemos escuchado historias de perros héroes; por ejemplo, los perros que guían a sus dueños y amigos fuera de un edificio que arde en llamas. Hay también historias de perros que han salvado a otros perros y evitado la destrucción de propiedades. Hay, en fin, historias de perros héroes en diferentes maneras. No han hecho nada espectacular, pero sin duda han sido héroes. Su heroísmo ha consistido en vivir vidas dedicadas a servir durante largo tiempo. La historia de Minky y Simba es un relato de valentía y generosidad.

Minky y Simba eran dos perros que vivían en Inglaterra. Minky ya estaba vieja; pero Simba era un pastor alemán joven y vigoroso: tenía tres años. Y Simba, sin que nadie lo adiestrara o se lo dijera, decidió convertirse en el guía o lazarillo inseparable de su amiga Minky.

Siempre que Minky quería salir, Simba tomaba en la boca la larga oreja de su amiga y la conducía escalera abajo hasta la puerta de salida; luego le soltaba la oreja y abría la puerta con las patas. Después la tomaba de nuevo por la oreja y la llevaba adondequiera que deseaba ir. Todos los días la llevaba a comer, y mientras Minky se hartaba, Simba se echaba a su lado. Siempre que los perros salían a caminar, Simba tomaba a Minky por la oreja, y la cuidaba. Cuando llegaban al cruce de una calle, Simba se detenía como lo hace todo perro guía, esperaba que el tráfico cesara, y luego conducía cuidadosamente a su amiga mientras cruzaban la calle.

Los dos perros eran inseparables. Simba vivía completamente dedicado a su amiga Minky. Los días finales de Minky fueron felices y apacibles, porque Simba le "prestó" sus ojos. Este amor y unidad de Simba y Minky nos ayuda a comprender el amor que Jesús siente por cada uno de nosotros, y cuán cerca está de nuestras necesidades, las que suple en forma completa.

ARBOLES DE JUSTICIA

***A ordenar que a los afligidos de Sion se les dé gloria en lugar de ceniza;... y serán árboles de justicia, plantío de Jehová, para gloria suya* (Isaías 61:3).**

Los árboles son hermosos. Cuando viajas por el campo puedes verlos por todas partes, cada uno con sus características, sus colores, lo que hace que la vista descanse y se recree. El Creador conocía muy bien la manera de combinar bien las cosas cuando creó los árboles en el tercer día. El dijo: "Produzca la tierra hierba verde, hierba que dé semilla; árbol de fruto que dé fruto" (Gén. 1:11).

¿Has observado que un bosque está lleno de árboles de diferentes clases? Solamente el hombre planta grandes extensiones de tierra con árboles de la misma clase, y creo que con esto se pierde mucho de la belleza natural. Pero además de la belleza agradable a los ojos, hay otro motivo para que crezcan juntos árboles de diferentes clases: los árboles que crecen juntos se ayudan mutuamente en su crecimiento, son más saludables.

Robert Rodale, director de la revista *Organic Gardening* (Jardinería orgánica) describe su intento de cultivar en su propiedad nogales de primera clase. Los plantó a la distancia correcta e hizo todo lo que pudo para que crecieran sanos; pero no sucedió así. ¿Por qué? Ahora sabemos que los árboles crecen mejor cuando están junto a otros de diferente clase. El Sr. Rodale lo dice así: "A los árboles les gusta 'ver' hojas y ramas extrañas y tocar con sus 'dedos' bajo tierra extrañas raíces".

El paisaje es monótono cuando todos los árboles son iguales; pero cuando son diferentes, el ambiente es más agradable. Los expertos en árboles nos dicen que los plantíos de diferentes árboles se ayudan mutuamente protegiéndose unos a otros de las pestes y de las enfermedades.

Los árboles son semejantes a las personas. ¿No sería acaso muy tedioso que todas las personas se parecieran y actuaran en forma igual? La iglesia de Dios en la tierra es parecida a un bosque de diferentes árboles que muestran la belleza del Creador y se ayudan unos a otros.

CHITA Y GORAB

***Y les enseñaba, diciendo: ¿No está escrito: Mi casa será llamada casa de oración para todas las naciones? Mas vosotros la habéis hecho cueva de ladrones* (Marcos 11:17).**

A Jesús le gustaba mucho narrar historias relacionadas con la naturaleza para ilustrar sus enseñanzas. ¡Cuánto me hubiera gustado ser uno de sus oyentes para escuchar sus historias! Si Jesús hubiera tenido conocimiento de Chita y Gorab quizá hubiera contado una historia relacionada con ellos. No hay duda de que habrían representado muy bien a dos grandes fariseos.

Chita era un babuino y Gorab un cuervo pintado. Los dos vivían en Africa, y eran muy buenos amigos. Chita acostumbraba merodear por todas parte, y se divertía mucho robándole al cocinero el pan y otras golosinas: ¡era ladrona por naturaleza! Tenía abundante alimento pero, de todas maneras, continuaba robándolo.

Los babuinos y los cuervos no son amigos por naturaleza, y la llegada de Gorab no fue muy del agrado de Chita. Esta perseguía al cuervo, chillaba, y hacía toda clase de movimientos para asustar a Gorab; pero el cuervo se dio cuenta rápidamente que Chita era puro ruido. Y la próxima vez que Chita quiso asustarlo, Gorab le asestó un picotazo en la nariz. Esto cambió las cosas inmediatamente. Chita aprendió a respetar a Gorab, y muy pronto fueron amigos inseparables.

Gorab abría las alas y dejaba que Chita le sacara los parásitos, lo que es un gesto de afecto entre los babuinos, y al parecer el cuervo estaba al tanto de ello. Gorab también se convirtió en compañero de fechorías de Chita. Uno de los dos distraía al cocinero fingiendo que le robaba algo, y cuando trataba de alejarlo, el otro le robaba lo que podía. Pero el que robaba no compartía el alimento con su compañero. Ambos, Chita y Gorab, eran ladrones, egoístas, desconfiados, maliciosos y traicioneros.

Sí, creo que esos dos animales hubieran sido dos muy buenos fariseos. La iglesia de Cristo no es para albergar a los Gorabs y los Chitas, sin embargo, desafortunadamente, a menudo encontrarás a algunos de ellos. Pero tú no debes imitarlos nunca.

Febrero 9

UN PUÑADO DE DIAMANTES

***Además, el reino de los cielos es semejante a un tesoro escondido en un campo, el cual un hombre halla, y lo esconde de nuevo; y gozoso por ello va y vende todo lo que tiene, y compra aquel campo* (Mateo 13:44).**

Un puñado de diamantes de calidad vale unos cinco millones de dólares. Probablemente no hay nada que pueda llevarse en un bolsillo que tenga tanto valor como los diamantes. Un puñado de buenos diamantes sería un verdadero tesoro, ¿pero qué haría yo con tal tesoro?

No uso diamantes; no puedo comérmelos; no me abrigan en el invierno; no me libran de la muerte; no me hacen ningún bien, como creían los antiguos; no me hacen más fuerte y saludable. Los diamantes más finos no son buenos para cosas prácticas, excepto para cortar, como agujas para tocadiscos, etc. Lo mejor de los diamantes es su apariencia: brillan como las estrellas en la noche y como la luz del sol sobre la nieve. La manera en que los diamantes hacen brillar la luz del sol con variados destellos es lo que los hace dignos de ser vistos. Parece como si hubiera numerosos rayos de sol dentro del diamante.

Pero si yo guardo en mi bolsillo un puñado de diamantes para mirarlos constantemente, muy pronto se sabrá que oculto ese tesoro. Desde ese momento ya no estaré seguro, porque alguien me seguirá constantemente para robármelo. Y, además, yo no necesitaría varios diamantes para admirarlos, pues con uno solo sería suficiente.

A mí me gustaría, por supuesto, el más hermoso, uno que capturara la luz y la reflejara mejor que todos. Los diamantes más costosos son los más claros y transparentes, y sin fisuras visibles, ni aun bajo las más poderosas lentes. Estas piedras preciosas reflejan intensamente la luz y la descomponen destacando todos los colores del arco iris.

Sí, sería algo maravilloso poseer un diamante fino y hermoso; pero parece que en esta tierra tales joyas nunca estarán en mi bolsillo. Sin embargo, ¡espera! ¡Hay un maravilloso pensamiento en esto! Aun cuando yo no tenga diamantes, sí puedo ser como un diamante: reflejando la gloria de la luz de Jesús, quien vivió sin mancha. ¡Y él es digno de todos mis esfuerzos!

¡ATENCION: VIENE EL COMETA!

***Y habrá grandes terremotos, y en diferentes lugares hambres y pestilencias; y habrá terror y grandes señales del cielo* (Lucas 21:11).**

"Velad... —dijo Jesús—, porque no sabéis a qué hora ha de venir vuestro Señor" (Mat. 24:42). Debemos observar las señales proféticas y estar listos para recibir a Jesús cuando él venga.

Pero hay otro suceso que acontecerá también en los cielos, el cual será visible para todos los que puedan ver las estrellas. ¡El cometa Halley regresará pronto! Esto sucederá en 1986, y el mejor momento para verlo será el 26 de marzo de ese año. No dejes de admirarlo porque no volverá hasta dentro de 76 años. La última vez que nos visitó fue en 1910. Pídele a tus padres o a tus abuelos que te ayuden a verlo.

El cometa Halley lleva el nombre de Edmundo Halley, un inglés que demostró que los cometas giran en órbitas alrededor del sol como los planetas. De acuerdo a los registros astronómicos la más brillante aparición de este cometa fue en el año 837 de nuestra era. Su luz fue más brillante que la de cualquier estrella esa noche, y su cola centelleaba a lo largo de casi la mitad del cielo. Pero la visita que nos hará en 1986 no será tan espectacular. Los astrónomos dicen que será la aparición menos deslumbrante de todas. Tendrá la brillantez de una estrella de tercera magnitud, lo cual lo hará, sin embargo, tan brillante como una estrella cualquiera en el cielo; así que casi todos podrán verlo.

Los astrónomos profesionales y los aficionados en todo el mundo se están preparando para estudiar al cometa Halley. Están disponiendo todos los detalles para estar seguros de que sus telescopios estén listos para verlo mejor, y están organizando todos sus asuntos para que nada les impida contemplar ese suceso. En 1986 será visible en cierto momento, y todos quieren ser los primeros en observarlo.

¿Estamos esperando con intenso anhelo el regreso de Jesús? ¿Observamos atentamente las señales en la tierra y en el cielo que anuncian su regreso? ¡Ojalá que así sea, y que estemos listos para su aparición en gloria!

LOS ELEFANTES DE ADDO

***Que guarda misericordia a millares, que perdona la iniquidad, la rebelión y el pecado, y de ningún modo tendrá por inocente al malvado; que visita la iniquidad de los padres sobre los hijos y sobre los hijos de los hijos, hasta la tercera y cuarta generación* (Exodo 34:7).**

El bosque que ocupa actualmente el Parque Nacional de Addo, en Sudáfrica, tenía más de 100 elefantes en 1919. Esos elefantes no eran muy peligrosos a pesar de vivir en la selva. No amenazaban a nadie y nadie les temía. Pero los elefantes salían de vez en cuando del bosque para comer naranjas y otras frutas de las plantaciones. No veían la diferencia entre el bosque y una granja. Ya podrás darte cuenta cómo se sentían los agricultores por la pérdida de sus frutas debido a las visitas de esos paquidermos. Para poner fin a esas pérdidas decidieron contratar a un experto tirador.

Cualquier moderno cazador de elefantes sabe bien que para eliminar una manada de elefantes es necesario matarlos todos de una vez, o de lo contrario nunca los encontrará a todos; y aunque los encuentre y dispare contra ellos, será muy peligroso y le llevará mucho más tiempo. ¿Y por qué? Porque los elefantes son bastante inteligentes: de alguna manera aprenden y enseñan a sus crías lo que deben hacer y de qué deben cuidarse.

El cazador profesional de elefantes halla que es fácil disparar a estos animales uno por uno. Al comienzo las bestias no saben qué sucede; sin embargo al cabo de poco tiempo se dan cuenta de todo, y comienzan a ser muy cautelosas con el cazador, y se tornan agresivas contra otras personas. Aun cuando en un año sólo quedaron de 20 a 30 elefantes en el parque de Addo, los cazadores no podían hallar ni uno solo. El cazador finalmente se dio por vencido; pero no así los elefantes.

Hoy, más de sesenta años después, los elefantes de Addo son los más peligrosos de toda Africa. Los primeros elefantes ya han muerto; pero de una manera u otra transmitieron a sus hijos su amarga experiencia con el hombre. Nos resulta muy difícil sobreponernos a los efectos negativos que las malas acciones de la gente ejercen sobre nosotros.

EL LEVIATAN

***¿Sacarás tú al leviatán con anzuelo, o con cuerda que le eches en su lengua? ¿Pondrás tú soga en sus narices, y horadarás con garfio su quijada?* (Job 41: 1, 2).**

Muchos se preguntan si Job se refiere en este versículo al cocodrilo. Todas las figuras de lenguaje que usa Job en el capítulo 41 se refieren a ese saurio; esto es fácil de reconocer. Ahora no es posible saber cuán grandes eran dichos cocodrilos, porque los más grandes han sido exterminados. En la actualidad se siguen cazando los más grandes para aprovechar su piel; por esta razón es raro encontrar en Africa un cocodrilo que mida más de 1,70 a 2,30 metros (6 a 8 pies) de largo. Pero antiguamente, cuando el libro de Job fue escrito, el cocodrilo llegaba a medir de 4,50 a 6,00 metros (15 a 20 pies) de largo, y pesaban una tonelada, por lo menos.

Si has pensado que el cocodrilo es un saurio perezoso y lento, que pasa la mayor parte del tiempo tomando sol, deberás cambiar tus ideas. Cuando el cocodrilo decide cazar, no hay nada en el agua que esté seguro, y pocos animales fuera del agua y cerca de la orilla estarán seguros. Según dos expertos en cocodrilos, cuando este animal quiere cazar su presa que está fuera del agua, con pocos pero poderosos impulsos de sus patas traseras desarrolla suficiente velocidad para salir velozmente a tierra seca. Luego, si necesita perseguir su presa, se alza sobre las cuatro patas y corre tan rápido como un hombre.

¡Cuídate de molestar a un cocodrilo! Es muy probable que las leyendas de dragones y vacas marinas hayan comenzado con narraciones y dibujos acerca de cocodrilos que habitaban las corrientes de las regiones cálidas de todo el mundo.

En el pasaje bíblico de hoy, Dios le recuerda a Job cuánto es el poder de ese bien conocido dragón de las profundidades. Se le pregunta al patriarca si el poder del hombre es algo que valga la pena comparar con la fuerza que Dios ha dado a una criatura relativamente pequeña como el cocodrilo.

Febrero 13

PAJARO GIGANTE

***Por lo cual el mundo de entonces pereció anegado en agua* (2 Pedro 3:6).**

¿Puedes imaginarte un pájaro con alas cuya envergadura sea de 8 metros (25 pies)? Esta es la medida de un pequeño aeroplano, y es también más del doble de la longitud total de las alas del pájaro más grande de nuestros días. Pero hace poco se descubrió el esqueleto fosilizado de un pájaro gigante. Se ha calculado que ese pájaro pesó de 72 a 77 kilos (160 a 170 libras), y con una longitud de unos 4 metros (11 pies) desde la punta del pico hasta el extremo de la cola.

Es algo difícil imaginarse ver volando un pájaro de tales medidas; sin embargo los huesos fueron hallados, y los científicos aseguran que ese pájaro sí podía volar. Aunque han existido pájaros más grandes, como el avestruz y el prehistórico pájaro elefante, generalmente no han volado.

No sabemos por qué ese pájaro era tan grande, pero quizá pudo haber en esa época pájaros más grandes aún. Después de la creación y aun antes del diluvio, los hombres eran más grandes que los de nuestros días.

El pájaro que hemos mencionado, como otros animales prehistóricos, no pudo sobrevivir, y la mayor parte de ellos quizá fueron destruidos por el diluvio. El único registro que tenemos del diluvio es el que nos da la Biblia, los escritos del espíritu de profecía y los restos fosilizados que se han encontrado. Esperamos que se descubran muchos más.

El mundo antediluviano era tan malvado que Dios, en su misericordia —aunque nos parezca paradójico—, tuvo que destruirlo. Pero Dios amaba tanto a la humanidad, que proveyó un medio para escapar de la destrucción. El mundo nuestro también está llegando ahora a un grado muy alto de maldad, y el Señor tendrá de nuevo que destruirlo. Pero como Noé, nosotros también tenemos un camino para escapar: nuestra arca de salvación es Jesús. Y de otro pájaro grande y majestuoso, el águila, él dice: "Vosotros visteis ... como os tomé sobre alas de águilas, y os he traído a mí" (Exodo 19:4).

¡AVALANCHA!

***Antes que naciesen los montes y formases la tierra y el mundo, desde el siglo y hasta el siglo, tú eres Dios* (Salmo 90:2).**

Una de las más temibles y devastadoras fuerzas de la naturaleza son las avalanchas. Los que viven al pie de las montañas coronadas de nieve se encuentran constantemente amenazados por un enorme peligro. Cuando la nieve que se desprende avanza con ruido ensordecedor, la gente se llena de temor, pues sabe que muchas toneladas de nieve se precipitan hacia abajo a más de 300 kilómetros (200 millas) por hora. Cuando den la voz de alarma: "¡Avalancha!", habrá sólo poco tiempo para salvarse.

Los avanzados métodos de la ingeniería de nuestros días han anulado prácticamente el peligro de las avalanchas en esos lugares montañosos; sin embargo, se debe vigilar constantemente y disparar proyectiles especiales para que la nieve descienda periódicamente en cantidades no peligrosas.

La avalancha más destructiva que se conozca ocurrió en 1970 en el Perú: murieron 18.000 personas sepultadas por la nieve. La peor avalancha en los Estados Unidos tuvo lugar en 1910: perecieron 96 personas. Dos trenes fueron sepultados por esa avalancha cerca de Stevens Pass, en el Estado de Washington. Y dos días después, otra avalancha sepultó a 62 obreros mientras quitaban la nieve amontonada en la vía de un ferrocarril. En 1916, durante la Primera Guerra Mundial, los ejércitos de Italia y de Austria se encontraban peleando en un valle, y ambos lados decidieron usar la nieve como un arma. Dispararon sus cañones contra la nieve y se produjeron varias avalanchas que mataron aproximadamente a 18 mil soldados.

El Creador no desea de ninguna manera que las avalanchas causen muerte y destrucción. Pero estos desastres naturales nos recuerdan constantemente que nuestra vida es pasajera, y que este mundo no es nuestro hogar definitivo.

Jesús regresará muy pronto, y pondrá fin a estos desastres. El creará una tierra nueva en donde nadie gritará aterrorizado:

"¡Avalancha!"

EL GINGKO: UN FOSIL VIVIENTE

***Sécase la hierba, marchítase la flor; mas la palabra del Dios nuestro permanece para siempre* (Isaías 40:8).**

El gingko es un árbol que representa muy bien la permanencia de la Palabra de Dios. El árbol que conocemos ahora con este nombre fue llamado por los chinos, hace varios siglos, "árbol pata de pato", por la semejanza que tienen sus hojas con las patas membranosas de esta ave. También ha sido llamado "albaricoque dorado" y "fruta plateada", por el color de su fruto.

La característica más destacada del gingko es su capacidad para resistir las enfermedades, los insectos y la contaminación del ambiente. Hasta donde podemos saber, este árbol no tiene enemigos naturales, y prospera aun en un medio industrial en donde el aire está contaminado por los desperdicios químicos. Por esta razón me gusta pensar que el gingko representa muy bien la Palabra de Dios: ¡puede sobrevivir aun en medio de las peores condiciones!

El gingko ya florecía antes del diluvio. Sus hojas fosilizadas se han encontrado en varias partes del mundo; y estas hojas fosilizadas son iguales a las que crecen en los gingkos que existen ahora. Esto indujo a Carlos Darwin a llamar este árbol "fósil viviente".

El gingko crece ahora en dondequiera que se lo ha introducido. En la selva crece únicamente en una zona limitada de China, a 116 kilómetros (70 millas) al oeste de Hangchow. Allí es tan abundante que la gente lo corta para usar la madera para cocinar y en otros menesteres; pero en otros lugares se considera como un árbol ornamental. En 1754 se plantó en Holanda el primer gingko sembrado en el oeste. El gingko fue llevado a Inglaterra en 1771, y el primero que llegó a los Estados Unidos se sembró en 1784 en el cementerio Woodlawn, de la ciudad de Filadelfia. Actualmente es un árbol ornamental en Norteamérica.

Quizá deba decirse que al gingko se le han atribuido propiedades medicinales. Aunque yo no creo en tales poderes de sanidad, este árbol sí es un ejemplo del poder sanador constante de Dios, quien llamó a los árboles a la existencia y creó a uno —al árbol de la vida— con hojas que son "para la sanidad de las naciones". ¿No sería acaso el gingko uno de los árboles que crecieron en el Edén?

¡PUEDES CONFIAR!

***La ley de Jehová es perfecta, que convierte el alma; el testimonio de Jehová es fiel, que hace sabio al sencillo* (Salmo 19:7).**

Este es uno de mis textos favoritos. Siempre pensamos que la ley de Dios no es otra que los Diez Mandamientos, y que éstos son, sin duda alguna, una expresión de toda la ley de Dios; pero la ley de Dios es tan amplia como el universo. Todo lo que ves y lo que no ves, todo lo que oyes, todo lo que sientes y aun todo lo que piensas, está controlado, de alguna manera, por la perfecta ley de Dios. Yo creo que las mismas leyes que gobiernan nuestras vidas también gobiernan las estrellas en sus continuos movimientos; la Biblia así nos lo dice en otras porciones del Salmo 19.

Piensa por un minuto en la perfecta ley de Dios. ¿Tienes alguna duda de que el sol saldrá mañana? El día puede estar nublado, pero el sol aparecerá y habrá un día brillante. Puedes confiar en que así será.

¿Hay alguna duda en tu mente de que si tiras una pelota hacia arriba caerá en tierra y no se elevará por sí sola en el espacio? No, porque la ley de la gravedad es absoluta. ¡Puedes confiar en ella!

Si pones a hervir agua al nivel del mar, ¿pensarás que tal vez no hervirá a 100° C (212° F)? No; no lo dudarás ni por un momento.

Si una gallina pone varios huevos y los incuba durante 21 días, ¿esperarás ver nacer pichones que no sean pollitos? No, porque las gallinas producen hijos de su misma especie, y nada más. ¡Puedes confiar en que así será siempre!

¿Produce la encina bellotas? ¿Las rosas son fragantes? ¿Es azul el cielo? ¿Saltan las liebres? ¿El agua pura es clara? ¿Es pesado el plomo? ¿Tienen plumas los pájaros? ¿Es la tierra esférica? ¿Necesitas oxígeno para vivir? ¿Pueden nadar los peces? ¿El hielo es frío? Puedes estar seguro que así es.

¿El pecado es la causa del dolor, la tristeza y la muerte? Sí, porque esa es la ley, y no puedes abrigar la menor duda de que así es y será.

¿Venció Jesús a Satanás y el pecado, y nos dará vida eterna si lo seguimos siempre? No hay duda de que así es. ¡Puedes confiar!

EL MITO DE LOS GORILAS

***Jesús le dijo: ¿Tanto hace que estoy con vosotros, y no me has conocido, Felipe? El que me ha visto a mí, ha visto al Padre; ¿cómo, pues, dices tú: Muéstranos al Padre?* (Juan 14:9).**

Cuando Jesús vino a la tierra para vivir con los seres humanos, éstos estaban tan confundidos en cuanto al carácter de Dios que no reconocieron a Jesús, a pesar de la mucha similaridad que tenía con el gran Dios Jehová, en quien creían y a quien conocían. Los mitos y las leyendas habían invadido tanto la religión, que fue difícil para Jesús convencer a sus mismos discípulos de que Dios el Padre era tan generoso, tan lleno de amor, y tan misericordioso como él, como Jesús.

Una buena ilustración de la influencia de los mitos populares para modelar las opiniones de la gente, es la manera tradicional de considerar al gorila. Las películas, los programas de televisión y muchas historietas nos han hecho creer que los gorilas son animales agresivos y peligrosos, unas criaturas de enorme tamaño que brincan de árbol en árbol, que caminan sobre las patas traseras, que se golpean fuertemente el pecho y arremeten contra la gente en medio de la selva. ¿Pero crees tú que todo esto es verdad?

Los que estudian los gorilas rara vez, o nunca, llevan armas: sencillamente entran en los terrenos de estos grandes monos hasta que éstos los aceptan. Entonces comienzan literalmente a vivir con los gorilas: se sientan con ellos, se recuestan sobre ellos; los abrazan, les quitan las pulgas o insectos, duermen con ellos y juegan con ellos en la selva.

Los gorilas casi nunca caminan sobre las patas traseras; su tiempo lo pasan mayormente en tierra, y rara vez suben a los árboles, y si lo hacen es para dormir. De vez en cuando se pelean entre ellos, pero no atacan a la gente. A veces rugen y gritan y hacen mucho ruido, pero es para ver cuánto efecto produce en otros gorilas o en las personas. Si el ruido no produce efecto, el gorila ruidoso se calma y hace otra cosa.

Fíjate cuán lejos de la verdad podemos apartarnos cuando prestamos atención a las leyendas y mitos, en lugar de estudiar la verdad en sus mismas fuentes para aprenderla tal como es.

EL CRISTIANO CORRECAMINOS

Por tanto, nosotros también, teniendo en derredor nuestro tan grande nube de testigos, despojémonos de todo peso y del pecado que nos asedia, y corramos con paciencia la carrera que tenemos por delante **(Hebreos 12:1).**

El correcaminos es probablemente el pájaro más interesante que podamos ver alguna vez. Se le da este nombre porque prefiere correr y no volar. Volará si lo encierras y no tiene cómo salir ni correr para escapar; pero tan pronto como esté en campo abierto, correrá tan rápidamente como se lo permitan las patas.

El correcaminos es quizá el corredor más conocido de todos. Ha sido popularizado en historietas y hay vehículos y juguetes que llevan su nombre.

Si has leído historietas del correcaminos debes saber una cosa: el verdadero correcaminos no canta *bip-bip.* Su canto se parece al de una paloma, pero también tiene un reclamo vibrante parecido al ruido de una matraca.

El correcaminos es uno de los animales más útiles al hombre: devora serpientes, aun cascabeles, lagartos, saltamontes, grillos, escorpiones, ciempiés, caracoles, ratones, y muchos más. Como puedes ver, el correcaminos es un gran pájaro que debe estar en las granjas y las haciendas. Estos pájaros veloces viven en el suróeste de los Estados Unidos y en el norte de México.

Hay muchas leyendas en cuanto al correcaminos; pero de todas ellas, una es la más interesante: se dice que este pájaro corredor es un cristiano maravilloso porque por dondequiera que corre deja impresa en tierra la cruz de Cristo, debido al trazado de sus patas.

Al correcaminos también lo llaman *paisano,* con el significado de "amigo", "conocido".

¿Y qué mejor testimonio pudiera haber que éste?

Febrero 19

MICROBIOS IMANTADOS

***Me he apegado a tus testimonios; oh Jehová, no me avergüences ... Enséñame, oh Jehová, el camino de tus estatutos, y lo guardaré hasta el fin* (Salmo 119:31-33).**

En 1975 un microbiólogo de la Universidad de New Hampshire, Estados Unidos, estaba examinando el cieno que había recogido en una laguna cerca de Woods Hole, Estado de Massachusetts. De pronto observó ciertas bacterias que no había visto antes. Bueno, esto también es común, pues hay muchas bacterias desconocidas por todas partes. Pero lo que hizo que esas bacterias llamaran su atención era que todas avanzaban hacia el norte. En el reducido espacio que tenían bajo el microscopio se las arreglaban para ponerse en dirección al norte. ¿Por qué?

Para saber si las bacterias polarizadas respondían a la atracción magnética de la tierra, el investigador colocó un imán cerca de las bacterias; éstas inmediatamente cambiaron de dirección, y comenzaron a nadar hacia el imán. Con electromagnetos modernos, los investigadores pudieron invertir totalmente el campo magnético dentro del cual se movían esas extrañas criaturas, e inmediatamente comenzaron a moverse en dirección opuesta: ¡al sur! Esta orientación magnética nunca antes se había observado en otra criatura.

Los científicos quisieron saber por qué esas bacterias actuaban orientadas magnéticamente. Después de examinarlas detenidamente descubrieron que contienen hierro: ¡hierro magnetizado! Todas esas bacterias tienen dentro moléculas de hierro que actúan como imanes increíblemente pequeños, y por eso se mantienen orientadas hacia el norte.

El cristiano tiene también la habilidad de orientarse hacia la verdad. Cuando estamos bajo el campo magnético de Jesús nos mantenemos orientados en el buen camino, y con tanta constancia como esas bacterias que avanzan únicamente hacia el norte. El salmista nos asegura en el salmo 119 que la ley de Dios actuará como un imán incrustado dentro de nosotros para mantenernos siempre en dirección a la verdad.

UN PEQUEÑO PEZ

***Aquí está un muchacho, que tiene cinco panes de cebada y dos pececillos; mas ¿qué es esto para tantos?* (Juan 6:9).**

No podemos saber cuán grandes eran esos "pececillos"; pero lo que sí sabemos es que Jesús hizo uno de sus más grandes milagros, multiplicando tan abundantemente los cinco panes y los dos pececillos, que alimentó a miles de personas. Por supuesto, Cristo es el Creador, y él hizo ese día lo que hace diariamente para sostener y aumentar todas las cosas vivientes, a fin de que haya suficiente alimento para los miles de millones que pueblan la tierra. El sostiene todas las criaturas y plantas del mundo. Piensa y verás que es una tarea inmensa e increíble, pero cierta.

Algunas veces pensamos en el poder de Dios manifestado en las cosas grandes; pero él también es poderoso en las cosas muy pequeñas. Tiene tanto cuidado, por ejemplo, del pez grande como del pequeño. El pez más grande de los mares es el tiburón-ballena, el cual mide hasta 18 metros (60 pies) de largo, y puede llegar a pesar 15 toneladas. ¡Es un pez enorme! ¿Pero tienes idea de cuán pequeño es el pez más diminuto del mundo? No estamos hablando de los pececitos que acaban de nacer, muchos de los cuales son pequeñísimos, sino de los ya adultos. ¿Cuán grande es el pez adulto más pequeño del mundo? Piénsalo un instante.

El pez más pequeño de todos vive en las islas Filipinas. No tiene un nombre común, y mide sólo 7 milímetros (0,3 pulgadas) de largo. Es, además, el vertebrado más pequeño de la tierra. Hay otro pequeño pez en Nueva Guinea, un poquito más grande: mide 14 milímetros (0,5 pulgadas) de largo, pero pesa menos que el anterior, porque es más delgado. Se necesitarían mil de esos pececitos para igualar el peso de una moneda de diez centavos. Como son transparentes, excepto sus ojos y su vejiga natatoria, es muy difícil verlos.

El Creador que alimentó los miles de animales que pastaban en las colinas de Galilea, también da de comer a esos millones de pequeñísimos seres que pueblan los mares. El sostiene a todas sus criaturas, inclusive a mí y a ti.

Febrero 21

UNA ORUGA INCREIBLE

***Levantad en alto vuestros ojos, y mirad quién crió estas cosas; él saca y cuenta su ejército; a todas llama por sus nombres; ninguna faltará; tal es la grandeza de su fuerza, y el poder de su dominio* (Isaías 40: 26).**

Hay algunas cosas en el mundo natural que ponen a prueba la capacidad de creer. Hay también cosas que no causan admiración ninguna, pero que son igualmente maravillosas. Hoy te hablaré de una oruga increíble de Sudamérica.

Esta oruga, como cualesquiera otra, come hojas verdes. Esto no es nada increíble, ¿verdad? Pero espera; hay algo más. Dicha oruga, a menudo es verde, o sea del mismo color de las hojas con las que se alimenta. Pero esto tampoco es nada extraño, ¿no es cierto?

Ahora viene lo verdaderamente increíble: como esta humilde criatura es devorada constantemente por los pájaros, el Creador le ha dado la habilidad de frustar los esfuerzos de sus enemigos. Antes de comenzar a comer, nuestra precavida oruga utiliza sus poderosas y finas mandíbulas para cortar en las hojas verdes de tres a cinco siluetas de su cuerpo, las cuales se parecen a ella en el tamaño, la forma y el color. Luego produce un hilo, y las cose o junta en el extremo opuesto de la hoja en donde ella va a comer. Los pájaros llegan, ven varias orugas apetitosas, y son atraídos hacia el lado opuesto al lugar en donde se alimenta la verdadera oruga; y después de sufrir varios engaños con las falsas orugas, se van y la dejan en paz.

¿No crees que esta oruga demuestra que posee una extraordinaria habilidad? No hay duda de que admiramos y alabamos a Dios por proveer tan ingeniosos recursos a sus criaturas para que puedan sobrevivir.

Pero el más grande de todos los milagros es la manera como podemos escapar de Satanás: el depredador de todos los depredadores. Dios no nos proveyó una imitación de un salvador sino que entregó a su verdadero Hijo para que muriera por nuestros pecados y así podamos ser salvos.

LANA, LA CHIMPANCE

***Hazme entender el camino de tus mandamientos, para que medite en tus maravillas* (Salmo 119: 27).**

Lana es una chimpancé que trabaja en el Yerkes Primate Center (centro de estudio de los primates o monos), en Atlanta, Estado de Georgia, Estados Unidos. Dije que ella trabaja; pero lo que he querido decir es que realiza ciertas tareas para que los científicos midan las habilidades de los monos para "hablar" o comunicarse. Lana tiene un teclado de computadora que ella maneja. Cada botón representa una palabra diferente, y la mona ha aprendido a combinar esas palabras en varias frases y sentencias para pedir lo que desea, como alimento, o para responder a las instrucciones ya codificadas que le son presentadas en un tablero iluminado frente a ella.

Cierta vez Lana pidió un refresco en veintitrés maneras diferentes. Su entrenador le puso repollo en la bandeja de comer y le dijo que le había puesto alimento de mono. Lana examinó el alimento, y le respondió por medio de los botones: "Saque el repollo de la máquina".

Lana parece que disfruta mucho con su trabajo. Algunas veces toca los botones para pedir que le pongan su disco favorito. Usa la gramática correcta cuando pide comida como bananas o chocolate. Lana le habla al computador tocando los botones a cualquier hora del día o de la noche. Un circuito cerrado de televisión graba todas sus actividades durante la noche, cuando se sienta frente al teclado de la computadora y se comunica con ella.

Sería relativamente sencillo enseñarle a Lana pasajes bíblicos como el Padrenuestro y el Salmo 23, ¿pero tendrían para ella el mismo significado que tienen para nosotros? No respondas demasiado pronto, porque si todo lo que hacemos es memorizar esos versículos sin pensar ni sentir su significado, entonces valdrían tanto para nosotros como para esa mona.

Pero si los pasajes de la Palabra de Dios tienen valor para nosotros y los guardamos en la memoria para utilizarlos en nuestra lucha contra el pecado, como Jesús los usó, entonces tendremos algo de mucho más valor que lo que podría realizar la mona Lana al memorizar palabras y frases con ayuda de una computadora.

Febrero 23

LENTES DE CONTACTO PARA POLLOS

***Pero si andamos en luz, como él está en luz, tenemos comunión unos con otros, y la sangre de Jesucristo su Hijo nos limpia de todo pecado* (1 Juan 1: 7).**

Un criador de pollos comenzó a notar que sus pollitos se estaban comportando mejor, y que ya no morían tantos debido al constante picoteo que se produce dentro de las jaulas en donde vivían. El granjero preguntó a un especialista por qué estaban tan pacíficos; y éste descubrió que la razón era muy sencilla: muchos de los pollitos tenían cataratas, y como no podían ver bien, habían dejado de picotearse unos a otros tan a menudo.

Para acortar esta larga historia, el especialista tuvo una idea: fabricaría lentes de contacto para los pollitos para ver si producían el mismo resultado que las cataratas. Por pura casualidad, algunos de esos lentes tenían un tinte rojo; y para asombro y alegría del especialista, éste descubrió que los pollitos que tenían los lentes con tinte rojizo perdieron interés en picotear a los otros. Parece, pues, que a los pollitos les gusta mirar el mundo a través de lentes coloreados con rojo.

Al comienzo resultó difícil mantener los lentes en los ojos de los activos pollitos; pero finalmente todo se solucionó. Muy pronto los pollitos en las granjas de todo el mundo podrán llevar lentes de contacto, y es posible que, como resultado de esto, los huevos cuesten menos. Ojalá que así sea.

¿Por qué crees tú que los lentes con tinte rojizo producen el efecto mencionado? Otro técnico en avicultura, A. T. Leighton, profesor en el Instituto Politécnico de Virginia, Estados Unidos, dice que el instinto de picotear se intensifica al ver la sangre, y que con los lentes rojos los pollitos no perciben la sangre, aunque la haya.

¿No sabes que los humanos son como los pollitos? Hay mucho derramamiento de sangre en el mundo, pero no en el caso de los que han aceptado a Jesús como su Salvador. Cuando lo hacemos, nuestras vidas son cambiadas. Su sangre, como los lentes rojizos de los pollitos, hace que disfrutemos de una amistad maravillosa con nuestros semejantes.

¿ES EL CENTRO DE LA VIA LACTEA UN AGUJERO NEGRO?

¿Y dirás tú: ¿qué sabe Dios? ¿Cómo juzgará a través de la oscuridad? Las nubes le rodearon, y no ve; y por el circuito del cielo se pasea **(Job 22: 13, 14).**

El centro de la Vía Láctea, nuestra galaxia, ha estado siempre oculto para los telescopios y los astrónomos por una masa de nubes interestelares de polvo. Antes de que se inventara el radiotelescopio no había manera de conjeturar qué podría encontrarse en el centro de la Vía Láctea.

El polvo galáctico no detiene la radiación elecromagnética producida por las estrellas del universo. Mediante la cuidadosa captación de los impulsos, que parecían ser nada más que ruido producido por la estática, y analizando las ondas de radio que llegan del universo, los astrónomos se han formado un cuadro, por primera vez, de lo que es el centro de nuestra galaxia.

Cuando las ondas de radio procedentes del centro de la Vía Láctea se transforman en fotografías, lo que se ve es la imagen de una inmensa nube gaseosa, quizá con un diámetro de cientos de años luz, pero que al parecer tiene en su mismo centro lo que se ha denominado un agujero negro, que produce chorros de gas muy caliente en forma de espiral, lo cual es característico de los mencionados agujeros.

Un agujero negro no es literalmente un agujero u hoyo en el espacio, sino que es una estrella compactada que se ha condensado hasta un punto tal, que la gravedad es tan poderosa que no deja que ningún rayo de luz escape al espacio exterior. Otras formas de radiación sí escapan desde sus bordes, y hay pruebas de que algunos materiales periféricos están siendo absorbidos por la espiral del agujero negro.

Todo esto ha hecho pensar a los astrónomos que hay una estrella en el centro de lo que parece ser un vacío. Para que tengas una idea de cuán denso y, por lo tanto, cuán pesado es un agujero negro, piensa en esto: si la tierra fuera comprimida y puesta dentro de un agujero negro, su diámetro se reduciría, ¡asómbrate!, a sólo 18 milímetros, aproximadamente.

¿Y qué supones tú que sea un agujero negro desde el punto de vista del Creador de todas las cosas?

Febrero 25

¿CUAN GRANDE ES UN LOBO?

***Morará el lobo con el cordero, y el leopardo con el cabrito se acostará; el becerro y el león y la bestia doméstica andarán juntos, y un niño los pastoreará* (Isaías 11: 6).**

¿Puedes imaginar lo que sería tener un rebaño compuesto de lobos, corderitos, leopardos, cabritos y leones? Este es el cuadro que Isaías nos presenta de la tierra nueva. Pero en nuestro mundo muy rara vez se tiene un lobo como animal doméstico.

Los lobos varían de tamaño, de acuerdo a su raza. Por ejemplo, el lobo de Arabia pesa 20.5 kg (45 lbs), pero el de los bosques de Norteamérica pesa 45 kg (100 lbs). Los lobos que habitaban las tierras bíblicas eran relativamente pequeños, apenas si llegaban al tamaño de un perro de tamaño regular, pero su comportamiento era muy diferente al de los perros.

Una cosa que es enorme en los lobos son sus patas. Un lobo de los bosques de Alaska puede dejar una huella de unos 12 cm (5 pulgadas). Quizá pienses que una huella tan grande significa que el lobo pierde mucho calor por el contacto de sus patas con la nieve y el hielo; pero debes saber que el lobo tiene un sistema especial de regulación de calor que permite que sus patas mantengan una temperatura apenas por encima del punto de congelación, mientras que el resto de su cuerpo se mantiene dentro de una temperatura agradable.

Los lobos tienen una piel especial. Se pueden encoger y acostarse exponiendo su lomo a los vientos helados, y sin embargo se mantienen completamente abrigados bajo temperaturas de 40° bajo cero. Además, el lobo es uno de los dos animales creados de tal manera, que la humedad que se condensa de su tibio aliento no se congela sobre su piel. El otro animal con esta característica es el glotón, un mamífero carnívoro.

Los lobos tienen una resistencia increíble. Dos lobos de la Columbia Británica fueron seguidos por 36.5 km (22 millas) mientras se abrían camino, sin detenerse, en una capa de nieve de 1.40 m (5 pies) de profundidad. Los lobos caminan un promedio de 50 km (30 millas) por día, y 83 km (50 millas) es también una distancia que ellos recorren sin cansarse. Los que estudian los lobos nos dicen que es uno de los animales más generosos cuando se lo trata debidamente; pero creo que yo prefiero esperar hasta encontrarme en la tierra nueva para tener conmigo uno de estos animalitos. ¡Será algo emocionante!

UN CEREBRO NUEVO

Y pondré dentro de vosotros mi Espíritu, y haré que andéis en mis estatutos, y guardéis mis preceptos, y los pongáis por obra **(Ezequiel 36: 27).**

Este es uno de los textos más tranquilizadores de toda la Biblia. Jesús promete tomar posesión de mi vida para que haga todo lo que él quiera. Su dirección es algo grandioso para mí, porque por mí mismo no puedo hacer lo bueno.

Cuando hacemos algo, utilizamos una parte del cerebro llamada cerebelo, que es responsable de todo movimiento voluntario. Un grupo de científicos de la Universidad de Stanford, California, están construyendo una computadora que imitará el funcionamiento del cerebelo. Para hacerlo, han juntado dos millones de "células cerebrales computarizadas"; pero esta computadora apenas es tan compleja como el cerebro de un sapo; de todas maneras, ya han comenzado con algo. Se encuentran aún bastante lejos de imitar siquiera una parte del cerebro humano; pero ellos creen que si este proyecto funciona, podrá ampliarse.

Lo primero que descubrieron esos científicos es que cuando se ordena al cuerpo algún movimiento, y por lo tanto entra en funcionamiento el cerebelo, pasa una descarga eléctrica de las células cerebrales a lo largo de muchos canales; pero muy rara vez, y acaso nunca, por las mismas vías. La acción ordenada se lleva a cabo, pero hay miles de millones de canales para que esta orden se convierta en acción. Esto no es nada más que una pequeñita evidencia de que "tú [Dios] me hiciste en el vientre de mi madre. Te alabaré; porque formidables, maravillosas son tus obras; estoy maravillado" (Salmo 139: 13, 14).

Tu cerebelo, que está en la parte posterior inferior de tu cráneo, se halla conectado con los lóbulos frontales del cerebro; y dentro de este órgano tuyo llamado cerebro existe una infinidad de posibles combinaciones para pensar, imaginar, actuar, mirar, oler, escuchar y sentir. El hombre apenas ha comenzado a explorar la superficie de lo que Dios ha hecho en el cerebro.

Pero lo que más me asombra hasta el máximo es que Jesús puede programar mi cerebro para que controle y dirija correctamente las cosas buenas que debo hacer. Y esta progamación es muy sencilla: ¡observo a Jesús, creo en él, y comienza en mí ese cambio admirable!

CALENTADO CON HIELO

***Hermanos míos, tened por sumo gozo cuando os halléis en diversas pruebas, sabiendo que la prueba de vuestra fe produce paciencia. Mas tenga la paciencia su obra completa, para que seáis perfectos y cabales, sin que os falte cosa alguna* (Santiago 1:2-4).**

¿Me creerías si te dijera que si riegas las plantas con cantidades dosificadas de agua y permites que ésta se congele en las plantas, esto hará que se mantengan abrigadas? ¡Pues es cierto!

Para que el agua se convierta en hielo debe perder su calor. Supongamos que la temperatura baja mucho, y que se espera una helada. La savia de los árboles podría congelarse, y perderse las preciosas cosechas. Por eso los granjeros entran en acción: la irrigación automática comienza a funcionar y todas las plantas son mojadas cuando la temperatura del aire está más o menos a 0° Centígrado (32° Fahrenheit). Como éste es el punto en que se congela el agua, ésta comienza a transformarse en hielo al perder su calor. ¿Y adónde va el calor? Dentro del hielo en formación alrededor de las plantas, el calor es absorbido por éstas, y así se mantienen dentro de una temperatura segura.

Por supuesto, este procedimiento no ayudará mucho si la temperatura desciende tan bajo que la cantidad de calor absorbido por las plantas es superada por el frío que viene del exterior. Tampoco funcionará bien cuando sopla el viento. Pero es un método tan eficiente, que algunas granjas agrícolas del sur de los Estados Unidos están equipadas con sistemas gigantescos de rociadores de agua para proteger las plantas de la congelación.

Los científicos están diseñando una computadora que "vigilará" constantemente las temperaturas atmosféricas, y pondrá en funcionamiento la irrigación automática en los precisos momentos en que sea más necesaria.

Santiago nos dice que nos regocijemos cuando lleguen las tentaciones, porque nos dan la oportunidad de buscar ayuda en Jesús para vencerlas. No debemos buscar las tentaciones, así como las plantas no quieren una helada. Pero así como hay calor en el agua congelada, también Jesús ha prometido que con cada tentación él nos dará un camino para escapar (1 Cor. 10:13), y lo hará exactamente en el momento en que más lo necesitemos.

EL EVANGELIO DEL MANGLE

Pero recibiréis poder, cuando haya venido sobre vosotros el Espíritu Santo, y me seréis testigos en Jerusalén, en toda Judea, en Samaria, y hasta lo último de la tierra **(Hechos 1:8).**

El mangle nos presenta la lección de que el método de Jesús para predicar el Evangelio, expuesto en este texto, es el mejor. Los mangles han sido llamados "madres de islas", porque a menudo dan origen a islas en donde no existían, o agrandan las que ya existían, ensanchándolas en diferentes direcciones. Los mangles extienden su vida y utilidad en tres formas principales.

Primero: Los mangles tienen raíces aéreas que crecen o salen de los troncos de las plantas principales. Estas raíces arqueadas se extienden en todas direcciones, penetran en el agua hasta alcanzar el fondo, dan origen a nuevos troncos en la superficie, y ensanchan y fortalecen los árboles.

Segundo: Las semillas del fruto del mangle no caen inmediatamente, sino que permanecen en el árbol y comienzan su germinación, produciendo así una larga raíz primaria. Esta raíz tiene forma de espada, y cuando entra en el agua, lo hace como un dardo que se incrusta en el cieno del suelo donde se establece. Mediante este proceso el árbol se extiende en forma adicional, puesto que así se originan nuevos árboles.

Tercero: Si la semilla de la que ha brotado una larga raíz cae en aguas demasiado profundas que le impiden fijarse en el fondo, comienza a flotar y es llevada muy lejos por las corrientes. Esta semilla está especialmente diseñada para que el centro de gravedad la transporte hasta que su larga raíz toque tierra y se incruste firmemente. Así es como se convierte en una planta flotante que crecerá quizá a más de mil kilómetros del lugar en donde tuvo su origen.

Nosotros esparcimos el Evangelio en la misma manera: primero, en el hogar; luego en el vecindario, y finalmente hasta en las partes más remotas de la tierra.

Febrero 29*

LAS LANGOSTAS DEVORADORAS

***Las langostas, que no tienen rey, y salen todas por cuadrillas* (Proverbios 30: 27).**

Quizá no haya plaga más devastadora que las langostas de Africa y el Cercano Oriente. Pero lo extraño de ellas es que el saltamontes de color rojo, negro y amarillo que más tarde causará inmensos daños, es primero un insecto de color verde e inofensivo que vive en las llanuras pobres en vegetación del desierto de Africa. Pero cuando las condiciones son propicias, este insecto se transforma completamente. Rara vez llueve en donde viven las langostas; pero cuando desciende la lluvia, y crece abundante vegetación, nacen millones de langostitas adicionales que tienen con qué alimentarse. En tales condiciones aumentan hasta convertirse en langostas devastadoras, muy diferentes a los insectos inofensivos.

Es difícil imaginarse el tamaño de un enjambre o manga de langostas. Estas mangas son tan densas que pueden ocultar el sol, y volar hasta una altura de 1.400 m (4.500 pies). Y cuando deciden bajar a tierra, ¡pobre de ella! Los árboles se doblarán bajo su peso. Las langostas cubrirán literalmente la tierra con un manto de destrucción que avanza sin cesar. Con cada milla cuadrada devorarán de 200 a 600 toneladas de cereales y vegetación por día, o sea el alimento diario de 200 mil personas. En 1958 un enjambre de langostas consumió en Somalia, Africa, de 40 mil a 80 mil toneladas diarias de grano. ¿Puedes imaginarte esa devastación?

Luego la langosta se va, y todos mueren de hambre. Todo lo que la gente anhela entonces es lluvia para sembrar y cosechar; pero si la lluvia es mucha nacerán millones de nuevos insectos, y llegarán nuevas mangas de langostas. Más de cincuenta países luchan casi constantemente contra esos pequeños insectos, que a pesar de no tener rey, de todos modos avanzan organizadamente dejando destrucción incalculable a su paso.

Satanás ha causado mucho daño en el mundo. Ha tomado inofensivos "saltamontes", y los ha convertido en temibles ejércitos que causan gran destrucción. ¡Cuánto entristece a Jesús que las cosas que él hizo sean utilizadas para azotar a los seres humanos por quienes él murió!

*Lectura suplementaria para un año bisiesto.

UNA ABEJA BIONICA

***Tú eres el Dios que hace maravillas; hiciste notorio en los pueblos tu poder* (Salmo 77: 14).**

Una de las maneras en que se puede apreciar realmente la grandeza y el poder de alguien, es observar su actitud ante las cosas pequeñas. La sabiduría manifestada por Dios al crear la abeja es una excelente ilustración de esto.

Supongamos que tú quisieras construir una abeja biónica, una productora de miel que valga $6 millones de dólares. ¿Qué necesitarías para construirla? Bueno, ni yo sé todo lo que necesitarías; pero, para empezar, tendrías que ponerle un reloj interno, un sensor para luz polarizada, un instrumento para constatar la verticalidad, un indicador de velocidad y dirección del viento, una computadora para medir el ángulo del sol, un indicador de velocidad en el aire y en la tierra, uno para realizar los cálculos trigonométricos, un instrumento de navegación a estima, una computadora extremadamente sensible para oler, seleccionar y sentir, instrumentos meteorológicos de gran precisión, y una computadora para procesar todos los datos suministrados por este complicado equipo y convertirlos en información útil que sirva de base para hacer decisiones concernientes a la localización de las flores, para formular juicios sobre la calidad del néctar, para calcular el número de flores en un lugar determinado, y para volver a la colmena e informar al resto de las abejas sobre la ubicación precisa, la distancia, la calidad y la cantidad del néctar de las flores encontradas.

Aunque no lo creas, tú podrías fabricar una maquinaria así con un equipo moderno, pero luego te enfrentarías con un verdadero desafío: todo eso lo debes hacer caber en una máquina voladora de solamente 12 milímetros (media pulgada) de largo. Y no debes olvidar de dejar lugar para poner el motor y el combustible, así como también el sistema de refrigeración. También necesitarías un tren de aterrizaje y un compartimiento para transportar el néctar y el polen recogidos. Y como no habría un equipo de personas para hacer la limpieza, deberías construir un sistema automático de limpieza. Y por último, necesitarías dotar a tu abeja biónica de una defensa eficaz para protegerla de los enemigos.

¿Estás listo para convertirte en el ingeniero creador de una abeja biónica, o prefieres dejarle ese trabajo a Dios?

Marzo 2

EL CASUARIO, AVE ASESINA

***Mirad también por vosotros mismos, que vuestros corazones no se carguen de glotonería y embriaguez y de los afanes de esta vida, y venga de repente sobre vosotros aquel día* (Lucas 21: 34).**

¡Ten cuidado con el casuario! Esta ave de gran tamaño que mide 1,80 m (6 pies) de alto y pesa entre 80 y 85 kilos (180 libras), no puede volar; y tampoco lo necesita, pues no hay enemigo que se atreva a pelear con ella. Existen tres especies de casuarios, y las tres viven en la selva de Nueva Guinea. Se los puede ver raramente, pero a menudo se los oye pues emiten una especie de rugido mientras caminan.

El casuario puede correr velozmente con sus poderosas patas y lo hace con la cabeza extendida hacia adelante. Para protegerse de posibles golpes provocados por choques contra los árboles y otros objetos, y para abrirse paso entre los matorrales, tiene una especie de yelmo o casco óseo, dirigido hacia adelante, como un cuerno.

Cualquiera que se encuentre en una selva donde hay casuarios debe tener mucho cuidado porque, cuando se lo toma por sorpresa, el casuario actúa primero y mira después. Su táctica consiste en dar un salto y al mismo tiempo lanzar una fuerte patada con una de sus poderosas patas, en cuyo extremo tiene tres fuertes espolones. De estos tres, el del medio tiene un filo comparable al de una hoja de afeitar y con él es capaz de abrir el vientre de una persona de un solo tajo. Se dice que, para los seres humanos, no hay ave más peligrosa en el mundo que el casuario.

Me imagino que a ti no te gustaría que te sorprendiera un casuario, ¿verdad? Tampoco te gustaría que te sorprendiera el tiempo del fin, que está muy cerca, sin estar preparado para encontrarte con Jesús, ¿no es cierto? ¿Estás listo para encontrarte con Jesús? ¿Qué pasaría si viniera hoy?

ANIMALES QUE DETECTAN TERREMOTOS

***Y habrá grandes terremotos, y en diferentes lugares hambres y pestilencias; y habrá terror y grandes señales del cielo* (Lucas 21: 11).**

Se ha informado que en las últimas horas de la tarde del 6 de mayo de 1976, los animales de la región de Friuli, al noreste de Italia, se volvieron frenéticos. "Los perros comenzaron a ladrar y a aullar, los gatos corrieron despavoridos hacia la calle, y las gallinas se escaparon cacareando de los gallineros. Las ratas y los ratones salieron de sus cuevas y se pusieron a correr en círculos, las vacas y los caballos se movían impacientes en sus establos. Los pájaros enjaulados agitaban las alas y emitían gritos desesperados". A las nueve en punto de la noche toda la región de Friuli se mecía como consecuencia de un gran terremoto.

Los científicos solían burlarse en lo pasado de las historias que la gente contaba acerca del extraño proceder que habían observado en los animales poco antes de un terremoto. Pero investigaciones recientes han comprobado que los animales poseen, en efecto, una sensibilidad especial para detectar los terremotos inminentes. Ultimamente, se ha elaborado la teoría de que las líneas de falla (rajaduras) de la tierra producen una presión que provoca la salida de gigantescas masas de partículas atómicas que se liberan en la atmósfera. Esto hace que el aire se llene de electricidad. Aparentemente, la gente no es sensible a estos cambios de la cantidad de electricidad en la atmósfera, pero los animales lo son. A medida que se acerca un terremoto, la cantidad de esas partículas atómicas es tan grande que los animales comienzan a sentirse incómodos.

Ahora se piensa que, estudiando los efectos que tales cargas provocan en los animales, estas advertencias podrían ser utilizadas para prevenir a la gente de que se aproxima un terremoto.

Jesús está por venir, y pronto. Una de las señales de su segunda venida es, precisamente, el aumento de los terremotos. Se nos dice en la Biblia que este acontecimiento ocurrirá en breve. ¿Detectamos la situación del mundo? ¿Estamos preparados para el pronto regreso de nuestro Señor?

Marzo 4

ESTALACTITAS Y ESTALAGMITAS

***Y les dijo: Vosotros sois de abajo, yo soy de arriba; vosotros sois de este mundo, yo no soy de este mundo* (Juan 8: 23).**

Si has estado alguna vez en una caverna más o menos grande, o has visto fotografías de algunas de las hermosas cavernas que la gente visita, recordarás haber visto columnas y pilares de mineral que cuelgan del techo de la caverna o que se elevan desde el piso. Estos depósitos de minerales pueden aparecer de todo tamaño y forma, y, según sean los minerales que contengan, pueden tener diferentes colores.

Esencialmente, las formaciones minerales de una cueva pueden agruparse en dos: las estalactitas y las estalagmitas.

Las estalactitas son depósitos de carbonato de calcio que cuelgan del techo como grandes agujas. Se forman con la lenta y repetida gotera de agua que contiene mucha cantidad de mineral. Como la gotera se detiene por largo rato, es decir queda colgando, algunos de los minerales del agua se quedan prendidos al techo, lo que forma un pequeño bulto. El agua cae, pero como otra gota de agua se forma que a su vez descarga parte de su mineral, el bulto va creciendo hacia abajo convirtiéndose en agujas colgantes, o sea en estalactitas.

Las estalagmitas son depósitos de carbonato de calcio que crecen desde el piso de la caverna hacia arriba, como resultado del agua que gotea desde el techo. Como en las estalactitas, parte de los minerales contenidos en el agua quedan depositados en el suelo. Se forma así una pequeña columna que va creciendo a medida que se van acumulando más minerales hasta formar la estalagmita. Es evidente que las estalagmitas no pueden formarse solas: dependen del agua que cae desde arriba.

Cuando las estalactitas y las estalagmitas que están frente a frente crecen mucho, unas hacia abajo y las otras hacia arriba se unen y forman columnas. Entonces el agua que cae baña estas columnas, las que van aumentando en grosor.

Nosotros somos como las estalagmitas, y Jesús es como la estalactita. El nos da el agua de vida y viene hacia nosotros para encontrarse con nosotros, para que formemos una unidad con él.

TRASPLANTES DE CEREBRO

***Haya, pues, en vosotros este sentir que hubo también en Cristo Jesús* (Filipenses 2: 5).**

¿Te gustaría recibir una inyección que te hiciera instantáneamente más inteligente de lo que eres? Podrías recibir una inyección de células cerebrales matemáticas o una inyección de células cerebrales científicas. Cualquier cosa que necesitaras saber se encontraría en una escuela especial, donde podrías obtener una inyección con la información necesaria, en vez de tener que aprender las cosas por medio de los libros. La idea de trasplantar células cerebrales ha sido estudiada durante algún tiempo, pero sólo se la ha llevado a cabo en experimentos con ratas.

Cierto investigador tomó células cerebrales de una rata saludable y las inyectó en el cerebro de una rata enferma. La rata enferma comenzó a mejorar inmediatamente, y al final se curó casi en su totalidad.

Uno de los asuntos que los especialistas en trasplantes del cerebro están por estudiar es si la memoria puede trasplantarse en las células del cerebro o no. Basados en estudios realizados con gusanos sometidos a entrenamiento, parece que esto se puede llevar a cabo, pero todavía no se puede saber con seguridad. El proceso se pondrá a prueba primero entrenando a una rata a correr en un laberinto. Luego, se trasplantarán algunas de las células cerebrales de la rata entrenada en el cerebro de una rata no entrenada. Si el trasplante de la memoria funciona bien, la rata no entrenada podrá correr en el laberinto como si hubiera sido entrenada, o por lo menos, demorará menos en aprender a hacerlo.

Algunos médicos esperan que ciertas enfermedades, como la del mal de Parkinson, puedan ser curadas trasplantando células cerebrales de una persona sana en el cerebro de una persona enferma. Hay, sin embargo, un problema, y es el de saber si es conveniente hacer estas cosas con el cerebro.

Una cosa sabemos, sin embargo, y es que tenemos la segura promesa que Dios nos hizo: él trasplantará en nuestro cerebro los mismos pensamientos y el mismo poder que tuvo Jesús para triunfar sobre el mal y vivir para Dios. Qué promesa maravillosa, ¿verdad?

Marzo 6

HANS EL LISTO

***Sino que lo necio del mundo escogió Dios, para avergonzar a los sabios; y lo débil del mundo escogió Dios, para avergonzar a lo fuerte* (1 Corintios 1: 27).**

Al comienzo de este siglo vivía en Alemania un caballo que era sumamente astuto. Había sido adquirido y amaestrado por Wilhelm von Osten, quien sostenía que el caballo podía resolver complejos problemas de aritmética, y dar el resultado con golpecitos de las patas. Algunos observadores hasta aseguraban que Hans podía leer las instrucciones de los problemas de aritmética escritos en la pizarra, y luego dar las respuestas con los golpecitos. ¿Te gustaría tener la habilidad que tenía Hans?

Como la fama de Hans se extendía, vinieron algunos hombres de ciencia quienes lo sometieron a toda clase de pruebas. Le pidieron incluso a personas totalmente extrañas que formularan los problemas. Pero nada cambió la situación, porque Hans siempre daba la respuesta correcta. Aunque las pruebas duraron varios años, Hans nunca dejó de contestar correctamente. Los investigadores llegaron a la conclusión de que este singular caballo debía tener también un cerebro singular, igual en inteligencia al cerebro de los seres humanos o, quizá, más inteligente aún, por lo menos que algunos seres humanos.

Pero un día, como suele suceder con muchas supuestas maravillas, apareció un hombre de ciencia que rehusó dejarse convencer por los demás. Se llamaba Oskar Pfungst. Después de meticulosas observaciones y pruebas, el Dr. Pfungst demostró que Hans no resolvía en realidad los problemas que se le presentaban, sino que era un extraordinario observador. La técnica de Hans consistía en observar cuidadosamente a las personas que le presentaban los problemas, y simplemente golpeaba con las patas hasta que advertía el mínimo cambio de actitud de las personas que le presentaban los problemas, lo cual tomaba como señal de que debía dejar de golpear. Pero, ¿es eso menos admirable? Hans era un animal mucho mejor observador de la gente de lo que la gente lo era de los animales. Tenía el don de darse cuenta del mínimo cambio de expresión de las personas, aun cuando fueran desconocidas.

Cuando pienso en las posibilidades de los seres más simples creados por Dios, llego a la conclusión humilde de que realmente no tengo nada de qué sentirme orgulloso.

LAS URTICANTES ORTIGAS

***El mejor de ellos es como el espino; el más recto, como el zarzal; el día de tu castigo viene, el que anunciaron tus atalayas; ahora será su confusión* (Miqueas 7: 4).**

¿Puedes imaginarte una situación tan mala en algún país, ciudad o pueblo, que hasta la mejor persona fuera como un espino o un zarzal? Sería muy difícil vivir con gente así. Y es probable de que tuvieran una lengua como la que describe el apóstol Santiago: "Ningún hombre puede domar la lengua, que es un mal que no puede ser refrenado, llena de veneno mortal" (Santiago 3: 8). Si tú pones juntas las dos ideas de espina y veneno, puedes darte cuenta de lo que son las urticantes ortigas.

Las hojas de las ortigas están cubiertas de cientos de miles de espinillas muy quebradizas. Cada una de estas espinillas es como un tubo vacío con una tapa en el extremo, y en la base que reposa sobre la hoja, hay un pequeño bulbo lleno de veneno.

Cuando tocas con la pierna o el brazo una ortiga, las puntas de estas espinillas quebradizas se rompen dejando expuestos los tubos que vienen a ser como agujas hipodérmicas (de dar inyecciones). Tu pierna o brazo crea una presión contra la hoja, suficiente como para que el bulbo lleno de veneno reciba también una presión que hace salir veneno a través de los tubos o espinillas, el que se mete en la pierna. Es, precisamente, como si recibieras una pequeña inyección. Inmediatamente sientes una sensación de ardor y dolor que se debe a la penetración del veneno. Si tienes suerte, el dolor desaparecerá en pocas horas, pero en algunos casos es necesario buscar ayuda médica.

En las Indias Orientales hay cierta especie de ortiga que la gente llama "ortiga del diablo", pues inyecta un veneno tan poderoso que sus víctimas pueden sentir el dolor por un período de hasta un año después de haber tocado la hoja.

Es muy probable que a nadie le gusten las ortigas. Son una verdadera plaga en cualquier parte donde crecen, y no hay prácticamente nada bueno que puedan ofrecer. ¿Has conocido alguna vez a alguien que es como una ortiga? El dolor que inflige esa persona lastima a otros con su veneno y pueden pasar años hasta que se produce la curación. Ora para que tus actos nunca sean como las ortigas.

Marzo 8

LA MISTERIOSA DESAPARICION DE LOS PECECITOS DORADOS

***Si decimos que no tenemos pecado, nos engañamos a nosotros mismos, y la verdad no está en nosotros* (1 Juan 1: 8).**

A veces, cuando tenemos problemas, no reconocemos sus causas, aunque sean claras por demás. Esto es especialmente cierto cuando quebrantamos las reglas de salud. Nos sentimos cansados y perezosos, o tenemos dolor de cabeza o estómago. Es posible también que nos hayamos quedado levantados hasta muy tarde en la noche, que hayamos comido muchas cosas dulces o que no hemos hecho suficiente ejercicio. Ir a ver al médico para saber qué tenemos es como lo que sucedió en esta historia.

Se cuenta que un ingeniero, profesor de una gran universidad, decidió construir un pequeño estanque con plantas acuáticas, en el patio de atrás de su casa. Cuando lo terminó de construir, lo adornó con plantas acuáticas, dentro y alrededor del estanque. Este había quedado hermoso, y los pececitos dorados que el profesor había puesto en él aumentaban su encanto.

Transcurrió aproximadamente un año, y el profesor se encontró con un problema: los pececitos iban desapareciendo misteriosamente, aunque él añadía más pececitos cada cierto tiempo. Como no pudo revelar el misterio del problema, invitó a un profesor de biología a que visitara su casa y viera el estanque. Quizá él podría resolver el misterio.

Al llegar, el biólogo observó con admiración el hermoso estanque. Era realmente tan hermoso en la realidad como se lo habían descrito. Hizo toda clase de preguntas acerca de cómo, cuándo y con qué se alimentaba a los pececitos, cuántos había echado en total en el estanque, y otras preguntas por el estilo. Observó con atención cada planta, hasta donde le fue posible, las que encontró en estado saludable.

Parecía que no había nada que pudiera explicar la misteriosa desaparición de los pececitos dorados. Finalmente, el biólogo confesó que no creía posible revelar el misterio, porque no parecía haber ninguna razón que explicara la desaparición de los pececitos.

La respuesta la dio, sin embargo, el propio profesor, dueño de los pececitos, cuando comentó: "Bueno, por cierto es un misterio, especialmente porque al caimancito que puse en el estanque se lo ve muy bien".

EL AZUFRE DE VENUS

***El también beberá del vino de la ira de Dios, que ha sido vaciado puro en el cáliz de su ira; y será atormentado con fuego y azufre delante de los santos ángeles y del Cordero* (Apocalipsis 14: 10).**

La Biblia nos habla del azufre que lloverá como en la destrucción de Sodoma y Gomorra. Y las condiciones que imperan en el planeta Venus nos dan un ejemplo de un acontecimiento tal.

Las exploraciones llevadas a cabo por el vehículo espacial *Pioneer* destinadas a estudiar el planeta Venus, revelaron que dicho planeta es el más hostil de todos los planetas de nuestro sistema solar. Esto es muy significativo, porque se considera a Venus como el planeta hermano de nuestro propio planeta Tierra. Se encontró que Venus está rodeado de cuatro capas de nubes formadas de gotas de ácido sulfúrico muy caliente, y que dentro del planeta, literalmente, llueve fuego y azufre.

Aun hombres de ciencia que no creen en la Biblia piensan que el destino final del planeta Tierra será similar al de Venus. Veamos un párrafo de un artículo que apareció en el *Science Digest* (Digesto Científico) en 1982: "Cuando comience a escasear el combustible nuclear en nuestro Sol, éste aumentará de tamaño hasta llegar a ser varias veces más grande que su tamaño actual. Como el Sol será más grande, la temperatura de la Tierra aumentará en varios grados. Los océanos llegarán a tener las aguas calientes, al punto de ebullición, lo que creará nubes de vapor opresivo e insoportable. La temperatura de la Tierra aumentaría a alrededor de 400 grados centígrados (1000 grados Fahrenheit). Debido a ello, todo el dióxido de carbono de las piedras calizas y del mármol se cocinaría, lo que añadirá más gases aún a la atmósfera que ya de por sí sería infernal. Es así como mediante el estudio del planeta Venus, podemos ver el terrible destino de nuestro propio planeta".

Por favor, no cometas el error de pensar que podríamos escapar al cielo. El único motivo para ir al cielo debe ser el de poder estar con Jesús. Todos los demás beneficios nos serán añadidos porque él nos ama tanto.

BARRIADAS DE ELEFANTES

***Y saliendo Jesús, vio una gran multitud, y tuvo compasión de ellos, y sanó a los que estaban enfermos* (Mateo 14: 14).**

En la actualidad hay millones de personas que viven en este mundo en los ghetos y en las barriadas pobres de las grandes ciudades. Estas personas necesitan conocer a Jesús, porque la esperanza en él es la única respuesta a la pobreza y el dolor existentes. ¿Cómo te sientes al ver la gran pobreza que hay a tu alrededor? ¿No se conmueve tu corazón y sientes deseos de ayudar? Quizá no tengas dinero, pero puedes hacer algo por los necesitados: puedes amar; y eso es lo que ellos más necesitan.

El mundo está envejeciendo y se está acercando a su muerte. Un nuevo mundo vendrá después, donde Jesús reinará. Y él hará desaparecer toda tristeza y toda pobreza. Y nosotros podemos hacer algo para apresurar la llegada de Jesús, con la que el mundo nuevo será una realidad. ¿Quieres saber por qué digo esto? Pues, permíteme contarte la historia de los elefantes de Tsavo y tal vez tu corazón se conmoverá.

El Parque Nacional de Tsavo fue establecido en Kenya, Africa, como un lugar de refugio en que se protegería a los animales salvajes que estaban siendo objeto de una caza despiadada. De algún modo, los elefantes lo supieron y comenzaron a acudir al parque. Pero sucede que los elefantes necesitan mucho espacio para poder vivir, y el parque de Tsavo no tiene más que 20.000 kilómetros cuadrados (8.000 millas cuadradas) de extensión. A nadie se le ocurrió reparar en ese hecho, y cuando los elefantes comenzaron a llegar en grandes manadas, el parque parecía un verdadero campamento de refugiados. Hoy hay entre 20.000 y 30.000 elefantes apiñados en ese estrecho espacio, y Tsavo, que antes había sido un verdadero paraíso de lujuriante vegetación tropical para los animales salvajes, ha sido despojado de toda vegetación por los hambrientos elefantes y la sequía. Este parque, que contiene la población de elefantes más grande del mundo, eventualmente se convertirá en un desierto y los elefantes se tendrán que ir de allí, para no morir de hambre.

Dentro de no mucho tiempo, el mundo entero será un lugar peor que un desierto. La población desaparecerá. Hay algo que tú puedes hacer: habla a los demás acerca de Jesús.

LOS PINZONES ZEBRA

Cantad a Jehová cántico nuevo; cantad a Jehová, toda la tierra **(Salmo 96: 1).**

Es probable que hayas visto pinzones zebra en los comercios de pájaros. Son unos pajaritos muy graciosos, con rayas que recuerdan a las zebras. Los machos cantan muy dulcemente, pero las hembras no cantan. Las investigaciones muestran que el cerebro de los pinzones machos tiene nervios bien desarrollados, que son los responsables del canto. La zona correspondiente del cerebro de los pinzones hembras, en cambio, está menos desarrollada; de ahí que las hembras —se suponía— no puedan cantar. Y esto se lo consideró cierto hasta que la Dra. Julia Miller comenzó sus estudios acerca del canto de los pinzones.

La Dra. Miller se preguntaba si la capacidad de cantar podía deberse a razones químicas, o sea, a las hormonas, pues los machos tienen hormonas diferentes que las hembras. Para descubrirlo, colocó pequeñas cantidades de hormonas en las hembras tan pronto como salían del cascarón. Luego, les daba una dosis adicional cuando alcanzaban su estado de madurez y las colocaba en cámaras a prueba de sonido, para evitar toda posibilidad de que oyeran algún canto que luego pudieran imitar.

Después de cinco días de tratamiento hormonal, las hembras comenzaron a emitir ciertos sonidos y luego a cantar de un modo como nunca habían cantado las hembras de los pinzones. De este modo, la Dra. Miller comprobó que las hembras tenían la misma habilidad física de cantar que los machos, si se les daba el "himnario" correcto.

Estoy seguro de que en el jardín del Edén todos los pájaros cantaban, tanto los machos como las hembras. En el mundo actual hay muchas clases de pájaros en que cantan ambos, el macho y la hembra, pero como el canto de los pájaros suele asociarse con la demarcación del territorio —tarea que realiza generalmente el macho—, es éste el que canta más.

En la tierra nueva, cuando se restaure el Edén, me imagino que oiremos los cantos de los pájaros, y de los humanos, tan bellos que ni siquiera podemos imaginar.

Marzo 12

REFINERIA EN EL FONDO DEL MAR

***Hace hervir como una olla el mar profundo, y lo vuelve como una olla de ungüento* (Job 41: 31).**

A pesar de que este texto describe el poder de Dios manifestado en el poderoso leviatán, se presta también para darnos una idea de la condición que existe en el fondo del mar. Hasta hace poco, se pensaba que se podían obtener productos petroleros solamente de las refinerías que los producen mediante complicados y costosos procesos. Sin embargo, al estudiar la actividad de los volcanes recientemente descubiertos en el fondo del mar, los hombres de ciencia se han enterado de que existen verdaderas refinerías naturales que originan productos similares a la gasolina y otros petroquímicos refinados.

Existen aberturas volcánicas ubicadas en puntos donde el fondo del mar se abre como consecuencia del movimiento de la superficie de la tierra. Esta acción crea corrientes de material volcánico extremadamente caliente, el cual emerge provocando ciertos efectos en el agua del mar y en los materiales descompuestos que hay en el fondo del océano.

Se ha descubierto que el calor que sale de una de esas aberturas está literalmente cocinando la gruesa capa de material orgánico del fondo del mar y convirtiéndola en petróleo. Luego, a medida que el petróleo asciende a la superficie, pasa a través del mismo tratamiento que los productos petroleros reciben en las torres que ves en las refinerías de petróleo. En los diferentes niveles de esas torres de fraccionamiento se van separando los diversos productos petroquímicos del petróleo básico, el que continúa ascendiendo.

Para nosotros, el punto más interesante de todo esto es que mediante este proceso que se realiza en el fondo del mar, los hombres de ciencia consideran posible que el petróleo pueda producirse en el fondo del mar en un lapso de *solamente* miles de años, y no de millones, como se creía hasta hace poco. Por lo tanto puedes ver que las vastas reservas de petróleo del mundo no han requerido un tiempo larguísimo para producirse, como afirman los evolucionistas.

EL EUFORBIO, UN ARBOL VENENOSO

***Pero del fruto que está en medio del huerto dijo Dios: No comeréis de él, ni le tocaréis, para que no muráis* (Génesis 3: 3).**

Es probable que conozcas algunas plantas venenosas como el zumaque venenoso, que en Estados Unidos se llama *poison oak*. Pero estas enredaderas y arbustos causan solamente una irritación molesta en la piel. Es posible que también conozcas el laurel de jardín, el cual es muy venenoso.

En el Africa existen varios árboles, todos ellos de la familia de las euforbiáceas, que no solamente tienen un veneno mortal, sino que también producen un dolor espantoso. Los habitantes de esos lugares suelen usar la savia de esos árboles para hacer veneno para utilizarlo en la pesca o en las puntas de sus flechas de caza.

Un coleccionista de plantas y animales que vivía en el Africa experimentó personalmente cuán doloroso y peligroso es el veneno de los euforbios, cuando consiguió unas ramitas para plantar en el patio de su casa. No me explico por qué quería plantar árboles venenosos en el propio terreno de su casa, pero él lo quiso y lo hizo así. Quizá quería tener árboles de los cuales el debía haber permanecido alejado, como el árbol del cual Adán y Eva debían alejarse en el jardín del Edén. Cierto día el coleccionista se encontraba en un lugar que distaba sólo cinco minutos de su casa, donde cortaba ramitas para plantarlas en su patio.

Sucedió que de pronto una gotita de savia del árbol venenoso le cayó en el ojo derecho. Apenas la sintió, se dirigió rápidamente hacia su casa. Al llegar, sentía un gran dolor en el ojo, y no pasó mucho tiempo hasta que el dolor lo hacia retorcerse. Comenzó a salirle líquido de la nariz, y la temperatura subió algunos grados. Se lavó el ojo con ácido bórico, y luego con agua y sal, pero sintió muy poco alivio. Después de dos horas, volvió a tener una temperatura normal, pero pasó casi una semana hasta que pudo ver normalmente con ese ojo.

Cuando Eva se acercó al árbol "venenoso", no experimentó un dolor inmediato. Al contrario, al principio sintió que había descubierto el secreto de los dioses. Pero luego el veneno del pecado comenzó a hacerse evidente. Si Jesús no hubiera puesto en marcha inmediatamente el plan de salvación, nosotros no estaríamos aquí.

Marzo 14

Y FUE LA LUZ

***La tierra estaba desordenada y vacía, y las tinieblas estaban sobre la faz del abismo, y el Espíritu de Dios se movía sobre la faz de las aguas. Y dijo Dios: Sea la luz, y fue la luz* (Génesis 1: 2-3).**

Durante mucho tiempo sentí curiosidad de saber qué luz era la que Dios había creado el primer día. ¿Cómo te supones que era esa luz? No puedes decir que era el sol, porque el sol no brilló sobre la faz de la tierra hasta el cuarto día de la creación. No puedes decir que era la luz de las velas o candelas porque la cera es un producto vegetal fabricado por las abejas; y las plantas no fueron creadas sino hasta el tercer día, y las abejas no comenzaron a existir sino hasta el sexto día. De modo que ¿de dónde provenía esa luz del primer día, y en qué consistía?

Bueno, yo tampoco sé exactamente a qué se parecía esa luz o cómo la había hecho Dios; pero creo que sé de dónde provenía y por qué estaba allí. La Biblia nos dice que Jesús es "la luz del mundo" (Juan 8: 12). También se nos dice que la Palabra de Dios es una lumbrera en nuestro camino (Salmo 119: 105) y que el "Verbo fue hecho carne, y habitó entre nosotros" (Juan 1: 14) en la persona de Jesús. También nos dice Juan que ese Verbo o Palabra, que era Jesús, fue el Creador del mundo. De modo que cuando Jesús llegó a la escena de la creación en el primer día, puedes estar seguro de que él era esa luz.

Ese mismo Jesús, quién con su Espíritu trajo luz al mundo que estaba en oscuridad en el principio, puede traer luz a nuestros corazones. "Porque Dios que mandó que de las tinieblas resplandeciese la luz, es el que resplandeció en nuestros corazones, para iluminación del conocimiento de la gloria de Dios en la faz de Jesucristo" (2 Corintios 4: 6).

¿SUEÑAN REALMENTE LOS PERROS Y LOS GATOS?

***Como sueño del que despierta, así, Señor, cuando despertares, menospreciarás su apariencia* (Salmo 73:20).**

En este texto el salmista se refiere a las fantasías de los sueños y al retorno a la realidad cuando uno se despierta.

Todos nosotros hemos experimentado gran alivio cuando despertamos después de haber tenido un mal sueño o una pesadilla. A veces, los sueños pueden parecer muy reales, y en ocasiones puede llevarnos bastante tiempo antes de que recobremos la calma, especialmente después de sueños que nos producen miedo.

Hay, por supuesto, una diferencia entre los sueños naturales que todos tenemos, y los sueños y visiones que Dios ha usado y usa para dar a sus mensajeros importantes comunicaciones.

Los sueños comunes se producen en la etapa de nuestro dormir que los hombres de ciencia llaman REM. La palabra REM es una sigla formada con la letra inicial de las palabras de una frase en inglés: *rapid eye movement,* que significa movimiento rápido de los ojos. Este movimiento ocurre cuando soñamos. No soñamos todo el tiempo en que dormimos, sino en el período que se llama REM, que es, cuando nos estamos durmiendo y cuando estamos dejando de dormir profundamente. Que yo sepa, no soñamos mientras estamos profundamente dormidos.

Se ha observado que gatos que han sufrido una lesión cerebral, pasan por la etapa del REM cuando duermen, y comienzan a actuar o vivir como si estuvieran despiertos. Estos gatos juegan con juguetes imaginarios y se enojan ante enemigos también imaginarios. Una vez, uno de esos gatos dormidos se mordió la cola. Cuando se conectan en el cerebro de esos gatos alambres monitores, se comprueba que los gatos pasan por la etapa de sueño del REM. Los hombres de ciencia, basados en lo que saben con certeza acerca de los sueños humanos, presumen que los gatos, y de ahí que los perros y también otros mamíferos, realmente sueñan, como los humanos.

Los sueños normales no se deben temer; no constituyen mensajes especiales ni de Dios ni del diablo. Pero yo sospecho que Satanás puede usar sueños para asustarnos, a menos que tengamos nuestra confianza puesta en Jesús.

Marzo 16

VIDA EN EL CAMPO

***Resuene el mar, y su plenitud; alégrese el campo, y todo lo que contiene* (1 Crónicas 16:32).**

Es lindo vivir en el campo, porque siempre pasa algo interesante. Por ejemplo, mientras estaba escribiendo hace unos minutos, Shannon, el amigo de nuestro hijo Miguel, vino corriendo para decirme que había oído el aullido de unos coyotes (una especie de lobos). Me dirigí hacia afuera rápido como una bala y nos pusimos a mirar juntos al otro lado del camino. Allí estaban ladrando y aullando, como si hubiera sido en medio de una noche de luna, cuando en realidad el sol apenas se había puesto y todavía estaba claro. Los coyotes habían salido temprano esta noche y me preguntaba por qué. ¡Hay tantos secretos del mundo natural que descubrir todavía!

Miguel, nuestro hijo, había vivido en la ciudad hasta la edad de cuatro años, por lo tanto no había tenido la oportunidad de ver animales salvajes sino solamente en televisión o en las ilustraciones de algunos libros. En cierto modo, estaba preparado para el cambio que lo había llevado a vivir en el campo. Tomemos el caso de los gatos, por ejemplo. Miguel sabía algo acerca de gatos porque habíamos tenido uno desde que el niño había nacido. Pero sucedió que un día, cuando apenas habíamos terminado la mudanza, vi un gran gato moteado caminando entre el pasto. Evidentemente, era un gato doméstico que había sido llevado al campo. Señalándolo, le pregunté a Miguel:

—Miguel, mira. ¿Qué es eso?

Miguel miró el gato y luego me preguntó, inquisitivamente:

—¿Es un jaguar?

No parecía tener ni miedo ni sorpresa de que un animal tal se encontrara allí. Para él el campo que rodeaba nuestra casa era igual que los lugares que había visto en las fotografías en los libros, habitados por animales salvajes, y según él, sería perfectamente correcto que hubiera un jaguar allí.

La respuesta de Miguel me hizo pensar en que sería algo muy lindo si siempre experimentáramos esa sensación de maravilla y aventura que proviene de ver algo silvestre o salvaje por primera vez. Los coyotes se regocijan en nuestro campo esta tarde. Le doy gracias a Jesús porque nos da esta clase de aventuras.

EL SUBMARINO ORIGINAL

***Cuando mi alma desfallecía en mí, me acordé de Jehová* (Jonás 2:7).**

Imagínate que estuvieras mirando un submarino moderno. Al principio se sumerge; viaja a cierta distancia bajo el agua y luego reaparece en la superficie. No hay nada sorpresivo en eso, pensarás. Pero sigamos imaginando. El submarino se dirige entonces a tierra, encuentra un camino, sale del agua y traquetea por la carretera, alejándose cada vez más del mar. Luego, maravilla de las maravillas, el submarino comienza a cobrar velocidad, extiende unas alas que emergen de sus costados, ¡y levanta vuelo! Ahora se eleva y pronto desaparece de la vista entre las nubes.

¿Crees que me he dejado llevar muy lejos por la imaginación? ¡No, señor! Estaba simplemente describiendo la conducta común de cualquier ave acuática, como los somorgujos, colimbos, cormoranes, y la mayoría de los patos. Todas estas aves se mueven perfectamente en tierra así como también en el agua y bajo el agua. Por añadidura, pueden volar, cosa que no hacen los submarinos hechos por los humanos. Lo que sucede es que estas aves acuáticas tienen unos compartimentos especiales en el cuerpo. Si llenan estos compartimentos con aire, pueden flotar en el agua. Si eliminan el aire se hunden. Pueden, además, controlar a qué profundidad desean estar. Un colimbo, por ejemplo, puede sumergir todo el cuerpo menos la cabeza, la cual, como el periscopio del submarino, puede dar vueltas en todas direcciones para ver lo que sucede a su alrededor.

El profeta Jonás viajó en uno de los submarinos de Dios. Fue tragado, como recordarás, por un gran pez y no tuvo más remedio que hacer campamento dentro de ese pez durante tres días. Para Jonás eso debió haber sido como bajar a lo profundo en un submarino moderno sin saber cómo hacerlo subir. Estaba abajo, no solamente en el mar, sino también en su estado de ánimo. Dios tuvo que hacer pasar a Jonás por una situación en que se sentía como pez fuera del agua.

Los submarinos originales de Dios dependen del Creador del agua, la tierra y el aire. Cuando nos metemos en problemas y no nos sentimos bien, tengamos la seguridad de que si acudimos a él, él nos cuidará tan completamente como cuida de las aves acuáticas y tan seguramente como cuidó a Jonás.

Marzo 18

EL MARTILLO NEUMATICO

Cuando llegaban ya cerca de la bajada del monte de los Olivos, toda la multitud de los discípulos, gozándose, comenzó a alabar a Dios a grandes voces por todas las maravillas que habían visto **(Lucas 19:37).**

Probablemente tú hayas visto un martillo neumático, esa herramienta que hace un ruido ensordecedor, que usan los obreros de la construcción para romper el hormigón o concreto. Tan fuerte es el ruido, que a menudo el que lo usa debe ponerse algo que le proteja los oídos del ruido, para no dañarlos.

Hay un mamífero cuya voz es sesenta veces más fuerte que el ruido que produce un martillo neumático. Quizá es mejor que repita esto: este animal produce un ruido sesenta veces más fuerte que un martillo neumático. Antes de que comiences a discutirme, permíteme decirte que este animal es bastante común, y es posible que tú lo hayas visto más de una vez.

Y ahora puedes saber a qué animal me refiero: al murciélago. ¡Sí, el murciélago! La razón por la cual tú no has oído la potencia de su voz es que tiene un tono tan alto que la mayoría de los oídos humanos no pueden detectarla, así que a pesar de que el volumen es enorme, sólo oímos débiles chillidos.

El murciélago utiliza sus sonidos vocales para moverse y para localizar su comida. Emite los sonidos en rápidas sucesiones, como si fueran los tiros que salen de una ametralladora. Parten de la boca del murciélago, chocan con cualquier objeto que se halle a su paso, y vuelven a sus grandes oídos. Mediante este procedimiento, el murciélago es capaz de determinar la ubicación de su presa, que generalmente es un insecto, la dirección en que ésta se mueve y la velocidad que ésta lleva. Con estas informaciones el murciélago puede interceptar al insecto en menos de medio segundo y tener una apetitosa cena.

Con sonidos sesenta veces más fuerte que los de un martillo neumático, él hace sentir su presencia. La gente de la que nos habla nuestro texto, proclamaba sus alabanzas a Jesús en voz alta. Quizá no necesitemos gritar tan fuerte como un martillo neumático, pero demos nuestro testimonio con suficiente claridad para que el mundo conozca acerca de Jesús y sus maravillosas obras.

PERFECCION MICROSCOPICA

***Sed, pues, vosotros perfectos, como vuestro Padre que está en los cielos es perfecto* (Mateo 5: 48).**

Observando algunas fotografías de insectos, que habían sido tomadas con un microscopio electrónico, quedé maravillado ante la perfección y la belleza del diseño, que no se puede apreciar a simple vista. A veces, por otra parte, nos acostumbramos tanto a las bellezas del mundo natural, que dejamos de admirarnos, pero aquí yo me encontraba ante algo que estaba más allá de toda imaginación.

Por ejemplo, había una fotografía que mostraba la antena de un insecto denominado lepisma, tomada con un aumento de dos mil veces. La superficie de cada sección de la antena aparecía como una interminable trama compuesta de cadenillas entrelazadas, cada una de ellas formada por un círculo constituido por seis puntos perfectamente distribuidos. Los pelos microscópicos de las antenas de ese insecto tienen a su vez pelos más pequeños aún. Todo este detalle aparece en la antena de un insecto que es a la vez tan pequeño que se necesita una lente de aumento para poder verlo.

Otro ejemplo lo encontramos en una fotografía de la pata de un escarabajo común, tomada con aumento de 800 veces. La pata aparece con numerosas púas perfectamente formadas que se parecen a las protuberancias del espinazo de algunos monstruos prehistóricos. Algunas púas son delgadas, en cambio otras son largas y curvas, protegidas por escamas; otras son cortas y curvas, y arrancan de unas depresiones muy bien formadas, distribuidas a lo largo de la pata del escarabajo. Pero lo que más me asombra en la fotografía es ver que en la parte superior de la pata aparece un minúsculo ácaro rodeado por las púas, otro ser que ha establecido su morada en la pata del escarabajo. Este ácaro se parece mucho a un cangrejo bayoneta, y tiene un suave caparazón de dos piezas tachonado de pequeñísimas protuberancias distribuidas homogéneamente.

Cuando veo la perfección con que Dios ha hecho a los seres vivientes, me quedo admirado ante su sabiduría y poder. Luego miro las imperfecciones que abundan en mi vida y en la vida de la gente de todas partes. Solamente un Dios tan poderoso puede hacernos perfectos otra vez. Y alabo su nombre porque me ama tanto como para hacerme perfecto también a mí.

Marzo 20

EL KUDZU

***Ciertamente, si habiéndose ellos escapado de las contaminaciones del mundo, por el conocimiento del Señor y Salvador Jesucristo, enredándose otra vez en ellas son vencidos, su postrer estado viene a ser peor que el primero* (2 Pedro 2: 20).**

Durante la celebración del centenario de la independencia de los Estados Unidos, en la ciudad de Filadelfia, en 1876, había varios quioscos de diferentes países del mundo. El quiosco japonés estaba decorado con una enredadera de suaves hojas verdes, que en el verano producía racimos de hermosas flores rojizas, cuyo perfume se parecía al de la uva madura exprimida. Los japoneses la llamaban kudzu.

El *kudzu*, como se llamó a esta enredadera en los Estados Unidos, fue un éxito rotundo. Al principio se lo usó para decorar los patios y los corredores. Luego, durante la época de la gran depresión económica, se lo usó para cubrir las zanjas y lugares baldíos del sur del país. Pronto fue una especie de héroe que tornaba el suelo desnudo y árido en verde viviente, y lo hacía a una maravillosa velocidad.

Han pasado ya más de cien años desde la celebración del centenario, y en ese lapso, el kudzu se propasó, porque no detuvo su crecimiento cuando cubrió todas las barrancas y espacios baldíos. Ahora cubre vastas extensiones de lo que una vez fueron bosques, donde ha ido sofocando los árboles bajo su abrumadora fronda.

El kudzu, en efecto, es una de las plantas de más rápido crecimiento del mundo, pues puede crecer hasta 30 centímetros (12 pulgadas) por día. Tiene una raíz que se parece a un gigantesco nabo, que llega a pesar entre 130 y 180 kilos (300 y 400 libras) de la cual salen entre 40 y 50 enredaderas. En el sur de los Estados Unidos pierde las hojas en el invierno, pero éstas vuelven a aparecer en la primavera y continúa creciendo donde se había detenido. Hoy cubre una extensa zona del país, que va desde el Estado de Maryland hasta el de Texas, y desde el de Missouri hasta el de Florida, o sea, es como si toda Guatemala y la mitad de El Salvador estuvieran cubiertos por él.

Como ves, el kudzu, que una vez había sido considerado como un salvador, se ha convertido en una maldición rastrera. Del mismo modo, algunas personas toman la verdad de la salvación y la tornan en una maldición al tratar de cubrir sus pecados por sí mismas, algo que sólo Jesús puede hacer.

¿DONDE EMPEZARIAS TU?

***Alabadle, sol y luna; alabadle, vosotras todas, lucientes estrellas. Alabadle, cielos de los cielos, y las aguas que están sobre los cielos. Alaben el nombre de Jehová; porque él mandó, y fueron creados* (Salmo 148: 3-5).**

Si te pidieran que nombraras una cosa de todas las creadas por la cual estás más agradecido, ¿cuál sería?

¿Serían las estrellas del cielo, esos millones de cuerpos celestes que están diseminados a miles de millones de años luz en el espacio? ¿O serían los materiales básicos con los cuales aparentemente están hechas todas las cosas: los átomos, los protones, los neutrones, los fotones, los rayos X y todos los demás que aún no conocemos?

Quizá estés agradecido por los animales cuya piel suave y peluda puedes acariciar, o por los pájaros que pueden cantar. O quizá elegirías el verde pasto, los frondosos árboles que dan sombra en el verano, o las flores que salpican de color los campos y valles. Dime, ¿qué elegirías como tu cosa predilecta?

¿Y qué en cuanto al amor de tu mamá y de tu papá? ¿Qué en cuanto a la sonrisa de los que amas? Todo esto fue creado por Dios, creador de todo lo bueno. ¿Qué elegirías tú? ¿Puedes elegir una cosa que es mejor que las otras, que es la mejor de todas? Ahora, terminemos nuestro juego. Yo, por mi parte, no sabría elegir ni siquiera diez cosas que me gustaran más. ¡La lista es tan larga! Y porque, además, cada cosa se relaciona con la otra, la cual por su parte se relaciona con otras cosas. Todas las cosas del mundo se interrelacionan completamente. No hay una cosa que pueda vivir separada de las demás. Y todo eso es expresión del carácter de Dios, excepto donde el pecado ha hecho daño.

Si yo te hubiera pedido que nombraras a un ser del universo por el cual estás más agradecido que ninguna otra cosa, sé que no tendrías absolutamente ningún problema. Ese ser es Jesús, naturalmente. Sin él no hay nada, y todo lo demás sin él es también nada.

Marzo 22

ESPINILLO

***Porque el Hijo del Hombre vino a buscar y a salvar lo que se había perdido* (Lucas 19: 10).**

Espinillo se presentó a sí mismo a una familia que vivía en Vermont, Estados Unidos, empezando por acariciar la nariz del perro de la casa con sus afiladas púas. La familia adoptó inmediatamente al huerfanito, le proveyó una caja de cartón y le dio lechuga y plantas del campo que suelen comer los puerco espines.

Pero el pequeño alfiletero, a pesar de estar medio muerto de hambre, se resistió a comer y a dormir. Ni siquiera se dignaba a mirar la comida; su única respuesta era dar la espalda erizada a los que lo habían acogido con tanto cariño. Por supuesto, tampoco permitía que nadie lo tocase. Estaba tan ocupado en defenderse, que ni comía ni dormía, y se le tuvo que obligar a tomar una mezcla de miel, leche y un poco de sal. Pero no era tan fácil hacerlo como decirlo, pues la persona que trataba de alimentarlo debía ponerse una chaqueta de cuero y gruesos guantes de esquiar para poder tocarlo, y la mayoría de las veces la comida iba a parar en el espinazo de Espinillo o encima de la ropa del que lo alimentaba. Después de luchar durante varias semanas con este obstinado bebé, y cuando nadie sabía qué más hacer, la hija de la familia tuvo una idea interesante. Le pareció que lo que pasaba con Espinillo era que echaba de menos a su mamá y la seguridad que le proveía el tronco hueco que había sido su hogar. Preparó ella un "tronco hueco" hecho con una caja de cartón que puso encima del animalito y le deslizó por debajo una almohadilla calentadora, en el piso. Pero fue el toque final lo que realmente surtió efecto: le puso al lado un osito de felpa relleno.

Después de un rato, todos los de la familia fueron a ver a Espinillo, y para su alegría lo encontraron durmiendo plácidamente dentro del "tronco hueco". Pronto comenzó a comer sin que se le obligara y hasta se convirtió en un puerco espín cariñoso que a menudo se paseaba por sobre los hombros de sus amos, con quienes vivió durante aproximadamente un año. Luego retornó a la vida natural para disfrutar de la libertad a que están acostumbrados los puerco espines.

Me alegro mucho de que nuestro Padre celestial nos amó tanto que envió a Jesús, quien vino a buscarnos cuando estábamos perdidos. Y él nos encontró y nos proveyó de un lugar tibio y seguro con él. ¿No te alegras por eso tú también?

PERICO, EL LORO GENIAL

***En toda labor hay fruto; mas las vanas palabras de los labios empobrecen* (Proverbios 14: 23).**

El antiguo dicho: "Hablar no cuesta nada" tiene mucho significado. Casi todo el mundo habla, pero el mero hecho de hablar no es señal de inteligencia. Si lo que uno dice tiene sentido y es sabio, entonces no se puede decir que hablar no cuesta nada.

Ahora quisiera hacerte una pregunta: ¿Sabe el loro lo que dice o no? Antes de contestarme, considera el caso de Perico, el loro africano de plumaje gris, que participó en un experimento realizado por dos hombres de ciencia, especialistas en el tema de la comunicación de los animales. Perico ha aprendido más que repetir palabras al azar.

Estos científicos querían saber si el loro podía aprender a reconocer objetos y colores, además de nombrarlos. Ellos decían los nombres y el color de varios objetos a medida que se los iban pasando el uno al otro, mientras Perico observaba. Cuando el loro repetía accidentalmente el nombre de uno de los objetos, se lo daban para que jugara con él. Perico aprendió rápidamente en qué consistía el juego y cuando más tarde se lo sometió a las pruebas finales, pudo nombrar todos los objetos que se le presentaron en cualquier orden y también pudo decir el color de cada objeto.

Además, Perico aprendió a decir No. Si se le ofrecía un objeto que él no quería lo hacía saber diciendo No. También decía No cuando un extraño quería tocarlo. Y también aprendió a decir: "Quiero irme". Perico era, en realidad, un loro muy inteligente; mucho más inteligente de lo que algunos piensan que son los loros. Después de estos experimentos, ya nadie sabe con seguridad cuánto pueden entender y cuánto pueden aprender los pájaros.

Recuerda, sin embargo, que hay una diferencia entre simplemente repetir lo que dicen los otros y aprender a usar lo que tú dices para el bien de los que te rodean. Recuerda, también, que somos responsables de lo que decimos, porque "por tus palabras serás justificado, y por tus palabras serás condenado" (Mateo 12: 37).

Marzo 24

ARBOLES DE PLASTICO

Se llenan de savia los árboles de Jehová, los cedros del Líbano que él plantó. Allí anidan las aves **(Salmo 104: 16-17).**

A los pájaros carpinteros les encantan los árboles que se están secando o que ya se han secado. Alguien ha dicho que ellos forman parte del equipo de limpieza de la naturaleza, pues se alimentan de insectos que dañan los árboles. Literalmente, los carpinteros destrozan las ramas y los troncos de los árboles secos, apresurando así el proceso de descomposición y eliminación de los mismos. Los pájaros carpinteros necesitan los bosques para vivir, y los bosques los necesitan a ellos. Pero como la gente va cortando los bosques, no hay tantos bosques ni tantos carpinteros como solía haber antes. Esto se agrava por el hecho de que los cuidadores cortan los árboles secos de los bosques, y los carpinteros se quedan sin lugar para hacer sus nidos.

Tanto es así que unos investigadores de cierta universidad decidieron ayudar a los pájaros carpinteros. ¿Cómo? Les fabricaron árboles secos artificiales, que eran verdaderos cilindros de plástico pintados de color café, de unos 15 metros (50 pies), y los "plantaron" entre los árboles naturales. Aparentemente, los carpinteros no se dieron cuenta de que eran artificiales, porque hicieron agujeros en ellos como de costumbre.

Pero pronto se les presentó a los carpinteros un problema: cuando trataron de hacer resonar como un tambor su llamado a sus compañeras, en la época del apareamiento, que es cuando se forman sus familias, el sonido que salía de los troncos de plástico no era igual al que salía de los troncos de los árboles verdaderos. Y los carpinteros se dieron cuenta de ello, y se marcharon hacia donde había árboles verdaderos, abandonando los árboles de plástico.

Ahora los investigadores están haciendo planes de recubrir esta vez los árboles de plástico con unas láminas de madera terciada que permitirá que el golpeteo que ellos hacen resuene. Es interesante notar, además, que los investigadores decidieron usar madera verdadera para satisfacer a los pájaros carpinteros. A los carpinteros les gusta hacer los agujeros en un material suave y fácil de trabajar como lo es el plástico blando y poroso; pero en lo que concierne a comunicación, prefieren madera sólida. Es imposible mejorar el plan del Creador, aun cuando parezca, por un momento, que se lo pueda hacer.

PALOMAS ROSADAS Y LOROS "ECO"

***Alzad a los cielos vuestros ojos, y mirad abajo a la tierra; porque los cielos serán deshechos como humo, y la tierra se envejecerá como ropa de vestir, y de la misma manera perecerán sus moradores; pero mi salvación será para siempre, mi justicia no perecerá* (Isaías 51: 6).**

¿Cuál es el pájaro más raro del mundo? Uno podría nombrar a varios pájaros como candidatos, pero la respuesta debiera quizá darse teniendo en cuenta que debe ser una especie que tiene solamente muy pocos individuos existentes, y que con probabilidad se extinga en un futuro no muy distante. Y el pájaro que llena estos requisitos es el loro llamado "eco" de la isla Mauricio, del cual había en 1981 solamente cinco individuos: dos hembras y tres machos, y los que no han tenido cría desde 1975. Es solamente un asunto de poco tiempo hasta que estos pajaritos envejezcan y mueran, y pasen a ser como el dodo, otro pájaro nativo de las misma isla, que se extinguió hace trescientos años, en la década de 1680.

Quedan en el presente solamente once clases de pájaros nativos en la isla Mauricio, y de éstos ocho se hallan en peligro de extinción, incluyendo el loro eco. Otro de los que se hallan en esta situación es la paloma rosada, de la cual hay menos de cincuenta ejemplares en toda la isla. Se están cuidando algunas crías, pero son muy pocas las posibilidades de que sobrevivan, pues las palomas rosadas necesitan los bosques nativos para vivir, y solamente queda menos del uno por ciento de los bosques originales. Y lo poco que queda está invadido de ratas negras y monos saqueadores que fueron introducidos por los marineros, hace varios cientos de años. Lo que la isla necesita es un salvador.

La isla Mauricio es un buen ejemplo de la situación de nuestro mundo, un mundo que está siendo presa de Satanás y sus ayudantes, quienes, como las ratas y los monos de la isla Mauricio, quisieran eliminar de este mundo a todo cristiano. ¡Pero tenemos un Salvador!

Marzo 26

¡RESPIRA TRANQUILO!

***Entonces Jehová Dios formó al hombre del polvo de la tierra, y sopló en su nariz aliento de vida, y fue el hombre un ser viviente* (Génesis 2: 7).**

Cuando Dios sopló aliento de vida en Adán y Eva, comenzó algo extraordinariamente maravilloso. Por ejemplo, el proceso de la respiración humana constituye un milagro que está produciéndose permanentemente. Sin pensarlo, respiramos todo el día y la noche, todos los días de nuestra vida.

Aun cuando el hombre esté en reposo, respira un promedio de 17.300 veces por día, lo que significa que respira 6 millones de veces en un año y 500 millones en su vida; y eso es mucho respirar. La mujer, en cambio, respira 28.800 veces por día como promedio, o sea más de 10 millones de veces por año, y si alcanza a una edad avanzada, respirará alrededor de mil millones de veces.

Aun cuando los hombres y las mujeres respiran a un ritmo diferente, la cantidad de aire que inhalan y expelen es aproximadamente la misma: un promedio de unos 80.000 litros (23.000 galones) de aire por día, lo que daría más de 30 millones de litros (8 millones de galones) por año y cerca de 2.600 millones de litros (700 millones de galones) durante toda la vida. Hasta me cansa pensar en cantidades tan grandes, pero mi cuerpo está perfectamente equipado para procesar esa cantidad de aire en un enorme número de respiraciones. Además, debemos pensar que si estamos realizando un trabajo físico o pasando por alguna emoción especial, respiramos mucho más que eso. ¿Entiendes ahora lo que Jesús comenzó cuando le dio a Adán el aliento de vida?

Y el motor que realiza el trabajo de respirar para nosotros no son los pulmones, sin embargo, sino el diafragma, que es ese gran músculo situado entre el pecho y el estómago. Los pulmones son sencillamente unos sacos de aire muy eficientes. El diafragma, en cambio, es la fuerza que llena los pulmones de aire fresco y expele el aire viciado.

En nuestra vida cristiana, también debemos respirar. La oración ha sido llamada la "respiración del alma". ¿Cuántas veces por día oras tú? ¿Cuánto del amor dador de vida y luz de Jesús tomas tú cada vez que oras?

LADRIDOS, GEMIDOS Y GRUÑIDOS

***Como aquel que os llamó es santo, sed también vosotros santos en toda vuestra manera de vivir* (1 Pedro 1: 15).**

De acuerdo con cierto hombre de ciencia, todos los sonidos que los animales producen con sus cuerdas vocales pueden dividirse en tres tipos: ladridos, gemidos y gruñidos. Formuló él esta teoría basándose en los sonidos que los perros y sus parientes usan para comunicarse unos con otros.

Un gruñido es cualquier sonido que un animal hace para aparecer más grande de lo que es cuando se siente amenazado. Es un sonido de tono bajo que pareciera decir: "Yo soy más grande de lo que eres tú y quiero que me des lo que yo quiero". A veces, naturalmente, quiere decir simplemente: "Es mejor que me dejes solo".

Un gemido, por otra parte, es un sonido producido por un animal que quiere aparecer más pequeño de lo que es en realidad. Generalmente es de tono alto y va acompañado de una posición baja de la cabeza y la cola. En efecto, dice: "¡Ah! ¡Pobrecito de mí, soy tan pequeño! Por favor, no me hagan daño. Soy un pobre desgraciado. Ayúdenme!"

Todos los sonidos que no son ni gruñidos ni gemidos se llaman ladridos. El ladrido es la comunicación que va desde el "Hola, me alegro de verte", hasta el "¿Cómo te ha ido en la caza?" De acuerdo con esta teoría, el aullido del coyote sería considerado un ladrido, ya que no es ni un gruñido ni un gemido.

Esta teoría no sólo es válida para los animales, sino también para las aves. El llamado enojado de un reyezuelo es su gruñido, el piar temeroso de un pichón de pájaro es su gemido, y el canto del zorzal es su ladrido. Si te parece que esta teoría no tiene sentido, recuerda que se trata solamente de la teoría de un hombre de ciencia, y que puede no ser enteramente correcta.

Pero esta teoría podría aplicarse también a los seres humanos, ¿no te parece? Tú conoces a gente que "ladra", y conoces a gente que "gime", ¿verdad? Como cristianos, son muy pocas las ocasiones en que encontramos necesario gruñir o gemir; una manera de hablar directa y natural —o de ladrar, si lo prefieres— es suficiente.

SUCIEDAD

***Pero los malos son como un mar agitado, que no puede calmarse y que arroja entre sus olas lodo y suciedad* (Isaías 57: 20, versión Dios Habla Hoy).**

El problema de la contaminación de las aguas preocupa a mucha gente. Cuando se echan desperdicios humanos a los arroyos y ríos, éstos infestan lo que tocan, trasmiten todo tipo de enfermedades, y matan la vida vegetal y animal. A causa de la contaminación humana, hay muchos ríos "muertos" en el mundo. Los gobiernos de numerosos países están gastando grandes sumas para purificar las aguas servidas antes de verterlas en los ríos, porque conocen sus efectos dañinos.

Muchas veces, la suciedad se deposita en el fondo de los ríos y los mares, y permanece allí fuera de la vista humana. Pero cuando hay una tempestad, ésta revuelve el agua al punto de que la suciedad del fondo del mar sale a la superficie. En esos casos los bañistas se alejan de la playa, no queriendo tocar el agua sucia. Además, la turbulencia puede tornar peligrosa el agua, pues los grandes peces, tales como los barracudas, y los tiburones, pueden estar buscando algo para comer, y aun cuando normalmente no molesten a los humanos, pueden ver solamente un destello del pie de un bañista en las aguas revueltas y confundirlo con un pez pequeño, del tamaño adecuado para comerlo.

Una suciedad similar es el camino de los impíos: parece que están siempre en tormenta y que se deleitan en revolver las suciedades de la vida; es decir, las impurezas de las cuales uno no debiera hablar ni pensar. "Cual es su pensamiento [del hombre] en su corazón, tal es él", dice el sabio en Proverbios 23: 7. Dios quiere que sus hijos tengan un carácter limpio y puro, como era el de Jesús. ¿Te imaginas a alguien cuyos pensamientos y acciones son sucios, como las aguas borrascosas del mar, entrar al cielo? Ni ellos, ni los que no muestran su suciedad, como la que se halla en el fondo del mar, podrán entrar allí y gozar de las delicias que Jesús tiene preparadas para los que le aman y siguen. Cada mañana, al levantarte, di con firmeza: "No quiero perder el tiempo viendo, leyendo, oyendo o haciendo cosas que ensucien mi cuerpo o mis pensamientos. Quiero, con la ayuda de Jesús, consagrar mi tiempo y mis pensamientos a Dios". Estoy seguro de que Jesús te ayudará.

LOS LOBOS ALFA Y OMEGA

***Yo soy el Alfa y la Omega, principio y fin, dice el Señor, el que es y que era y que ha de venir, el Todopoderoso* (Apocalipsis 1: 8).**

En una manada de lobos hay dos individuos que se caracterizan: el alfa y el omega. El alfa es el lobo cabeza, el jefe, el más importante de todos. Generalmente es un lobo, pero puede, en ocasiones, ser una loba. Pero sea macho o sea hembra, este lobo alfa es el que dirige la manada y realiza la mayoría de las decisiones importantes, tales cómo y dónde se hará la próxima cacería, y en qué lugar se establecerá la guarida ese año.

Los lobos omega son los individuos que han sido expulsados de la manada, pero se les permite seguir con ella; van siempre a la retaguardia y se les permite alimentarse con las sobras. En los casos en que haya que pelear contra un enemigo común, el lobo omega es aceptado de vuelta en la manada, pero solamente el tiempo suficiente para ayudar en la emergencia; luego vuelve a su posición de "vagón" trasero.

El lobo alfa debe defender su posición contra cualquier otro lobo que ambicione su puesto. No todos los lobos alfa son buenos dirigentes. Cuando un lobo particularmente abusador llega a alcanzar la posición máxima, todos los que están bajo él se resienten por su mal liderazgo. Y cuando es destronado de su posición por un lobo más fuerte y más grande que él, este mal alfa es relegado inmediatamente a la posición omega, donde recibirá el mismo tratamiento inmisericorde que él prodigaba antes, cuando era poderoso.

Jesús es el Alfa y la Omega. El es el Alfa, Rey de reyes y Señor de señores; al mismo tiempo, es la Omega, humillado y rechazado por los hombres. Fue rechazado no porque él haya maltratado a nadie, sino porque el diablo, el verdadero proscrito, ambicionaba ser el Alfa. Durante un tiempo, el diablo se las arregló para aparentar que estaba a cargo de la manada del mundo, pero sus maneras abusadoras serán descubiertas pronto, y todos aquellos a quienes hizo desviar se tornarán contra él, de igual modo que los lobos de la manada se oponen a los lobos alfa malos. Pero podemos tener la seguridad de que nuestro verdadero Alfa saldrá victorioso.

Marzo 30

EL SEÑUELO DE LA GARZA VERDE

Y les dijo: Venid en pos de mí y os haré pescadores de hombres (Mateo 4: 19).

Los pescadores usan varias clases de señuelos. Uno de los materiales más comunes y eficaces utilizados en la preparación de señuelos son las plumas. La pluma que cae levemente en el agua ejerce una atracción irresistible sobre los peces.

No hace mucho tiempo un fotógrafo de pájaros se acercó a una joven garza verde, que estaba pescando en una zanja. Lo extraño del caso era que la garza tenía algo en el pico, que apretaba fuertemente. El fotógrafo se quedó muy quieto observando, y pudo ver que se trataba de una pluma blanca. Acomodó su cámara, y enfocando al ave, se puso a esperar pacientemente hasta que ésta dejara caer la pluma y posara realmente para la fotografía que quería tomar. Poco se imaginaba él lo que sucedería.

La garza comenzó a caminar lentamente junto a la orilla del agua de la zanja, siempre con la pluma en el pico, observando el agua poco profunda. Después de dar unos pasos, se detuvo para quedarse completamente inmóvil. Luego, estirando lentamente su cuello, deliberadamente dejó caer la pluma en el agua y adoptó nuevamente la pose característica de las garzas. De repente con un movimiento rapidísimo metió el pico en el agua, debajo de la pluma que flotaba, y levantó un pececito, que evidentemente había sido atraído por la pluma. Luego de tragárselo, volvió a recoger la pluma con el pico, y continuó pescando del mismo modo a lo largo de la orilla. El fotógrafo sacó unas cuantas fotografías para comprobar que semejante escena no había sido producto de su imaginación.

Y así como los peces se engañan por lo que parece ser un atractivo señuelo, la gente es tentada con engaños, colocándose en toda clase de situaciones difíciles. El diablo, por supuesto, tiene muchas maneras de tentar. Pero Jesús también llama para que vayamos con él, y cuando trabajamos para él, nuestra manera cristiana de vivir se convierte en un señuelo para el bien; un señuelo que atrae a la gente a Jesús. Es así como nos convertimos en "pescadores de hombres". ¿Qué clase de señuelo eres tú?

LA ARAÑA PRISIONERA

***Sean vuestras costumbres sin avaricia, contentos con lo que tenéis ahora: porque él dijo: No te desampararé, ni te dejaré* (Hebreos 13: 5).**

Una mañana, mientras estaba preparando el desayuno, miré por la ventana de la cocina hacia fuera, y algo me llamó la atención. Entre los vidrios y la tela metálica había una araña bastante grande. Había formado una telaraña muy extensa, en la que tenía almacenados varios "paquetes de comida instantánea" para el futuro.

Me pregunté cómo esta araña había podido entrar allí, pues era evidente que por su tamaño no había podido pasar a través de la tela metálica; y tampoco encontré ninguna abertura en la ventana como para que le sirviera de entrada. Y cuanto más pensaba en ello, más intrigado estaba. Finalmente, se me ocurrió que era probable que la araña hubiera pasado a través de la tela metálica cuando aún era pequeña, más pequeña que la cabeza de un alfiler.

La araña no podía saber que una vez que creciera y se hiciera más grande, quedaría atrapada por la tela metálica para siempre. Y me sentí triste por la araña prisionera, porque nunca más podría salir afuera. En realidad, estaba pensando en mí mismo, imaginándome cómo me sentiría si estuviese atrapado como esa araña.

Y mientras consideraba la posibilidad de abrir la ventana o la tela metálica para dejar salir a la araña, se me ocurrió una pregunta: ¿Cómo se las pudo arreglar la araña para vivir allí todo ese tiempo? Quizá ese no fuera tan mal lugar, después de todo. Los pequeños insectos que comía la araña podían entrar allí y salir a través de la tela metálica, así que ella disponía de una cantidad suficiente de comida. Además, todos los enemigos naturales de la araña —pájaros, lagartos, serpientes, sapos y otros—, no podían entrar en ese espacio por la misma razón por la cual la araña no podía salir. Así que la araña no tenía ningún problema común a las arañas.

Mi imaginación fue más lejos aún: y esta vez se trataba de algo que tenía que ver con mi propia vida. Decidí que aunque estuviera preso en una cárcel, estaría igualmente conforme, porque sé que Jesús está conmigo y no me dejará.

Abril 1

LOS NAVEGANTES ALADOS

***Y oró Eliseo, y dijo: Te ruego, oh Jehová, que abras sus ojos para que vea. Entonces Jehová abrió los ojos del criado, y miró; y he aquí que el monte estaba lleno de gente de a caballo y de carros de fuego alrededor de Eliseo* (2 Reyes 6:17).**

Eliseo y su criado parecía que estaban atrapados, y el joven tenía temor. Eliseo no estaba preocupado en lo más mínimo. No sólo tenía fe en la mano guiadora de Dios, sino que podía ver, gracias al dilatado poder de visión que Dios le había concedido, cómo los ejércitos del Señor siempre estaban listos para proteger y librar. Oró para que el criado pudiera contemplar esa visión especial, y ¡cuán impresionado quedó el criado por lo que vio!

No debería sorprenderte el hecho de que Dios pueda conceder tales poderes de percepción, en vista de los descubrimientos recientes de la habilidad de las aves para encontrar su camino en la oscuridad, mientras vuelan hacia los sitios exactos a los que regresan año tras año.

Se ha sabido desde hace algún tiempo que las aves se orientan por las estrellas. Sin tener brújula, reloj, ni mapa, saben exactamente a dónde dirigirse, porque se valen de las estrellas para guiarse. En tiempos recientes se ha descubierto que también son sensibles a ciertos cambios de la presión atmosférica que son tan débiles, que los meteorólogos tienen que usar instrumentos especiales para descubrirlos. Usando esta sensibilidad, las aves pueden evitar las tormentas que se cruzan en su camino.

También, las aves son capaces de oír los "infrasonidos" (sonidos de un tono tan grave que nuestros oídos no pueden percibirlos), producidos por las tormentas, las olas y los terremotos, desde una distancia de más de 1.600 kilómetros (unas 1.000 millas). Eso quiere decir que pueden oír el bramido de las olas en la playa a centenares de kilómetros de distancia. Y ahora sabemos que las aves pueden ver la luz polarizada, lo que les permite determinar exactamente la posición del sol, aunque esté cubierto por las nubes. Saben adonde van aun en los días nublados.

Así que ya ves, las aves poseen al menos cuatro habilidades de percepción que nosotros no poseemos. Así como Eliseo y su criado pudieron escapar abiertamente cruzando por en medio de sus enemigos ciegos, así también las aves encuentran su camino con toda facilidad, a través de lo que a nosotros nos parecen barreras infranqueables. Eso es sólo una vislumbre de los poderes de percepción que Dios en su amor está dispuesto a concederte.

UN ARCO IRIS DE ESMERALDA

Y el aspecto del que estaba sentado era semejante a piedra de jaspe y de cornalina; y había alrededor del trono un arco iris, semejante en aspecto a la esmeralda **(Apocalipsis 4:3).**

Se dice que en los tiempos bíblicos la esmeralda simbolizaba la bondad. Esto es ciertamente apropiado en vista de la cualidad especial que posee. Es una de las poquísimas gemas que aparecen con el mismo color tanto a la luz del sol como a la luz artificial. Esta también debería ser la cualidad de una persona bondadosa: no debería existir ninguna diferencia en la bondad de una persona tal en ninguna situación.

Las esmeraldas parecen tener un valor especial que no es afectado por el tiempo. Hasta donde sepamos por los registros de la historia, las esmeraldas fueron gemas muy apreciadas. En la antigua Babilonia, esta piedra preciosa era una de las predilectas en el mercado. Cleopatra, la reina de Egipto, tenía su propia mina de esmeraldas de la cual extraía las que necesitaba para su adorno personal.

Pero por si acaso te sintieras tentado a pensar que la esmeralda posee en sí misma algún poder especial para producir la bondad, deberías saber que Nerón, el malvado emperador romano, poseía una gran esmeralda a través de la cual observaba las luchas de los gladiadores.

Hoy en día, las esmeraldas más preciadas son las de las minas de Colombia. En Zimbaue hay otro gran yacimiento de esmeraldas, y algunos de menos importancia se encuentran en Rusia, India y Brasil. Pero es sumamente raro encontrar en los yacimientos esmeraldas grandes y perfectas, y casi nunca se encuentran en las joyerías. Sólo se ven en las colecciones privadas.

No hay ningún escondrijo en el mercado de la bondad. Los cristales de bondad, grandes y perfectos, pueden hallarse en cualquier lugar, desde el ghetto hasta el palacio del rey. La fuente de la bondad no es una mina en algún país lejano, sino que es el trono de Dios, que de acuerdo a nuestro texto, está rodeado por un arco iris semejante a la esmeralda, un matiz que no cambia y que simboliza la bondad eterna de Dios que combina su justicia y misericordia.

VIVEN PARA COMER

***El cual transformará el cuerpo de la humillación nuestra, para que sea semejante al cuerpo de la gloria suya, por el poder con el cual puede también sujetar a sí mismo todas las cosas* (Filipenses 3:21).**

Existen insectos que son verdaderas máquinas de comer. Cuando una de estas criaturas sale de su huevo, comienza de inmediato a comer, y no deja de hacerlo durante toda su existencia, excepto cuando abandona un lugar para ir a comer a otro lugar. ¿Puedes adivinar lo que estoy describiendo? En realidad, ésta es una pregunta con trampa, porque este insecto existe en tres formas diferentes después de salir del huevo, y sólo en la primera es cuando come sin parar. Estoy hablando de la oruga, un ser relativamente insignificante que come más de lo que te imaginas.

Por ejemplo, toma la oruga de la mariposa nocturna *polyphenus.* En los primeros 24 días de su vida esta oruga gorda y verde come 86.000 veces su propio peso al nacer. Piensa en esto por un minuto. Si un bebé al nacer pesara tres kilos (unas 7 libras) y comiera de ese modo, tendría que devorar 273.308 kilos (602.000 libras) de alimentos en 24 días, lo que da un promedio de unas 12 toneladas diarias.

Una oruga come tanto y engorda tan rápidamente que tiene que cambiar de piel a menudo. Algunas cambian la piel unas cuarenta veces en su corta vida.

Sí, la oruga vive para comer. Tal vez estés pensando que sería algo grande ser una oruga, pero recuerda que come sólo una cosa, un tipo particular de planta. Sabe lo que necesita y va tras ello con una dedicación increíble. Y cuando ha terminado su obra, descansa por algunos días, semanas o meses, y luego se transforma en una criatura completamente nueva, de increíble belleza y con la capacidad de volar. ¡Qué diferencia!

En forma simbólica, los cristianos debemos comer el cuerpo de Jesús. "El que come mi carne y bebe mi sangre, tiene vida eterna; y yo le resucitaré en el día postrero" (Juan 6:54). Cuando consagremos nuestras vidas a recibir la vida de Jesús en nuestra propia vida, seremos cambiados, y cuando él venga, tú y yo usaremos vestidos nuevos y volaremos como la mariposa.

LA BANDA OSCURA DE ALEXANDER

***Mi arco he puesto en las nubes, el cual será por señal del pacto entre mí y la tierra. Y sucederá que cuando haga venir nubes sobre la tierra, se dejará ver entonces mi arco en las nubes* (Génesis 9:13-14).**

Si alguna vez has visto un arco iris doble, entonces también habrás visto la llamada banda oscura de Alexander. Este es el espacio que hay entre los dos arco iris y aparece más oscuro que el cielo que se ve en la parte exterior de los arco iris. En cuanto al fenómeno del arco iris mismo, tiene que ver con la curvatura que los rayos de luz sufren al pasar a través de las gotitas de lluvia, con lo que se produce la descomposición de los colores.

Hay formas interesantes de arco iris que rara vez vemos. Por ejemplo, si contemplas un arco iris en el crepúsculo matutino o vespertino, será completamente rojo debido a la gran curvatura de los rayos de luz a través de la atmósfera en esos momentos del día. También está el "arco de niebla", que es un arco iris que aparece en el mismo fino vapor de la niebla, especialmente en las latitudes septentrionales: es de un blanco brillante. El arco iris lunar ocurre muy raramente al comienzo de un plenilunio. Parecen blancos, pero eso es sólo porque son tan tenues, pues poseen todos los colores pero no podemos verlos. Podrás contemplar más de cien arco iris por cada arco lunar que veas. Si tienes tanta suerte como para ver un arco iris en la orilla de una masa de agua tranquila, tal como un lago, podrás contemplar lo que se denomina "un arco iris reflejado", que no es otra cosa que la imagen del arco iris que se ve reflejada en el agua.

El tamaño de las gotas de lluvia a través de las cuales brilla el sol, es lo que regula la brillantez de un arco iris. Cuanto más grandes sean, más brillantes será el arco iris. Si las gotas son pequeñas, el arco disminuye en intensidad. Se dice que el trueno afecta los colores del arco iris, pero este fenómeno aún no ha sido estudiado.

El arco iris es un raro y bello don de Dios al hombre desde el diluvio. Junto con él, está la promesa de Dios y cada vez que veas un arco iris de cualquier clase en las nubes, tú puedes de nuevo estar seguro que Dios cumple sus promesas.

LAS AVES OYEN LOS "INFRASONIDOS"

***¿No entendéis ni comprendéis? ¿Aún tenéis endurecido vuestro corazón? ¿Teniendo ojos no veis, y teniendo oídos no oís?* (Marcos 8:17-18).**

¿Has colocado alguna vez tu oído sobre la vía del ferrocarril para escuchar el ruido que hace el tren a la distancia? Mucho antes que el sonido del tren te alcance por el aire, puedes escucharlo en las vías, porque éstas conducen las ondas del sonido mejor que el aire. ¿Qué sucedería si pudieras escuchar el ruido del tren a muchos kilómetros de distancia sin poner el oído sobre las vías? O, ¿a qué se asemejaría escuchar el ruido de las olas que rompen contra la playa a centenares de kilómetros de distancia o escuchar el sonido del viento producido por una tormenta que estuviera a unos 1.600 kilómetros (1.000 millas) de distancia? Tú dirás, ¡eso es imposible! Es verdad, para ti y para mí, pero no para las aves.

En una lectura anterior mencionamos que las aves pueden oír los "infrasonidos", que son sonidos tan graves que el oído humano no puede percibirlos. Y se nos dice que algunas aves son sensibles a los sonidos que producen las tormentas, los terremotos, y también la maquinaria estrepitosa, aun cuando se originen a más de 1.600 kilómetros (1.000 millas) de distancia. De esa manera, las aves aparentemente saben cómo regular el curso de su vuelo sobre la base de lo que oyen.

¡Qué maravilloso sería poder oír como las aves, porque entonces nuestro mundo personal se extendería mucho! Pero así como hay oídos físicos, también hay oídos espirituales, los oídos que están en nuestro ser íntimo, con los cuales podemos oír la voz de Dios que habla a nuestros corazones. Algunos de nosotros hemos llegado a ser poco menos que sordos, aun para escuchar la voz apacible y delicada de Dios. Si fuera así, sólo necesitamos suplicar que se restablezca nuestro oído espiritual, porque Jesús prometió: "El que es de Dios, las palabras de Dios oye" (Juan 8:47). El ser capaces de oír los "infrasonidos" de Dios nos abre todo el universo. Te acuerdas que cuando Jesús fue bautizado, Dios pronunció su aprobación sobre su Hijo. Algunos escucharon la voz de Dios; otros creyeron que fue un trueno. Ora para que siempre puedas oír la voz de Dios.

COMPRO TREINTA Y DOS LOBOS

Mas el que perseverare hasta el fin, éste será salvo **(Mateo 24:13).**

Juan Lynch vive ahora en la península Olímpica del Estado de Washington con sus lobos. La manera como llegó a poseerlos comenzó con un relato que leyó en 1960. El artículo contaba de un tal doctor McCleery que había decidido ayudar a salvar de la extinción una de las subespecies occidentales de lobos.

Allá en la década de 1920, McCleery había comprado 25 lobos salvajes y los había enviado a su granja en Pensilvania, donde comenzó a criarlos. Después de leer acerca de los lobos, Juan quiso encontrarse con McCleery, así que viajó desde Milwakee hasta la granja de Pensilvania, y encontró a McCleery ya débil, anciano de 93 años de edad y preocupado sobre lo que pasaría con sus lobos. La siguiente cosa que hizo Juan, cuando volvió a su hogar, fue vender su casa, renunciar a su trabajo y regresar a la granja de McCleery, a quien le pagó 1.000 dólares por cada uno de los 32 lobos. Comenzó a cuidarlos, aun cuando sabía poco acerca de lobos.

Un incidente nos dará un ejemplo de lo que Juan tuvo que soportar al comienzo. Sable, uno de los lobos más grandes, había hecho un agujero en la empalizada. Juan fue al corral para arreglarla, pero se olvidó de saludar a Sable. Comenzó a arreglar el agujero, cuando de repente el lobo lo agarró por la pierna y comenzó a arrastrarlo por el corral. El señor Lynch se desmayó, pero cuando volvió en sí encontró que había sido arrastrado fuera de la puerta y abandonado allí. Estaba ileso, pero temblaba. El lobo simplemente había querido decirle: "Si vas a entrar aquí, mejor es que saludes primero". Juan se levantó y fue a contarle al anciano Dr. McCleery lo que había sucedido. McCleery lo miró muy contento y dijo: "Bueno, parece que encontré al hombre apropiado".

Lynch sufrió mucho antes de que pudiera transportar con éxito toda la manada al Estado de Washington donde viven hoy, y nos dice que el esfuerzo valió la pena.

Vale la pena luchar por cualquier cosa que uno considere de valor. Y cuando soportemos las pruebas de esta vida, Jesús observa nuestro sufrimiento con aprobación y dice: "Encontré el joven idóneo".

Abril 7

LA SALTARILLA DE LA REMOLACHA

***Y apartarán de la verdad el oído y se volverán a las fábulas* (2 Timoteo 4: 4).**

Debido a que devora las hojas de las plantas de remolacha, tomates y otras verduras, la saltarilla causa un daño anual de más de 10 millones de dólares a las cosechas de estas plantas. Los entomólogos, hombres de ciencia que estudian los insectos, han estado tratando de controlar esta plaga dañina, pero hasta hace poco no habían tenido éxito.

Los hombres de ciencia se preguntaban qué significaba, si es que significaba algo, la llamada de la saltarilla y pronto descubrieron que esta señal la emitía sólo el macho para atraer a las hembras. Este descubrimiento fue el avance sensacional que condujo a la única técnica exitosa empleada hasta el momento para controlar este insecto dañino.

Los entomólogos grabaron las señales emitidas por los machos en la estación del apareamiento, y fabricaron trampas para insectos que colocaron en los campos junto con altoparlantes, y las hembras cayeron por miles en esas trampas. Como puedes suponer, sabían que era el tiempo del apareamiento, y esa señal las atraía hacia el lugar donde ellas suponían que se encontraban los machos. Pero fueron engañadas por los sonidos, y se dirigieron a la muerte.

Sin las hembras, no había puesta de huevos, y el número de las saltarillas se redujo drásticamente, lo que ahorró miles de dólares a los granjeros.

La saltarilla de la remolacha, por supuesto, actúa por instinto y tiene poca inteligencia, si es que tiene alguna, de manera que no nos sorprendamos que una táctica tal dé resultados con estos insectos. ¿Pero qué dirías si la gente actuara de la misma manera? Imagínate que cuando escuchen un canto por un altoparlante, miles de personas abandonaran lo que están haciendo para correr ciegamente al lugar de donde sale la música. Estas personas ciertamente serían necias, y con todo, en estos días vemos que la gente hace cosas extrañas que no son diferentes de las acciones de estas saltarillas.

Sin verificar si las palabras son verdaderas, literalmente millones de personas están haciendo cosas y comprando productos que son sugeridos en cantos por la radio o por la televisión, en una grabación, o en un concierto. ¿Cómo actúas tú? ¿Actúas sobre la base de un consejo sano o estás haciendo cosas sin saber si están basadas en la verdad o en fábulas?

EL MAGNIFICO PINZON

***Dad a Jehová la gloria debida a su nombre; adorad a Jehová en la hermosura de su santidad* (Salmo 29: 2).**

Si nunca viste un pinzón te has perdido algo grande. Imagínate un ave del tamaño de un gorrión, con la cabeza azulada, el pecho rojo brillante y un lustroso dorso de color verde claro. Tiene un hermoso piquito y su apariencia es la de un ave gordita y amigable. Ese es el pinzón macho, un rubí de plumas. La hembra posee una belleza delicada que le es propia. Es de un verde claro, pero cuando le da el sol en el ángulo exacto, sus plumas parecen tener un brillo especial.

Me acuerdo de la primera vez que ví un cuadro de un pinzón pintado en un libro de pájaros. Tenía unos diez años y estaba comenzando a conocer la nueva *Guía de los pájaros del campo*, por Roger Tory Peterson. Aún recuerdo la admiración y asombro que me sobrecogieron al leer las páginas ilustradas de ese libro. Dos aves me hicieron latir con especial violencia el corazón: el papamoscas con la cola en forma de tijera y el pinzón. Ahora vivimos en una granja donde anidan los dos.

En la primavera, el pinzón macho se posa en la copa de un árbol y canta todo el día, mientras su compañera construye el nido en forma de copa, con hierbas, hojas, cortezas de árbol, raicillas y ramitas, y lo reviste con hierba fina y pelo de caballo. Hace el nido a poco más de un metro (4 pies) del suelo, en un arbolito, en un arbusto o en una enredadera. Apostaría que el señor y la señora pinzón están construyendo el suyo en la madreselva que se extiende en la cerca del frente de mi casa.

Pronto habrá de 3 a 5 huevecitos blancos o azulados, con marcas de un rojizo oscuro, morado claro o gris azulado. Mientras la mamá pinzón empolla los huevos, el macho continúa dando la serenata desde la copa de un árbol cercano. En unos pocos días, saldrán los pichoncitos y entonces será tiempo de trabajar para el cantor y para su compañera. Quedará muy poco tiempo para cantar, pues tendrán que buscar semillas y pequeños insectos para alimentar a los hambrientos pichones.

Cada vez que veo un pinzón siento deseos de alabar al Creador, cuya santidad se ve en la hermosura de su plumaje y se escucha en la belleza de su canto.

Abril 9

UNA PLAGA DE RANAS

Entonces Jehová dijo a Moisés: entra a la presencia de Faraón y dile: Jehová ha dicho así: Deja ir a mi pueblo, para que me sirva. Y si no lo quisieres dejar ir, he aquí yo castigaré con ranas todos tus territorios **(Exodo 8: 1-2).**

Allá por la primavera de 1892 los vecinos de Longwood, en el Estado de Florida, podrían haber pensado que estaban viviendo en Egipto durante el tiempo de las plagas. Debido a las grandes lluvias que cayeron muy temprano aquel año, había un número increíblemente grande de sapos con una proyección parecida a un cuerno en las patas traseras. Como no cabían ni en el pasto, ni en las malezas, ni en los bosques, comenzaron a trasladarse buscando las casas. Durante el calor del día, se ocultaban en la sombra, pero por las noches, y también por las mañanas, saltaban por las calles que estaban atestadas con millones de ellos.

Un vecino de la localidad dijo que se parecían a "soldaditos". Otro dijo: "Todos parecen ir en la misma dirección y no se tropiezan unos con otros". Y un tercero añadió: "¡Están en todas partes y me causan asco!"

Los autos no podían transitar por las calles sin aplastarlos. La gente con dificultad encontraba lugar suficiente para dar un paso sin pisar alguno. Los habitantes de Longwood no desean volverse a ver otra vez invadidos por sapos. Las únicas palabras amables acerca de la experiencia procedieron de un agente agrónomo que señaló que el sapo es "el mejor control biológico de los insectos que se puede conseguir". Sospecho que muy pocos insectos de vuelo bajo pudieron sobrevivir en Longwood.

La gente de Longwood no sufrió una invasión tan masiva como la que experimentaron los egipcios: "Y el río criará ranas, las cuales subirán y entrarán en tu casa, en la cámara donde duermes, y sobre tu cama, y en las casas de tus siervos, en tu pueblo, en tus hornos y en tus artesas" (Exodo 8: 3).

Y con todo eso, Faraón endureció su corazón. ¿Cuánto hace falta para convencer a una persona de corazón duro que Dios está al frente y que él desea cuidarnos?

EL UTIL DIENTE DE LEON

***Porque la tierra que bebe la lluvia que muchas veces cae sobre ella, y produce hierba provechosa a aquellos por los cuales es labrada, recibe bendición de Dios* (Hebreos 6: 7).**

De todas las flores primaverales, el diente de león es una de mis favoritas. Tal vez esto se deba a que es una florecilla muy resistente o porque se parece a una explosión de luz del sol en la alfombra verde del césped primaveral. Yo recojo toda información que puedo sobre el diente de león.

Parece que la mayoría de las personas tratan de deshacerse de estas florecillas que crecen en sus patios. Piensan que es una plaga que afea la uniformidad del césped siempre verde. En primavera, los patios se llenan de gente que arranca sin piedad estas flores, para ganar la guerra contra este rey de las plantas silvestres. Pero no a todos les molesta el diente de león. Hay un residente del Estado de Maine que arranca toda la hierba del patio y deja solamente estas florecillas; cultiva esta planta como algo de gran valor nutritivo para su mesa.

El nombre científico del diente de león es *taraxacum*, que significa "remedio para los desórdenes". Cada parte de la planta se ha utilizado como alimento o medicina: las hojas, los tallos, las flores y también las raíces. Los indios secaban las hojas y hacían un té que usaban como tónico y para la indigestión. Las hojas del diente de león son ricas en vitaminas A y C. Se cocinan mejor si se las fríe revolviéndolas bien, o si se las hierve recién cortadas.

Las raíces del diente de león se usan como un sustituto del café, con la ventaja de que no contienen cafeína. Después de que las raíces secas han sido tostadas lo suficiente hasta que se ponen quebradizas y de un color café oscuro, se las tritura.

Aún más. Nosotros tenemos una receta para la jalea de diente de león que se hace con las flores. Y se dice que los tallos pueden masticarse como la goma, aunque yo nunca los probé.

El nombre de esta plantita proviene del francés "dent-de-lion", que significa diente de león y se refiere a las muescas que tiene en las orillas de las hojas. Otros nombres de esta planta incluyen los de reloj de hada, corona de sacerdote, pelota inflada y espinaca de los pobres.

Con sus hermosas flores y sus múltiples usos, el diente de león es verdaderamente una de las hierbas selectas de Dios.

Abril 11

LA MARCHA DE UN CARACOL

***Por esto, mis amados hermanos, todo hombre sea pronto para oir, tardo para hablar, tardo para airarse* (Santiago 1: 19).**

Una de las pruebas más seguras de sabiduría consiste en la reflexión con que una persona responde a una pregunta molesta que se le hace. Por alguna razón, hemos puesto alta estima en las respuestas rápidas. Tenemos concursos para ver quién puede dar la respuesta primero, para ver quién puede identificar algún pájaro, árbol o flor desconocidos antes que ningún otro. Esto tal vez nos ha inducido a ser demasiado rápidos para hablar en casos cuando debiéramos tomar tiempo para escuchar o para pensar antes de decir algo.

Un animalito que todos conocen por su lentitud, es el caracol. Ciertamente no es un gran honor que te llamen caracol, o que alguno te diga que eres tan lerdo como una tortuga o tan lento como un caracol. Pero piensa en el despreciado caracol por un momento.

Los caracoles son sencillamente muy cautos acerca de lo que hacen. Nunca tienen prisa. ¿Qué ganarían si estuvieran apurados? Algunas veces los caracoles permanecen en sus conchas por muchísimo tiempo. Nadie sabe por qué actúan así, pero si no necesitan salir, no salen.

Se relata la historia de un caracol encontrado en Egipto que se suponía que estaba muerto. Se lo pegó en una tarjeta y se lo exhibió en el Museo Británico. Varios años más tarde salió el caracol, para sorpresa de los que estaban mirando, ¡no tenía prisa!

El caracol extiende una alfombra de baba sobre la cual se mueve sin peligro, aún si tiene que trasladarse por el filo de una hoja de afeitar. Lleva tiempo fabricar esa alfombra y el caracol toma todo el que necesita.

Hay pocos animales en la tierra tan fuertes como el caracol. Un caracol que pesa 10 gramos (un tercio de onza) es capaz de arrastrar un objeto que pesa tres kilos y medio (8 libras), ¡casi 400 veces su propio peso! Es como si un bebé de cuatro kilos y medio (10 libras) arrastrara un automóvil. Para producir una fuerza como ésta, se necesita tiempo.

¿No te gustaría ser conocido mejor por tu sabiduría que por tu lengua ligera? Tómate tiempo antes de hablar. Considera el caracol e imítalo. "Antes de poner tu lengua en movimiento, pon tu cerebro en funcionamiento", reza un antiguo proverbio español.

GRAJOS QUE SE AYUDAN MUTUAMENTE

***Nosotros, pues, debemos acoger a tales personas, para que cooperemos con la verdad* (3 Juan 8).**

El pueblo de Dios en la tierra constituye una gran familia, y continuaremos acercándonos más y más unos a otros a medida que su venida se aproxima. Después, en el cielo, la familia de Dios estará completa y disfrutaremos de la felicidad de ser miembros de ella durante toda la eternidad.

En la naturaleza encontramos animales que se ayudan mutuamente y que son dignos de nuestra atención. Un ejemplo lo dan los grajos, aves respondonas, pero no obstante, bien dispuestas a ayudarse entre sí.

Los grajos mejicanos, por ejemplo, viven en familia en una bandada de 8 a 20 aves. Mientras que en la mayoría de las especies el macho y la hembra establecen un territorio, en el caso de los grajos mejicanos es todo el grupo familiar el que establece y defiende su territorio. En todo este territorio hay sólo uno o dos nidos, pero todos participan en las tareas domésticas. En una bandada de 14 grajos, había dos nidos. Cada miembro individual de la bandada alimentaba al pichón de uno de los nidos y 11 de los 14 alimentaban al pichón en el otro nido. Más o menos un 25% de la alimentación estaba a cargo de los padres del pichón; el resto corría por cuenta de los parientes.

Una vez que los pichones abandonan el nido, toda la bandada continúa cuidándolos, participando por igual en su adiestramiento y alimentación. Los grajos establecen zonas dedicadas a los pichones donde los dejan, y se las mantiene vigiladas por centinelas adultos, que cuidan a los grajos jóvenes mientras el resto de la bandada sale en busca de alimento para los pichones. Después de que los pájaros regresan y alimentan los pichones, toman su turno como centinelas y los anteriores centinelas se dedican a reunir alimentos.

Si nosotros como cristianos compartiéramos las responsabilidades hacia todos los hijos de Dios, como hacen los grajos, tendríamos una iglesia más tranquila y segura para la felicidad del pueblo de Dios, y el enemigo de los jóvenes no correría el riesgo de aproximarse a ellos para tentarlos.

Abril 13

LA SUPER FICHA

***Pero tú, Daniel, cierra las palabras y sella el libro hasta el tiempo del fin. Muchos correrán de aquí para allá, y la ciencia se aumentará* (Daniel 12: 4).**

El ángel le dijo a Daniel que sus profecías no se comprenderían hasta el fin del tiempo, cuando se presenciarían dos condiciones: tremendos viajes de un lugar a otro y un dramático aumento de la ciencia. Encuentro interesante que el ángel no le dijo a Daniel que la sabiduría aumentaría, sino que el conocimiento sería aumentado. Para mí, la sabiduría es la facultad que Dios da para usar nuestro conocimiento en beneficio de la humanidad; se nos dice que "el principio de la sabiduría es el temor de Jehová" (Salmo 111: 10). Pero temo que algunos cometan el error de pensar que cuanto más saben, tanto mejor es su oportunidad de tener éxito en el mundo.

Hace algunos centenares de años se creía que cada cosa que tú necesitabas conocer estaba incluida en algunos libros llamados "clásicos". Desde entonces, comenzó a aumentar el conocimiento y el número de libros que necesitas leer también aumentó, y hoy día no existen libros suficientes para contener toda la información disponible. Así que, ¿dónde podemos almacenar todo ese conocimiento? En las computadoras.

Las diversas clases de memoria utilizadas en las computadoras pueden almacenar bibliotecas enteras de libros en un solo estante. El elemento básico de la computadora moderna son unas fichas de tamaño muy reducido, hechas de silicio (sustancia que es componente de mucha de la arena del planeta). Una sola de estas minúsculas fichas puede almacenar bastante más información que la contenida en una página como ésta.

Pero estas fichas están a punto de ser reemplazadas por una nueva ficha (la "super ficha"), compuesta de un producto químico denominado arseniuro de galio, que puede contener diez veces más información. Cada super ficha podrá efectuar centenares de millones de combinaciones electrónicas que nos permitirán procesar cantidades aún mayores de conocimiento. Pero, ¿estaremos en mejor situación por eso? No, a menos que aprendamos a aplicar la sabiduría del Creador y a usar el conocimiento para servir a la humanidad hasta que él venga.

LOS CHIMPANCES GLOTONES

Así que, no os afanéis por el día de mañana, porque el día de mañana traerá su afán. Basta a cada día su propio mal (Mateo 6: 34).

Cuando los hijos de Israel se dirigían a Canaán y Dios consideró necesario alimentarlos con maná del cielo, les enseñó a ellos, y también a nosotros, una lección muy importante: el supliría todas sus necesidades, pero nadie debía de tomar para sí más de lo que necesitara.

Cuando cayó el maná el primer día, Moisés le dijo al pueblo que tendría más al día siguiente y que debería recoger sólo lo que necesitaba para ese día. Pero había gente codiciosa que llenó todos los recipientes que tenía. El maná tenía un sabor como de hojuelas con miel, así que ya te puedes imaginar que todos lo encontraron delicioso. Como no era necesario recoger más que lo que se necesitaba para el día, el maná no fue ideado para que durara. El maná "extra" estaba descompuesto a la mañana siguiente y las tiendas de los codiciosos comenzaron a oler mal. No podían deshacerse repentinamente del maná estropeado, como hubieran deseado. Solamente los viernes Dios permitió que el pueblo recogiera para dos días y entonces el Señor obró el milagro de mostrar la importancia de santificar el sábado. El hizo que el maná durara todo el viernes y el sábado sin estropearse.

Tal vez un buen ejemplo de la codicia que algunas personas muestran cuando no tienen necesidad de hacerlo, nos lo da la acción de algunos chimpancés en un puesto de alimentación en Africa. Este puesto estaba lleno de bananas y se lo mantenía así todos los días, de manera que siempre había suficiente cantidad para los chimpancés. Pero parecía que los monos nunca aprendían que no tenían necesidad de acumular la fruta. Iban al puesto de alimentación, se aprovisionaban y partían con bananas en sus bocas, debajo de las barbillas, debajo de los brazos, en las manos y aún entre las rodillas. ¿Puedes imaginarte lo divertido que era verlos cuando trataban de caminar con tal carga? Obviamente, no podían ir muy lejos con tantas bananas.

Los chimpancés son necios, pero ¿no somos nosotros igualmente necios cuando no confiamos en que Jesús proveerá para todas nuestras necesidades?

Abril 15

PICOTIJERAS EQUIVOCADOS DE CAMINO

***Escogí el camino de la verdad; he puesto tus juicios delante de mí* (Salmo 119:30).**

Algunos picotijeras negros (aves acuáticas negras y blancas parecidas a las gaviotas) decidieron establecer un hogar propio en uno de los parques de estacionamiento de una gran fábrica de productos químicos de la costa de Tejas. El terreno estaba cubierto con conchas marinas trituradas, y aparentemente los picotijeras pensaron que se trataba de una playa, de modo que establecieron allí su colonia. Pasaron los años, y la compañía publicó anuncios en todo el país, mostrando cómo los picotijeras podían vivir en medio del humo y los olores del gran complejo que fabricaba productos químicos.

Pasó el tiempo, y un día un ejecutivo niveló el terreno y sembró grama, la que se dio hermosa. Los picotijeras, que no anidan en esa clase de grama, se fueron a otro lugar, y debido a eso la compañía recibió publicidad adversa porque no continuó cuidando de sus picotijeras. La junta administrativa ordenó que se volviera a preparar el terreno como estaba antes para los picotijeras. Así se hizo, pero éstos no regresaron.

Se contrató a un experto en fauna para conseguir que las aves regresaran. Este empleó una técnica sencilla. Colocó un par de modelos plásticos que eran una copia fiel de los picotijeras. Puso señuelos en el nuevo terreno cubierto con conchas y esperó. Su plan dio resultado. Cuando los picotijeras vieron lo que parecía ser una pareja de su propia especie posada en el terreno, se detuvieron para visitarlos y muy pronto el terreno estuvo de nuevo cubierto de picotijeras que anidaron en él.

Experimentos adicionales con los señuelos mostraron que si éstos se colocaban en una determinada dirección, las aves que llegaban se colocaban en la misma dirección aun cuando estuvieran dando cara al viento, cosa que ningún picotijera haría en forma natural. Cuando quisieron que los picotijeras comenzaran a anidar, colocaron los señuelos uno enfrente del otro y bien juntos. Al día siguiente todas las aves comenzaron sus rituales para anidar.

Jesús descendió a esta tierra para mostrarnos la forma como debemos vivir. Nunca nos perderemos si seguimos su ejemplo, pero cuando nos detenemos a contemplar la gran cantidad de señuelos que Satanás ha colocado para engañarnos, muy a menudo terminaremos yendo por el camino equivocado.

TESORO DE TULIPANES

No os hagáis tesoros en la tierra, donde la polilla y el orín corrompen, y donde ladrones minan y hurtan; sino haceos tesoros en el cielo **(Mateo 6:19-20).**

Tal vez te sorprendas al saber que los tulipanes no son oriundos de Holanda. Llegaron allí a fines del siglo XVI procedentes de Turquía, y los holandeses se obsesionaron con los tulipanes. A comienzos del siglo XVII, el comercio y el cultivo de tulipanes había acaparado toda la economía de Holanda, y por muchos años existió una locura por ellos que bien podríamos denominar la manía de los tulipanes.

Cuando aparecía una nueva variedad, su dueño era el que le ponía el precio. Podía suceder que cualquiera, aun un campesino, se hiciera rico de la noche a la mañana si tenía la suerte de que en su jardín creciera un tulipán raro. Una variedad así, llamada Virrey, fue cambiada por lo siguiente: dos cargas de trigo, cuatro de cebada, cuatro bueyes, ocho cerdos, doce ovejas, dos pipas de vino, cuatro barriles de cerveza, dos cajas de manteca, quinientos kilos (mil libras) de queso, una cama, un traje y una copa de plata.

Sin embargo, no todos se dieron cuenta del valor de los bulbos. Un acaudalado holandés recibió un cargamento de mercancías y un marinero le informó que había llegado la carga. El mercader se alegró tanto, que le dio al marinero un plato de pescado para comer. Tomando del cargamento lo que creía que era una cebolla, el marinero le puso sal y vinagre y disfrutó de una comida sabrosa. La "cebolla" resultó ser un bulbo de tulipán que valía tanto como para alimentar a toda la tripulación del barco por un año.

No pasó mucho tiempo hasta que numerosos holandeses tenían asegurados todos sus bienes en bulbos de tulipanes. Repentinamente el mercado de tulipanes cayó en forma estrepitosa y todo lo que les quedó fueron sus bulbos que ya nadie quería. El gobierno de Holanda estuvo al borde de la bancarrota.

Dios creó las flores para demostrar las tiernas gracias de su carácter. El pecado toma lo que es bello y lo convierte en una maldición. La belleza pura de Jesús es gratuita para todos, pero tiene tanto valor que vale más que todas las riquezas que hay en todos los países del mundo.

LUTEMBE, EL COCODRILO QUE FUE JUEZ

***Vi volar por en medio del cielo a otro ángel ... diciendo a gran voz: Temed a Dios y dadle gloria, porque la hora de su juicio ha llegado; y adorad a aquel que hizo el cielo y la tierra, el mar y las fuentes de las aguas* (Apocalipsis 14:6-7).**

El día del juicio se acerca rápidamente. En este momento, Jesús nuestro sumo sacerdote, está llevando a cabo la purificación del santuario celestial. Nosotros, su pueblo, esperamos el momento cuando él entregue su cetro y diga: "Hecho es, ha finalizado el juicio de toda la humanidad". "He aquí yo vengo pronto, y mi galardón conmigo, para recompensar a cada uno según sea su obra" (Apoc. 22:12).

A través de la historia, en las regiones tropicales del mundo, el ser devorado por un cocodrilo se lo consideró como castigo y maldición de Dios. La creencia general es que si una persona perece devorada por un cocodrilo, queda impedida para siempre de tener alguna esperanza en la otra vida. No puede resucitar ni ser salva de ningún modo. Tanto es así que hace algunos años se descubrió una situación asombrosa en un país del este de Africa.

Lutembe era un cocodrilo más o menos domesticado que vivía en el lago Victoria, cerca del pueblo de Entebe, en Uganda, durante la década de 1920 a 1930. Digo, "más o menos domesticado", porque hasta donde sepamos, no es posible domesticar totalmente a un cocodrilo. A este cocodrilo famoso, al igual que a la mayoría de los grandes cocodrilos, le agradaba comerse de vez en cuando a un ser humano. Pero a Lutembe se lo consideraba como un juez sagrado que sólo devoraba a las personas que eran culpables de alguna mala acción. Al extenderse su fama, también se extendía la reverencia con que lo trataban. Antes de que pasaran muchos años, los habitantes de la aldea habían comenzado a traer criminales sospechosos para que Lutembe los juzgara. Si se los comía, eran culpables; si no los devoraba, se los dejaban libres. Era el juicio por la bestia.

Pero cuando Jesús vuelva como juez, su justicia estará mezclada con misericordia. Todos somos pecadores y la bestia quisiera consumirnos. Pero si creemos en Jesús y permitimos que él more en nuestros corazones, entonces seremos juzgados a través de sus méritos. La bestia puede echar fuego y humo, pero no podrá tocarnos.

LOS PECECITOS DE LA CUEVA DEL DIABLO

***Porque no envió Dios a su Hijo al mundo para condenar al mundo, sino para que el mundo sea salvo por él* (Juan 3:17).**

La campaña efectuada para salvar a un pececito que vive en las aguas de un lugar llamado Devil's Hole (Cueva del Diablo) raya en lo ridículo. Tal vez el gasto de tanto dinero, tiempo y energía en un pez de color pardo y sin atractivos, que vive solamente en un diminuto estanque en una cueva del Estado de Nevada, es algo muy exagerado. Pero considera por un momento todo lo que está en juego para las personas que no desean ver que desaparezca ninguna forma de vida.

En el mundo sólo quedan unos 200 de estos pececillos. Su especie ha vivido por incontables centenares de años en esta cueva de Nevada y han desarrollado una habilidad para hacer frente a su medio ambiente, un ardid que no es fácil.

La batalla se desarrolla entre aquellos que no quieren que desaparezca este pez y un agricultor que desea usar el agua para regar su tierra. Usando la cantidad de agua que el agricultor alega que necesita, el estanque donde vive este pez se agotaría, y éste probablemente desaparecería.

Este caso no sólo ha sido llevado a la corte, pero lo último que oí es que la Corte Suprema de los Estados Unidos tomará la decisión en cuanto al futuro de este pececito de la Cueva del Diablo. Probablemente el caso ya esté resuelto cuando tú leas estas líneas, y yo no conozca el resultado, pero el punto en cuestión es el mismo: se suscitó un tremendo interés sobre lo que algunos denominan un pececito insignificante e "inútil" que no tiene en absoluto control alguno sobre su suerte.

Cuando leo la lucha que existe para salvar al pez de la Cueva del Diablo, me digo a mí mismo: "¡Yo soy ese pececillo!" No tengo nada en mí que sea digno de ser salvado. La Biblia aun me dice que mi propia justicia es como trapos de inmundicia, de manera que me pregunto, ¿Por qué me quiere salvar alguien? Sí, mi caso y el tuyo están ante la Corte Suprema del universo. La diferencia está, sin embargo, en que tú y yo podemos elegir nuestro destino.

Abril 19

LA HISTORIA DE AMOR DE LA AVISPA

***Por esto dejará el hombre a su padre y a su madre, y se unirá a su mujer* (Marcos 10:7).**

Todos hemos asistido a bodas, ocasiones cuando un hombre y una mujer se unen en el amor de Jesús para vivir juntos como esposo y esposa y como padre y madre para sus hijos. Casarse es una experiencia emocionante que requiere años de planificación si es que ha de funcionar en la forma que Dios se propuso cuando instituyó el matrimonio en el jardín del Edén.

Déjame que te cuente acerca del casamiento de una clase de avispas. La historia de amor comienza cuando una hembra sale de su casa subterránea, trepa por el tallo de una planta y adopta la posición característica que atraerá al macho. Cuando está lista, se cubre a sí misma con un perfume que es irresistible para los machos y comienza a entonar su canto de amor. La combinación del perfume y el canto atrae a uno o más machos, que habían estado esperando justamente que se produjera esa situación. Saben lo que quieren y esperan que se produzcan las señales apropiadas.

Las hembras de esta especie de avispas no pueden volar y no disponen del tiempo necesario para buscar alimento. Tienen que seguir adelante con la principal tarea de criar una familia tan pronto como se haya terminado la luna de miel. Por lo tanto, el macho debe ser fuerte, capaz de volar y saber dónde encontrar alimento.

Respondiendo a la atracción de la hembra, llega el macho. Literalmente la levanta y vuela lejos con ella. Me gustaría poder decir que viven felices por siempre, pero la vida que pasan juntos es más bien corta. El macho alimenta a la hembra y la lleva con él a cualquier lugar donde tengan que ir para encontrar el alimento que necesitan. Ella debe estar en buen estado de salud y gordita cuando deposita sus huevos. Cuando llega el momento apropiado, la hembra es abandonada en el suelo, donde excava un agujero para depositar sus huevos.

El libro de la naturaleza está repleto de maravillosas historias de amor. Si tan sólo estamos atentos y le prestamos atención, pueden ayudarnos a comprender la forma como Dios ha hecho provisión para sus innumerables criaturas.

EN BUSCA DE UNA SUPERCOLA

***He aquí, yo vengo pronto; retén lo que tienes, para que ninguno tome tu corona* (Apocalipsis 3:11).**

Afirmarse es un asunto de vida o muerte. Hay fuerzas en la naturaleza que empujan, dan empellones y tironean hasta un punto tal, que si los seres vivos no tuviesen la facultad de afirmarse serían barridos con el viento, desaparecerían, se ahogarían o serían removidos de alguna manera. Lo mismo es válido en nuestra vida espiritual. Una vez que nos aferramos a Jesús, se nos dice que lo retengamos.

Los hombres de ciencia siempre están estudiando para encontrar una cola mejor, que surta efecto bajo diferentes condiciones. La compañía Eastman Kodak contrató a Jim Elman para que encontrara una cola que funcionara bien y pronto, debajo del agua. Por qué contrataron al señor Elman es una historia interesante. Desde que asistió a la escuela secundaria, Jim tenía la chifladura de criar animales unicelulares o protozoos, como se los llama científicamente.

Le gustaba mucho a Jim criar un tipo de protozoo llamado vorticela. Y fue este minúsculo animalillo lo que hizo que la compañía Eastman Kodak llegara a interesarse en el trabajo de Jim. Las vorticelas se crían en las corrientes de agua y se sostienen sobre hilos microscópicos que se afirman a los objetos sobre los cuales viven, por medio de una cola sumamente fuerte. La fuerza de la corriente podría fácilmente arrebatar algo tan minúsculo como la vorticela, pero este protozoo puede producir esta cola que actúa instantáneamente, aun debajo del agua. Aunque Jim Elman ha aprendido que esta sustancia es similar a productos químicos que son conocidos, no ha sido capaz de producirla en el laboratorio. Espera poder duplicar la fórmula de la vorticela para la compañía Eastman Kodak, y esta compañía usará este producto químico en la producción de película fotográfica laminada. Las vorticelas tienen algo que la Eastman Kodak desea y aún no ha resuelto cómo lo conseguirá. ¿No te resulta interesante?

Jesús sabe que la atracción del mundo es fuerte, y que sólo los que sean capaces de afirmarse, triunfarán. El nos ha dado a cada uno la capacidad para afirmarnos, así como le ha dado esta facultad a la vorticela. ¿No le pedirás hoy a él que te conceda su gracia para permanecer firme en medio de las tentadoras atracciones del mundo?

LAS AVECILLAS Y SUS CANTOS

***Servid a Jehová con alegría; venid ante su presencia con regocijo* (Salmo 100:2).**

Algunos pájaros cantan una monótona retahíla de notas que nunca cambia, mientras que otros cantan interminables variaciones que nunca parecen ser exactamente las mismas. Todos saben qué magníficos pájaros cantores son los sinsontes y los ruiseñores, y casi todos coincidirían en afirmar que no existe mucha variación en el cloqueo de una gallina o en el canto de un gallo. Pero con respecto al tema de la variación del canto de los pájaros, hay mucho más que esto.

Consideremos tres especies emparentadas: el gorrión cantor, el gorrión de garganta blanca y al pinzón americano ojinegro. Estos tres pájaros anidan en las mismas regiones en diferentes partes de América del Norte, pero sus cantos son muy diferentes.

"Gorriones cantores" es un nombre dado correctamente. Se ha estudiado durante muchos años su habilidad para cantar y las variaciones en los modelos de canto de estos pájaros parecen interminables. Por otra parte, los gorriones de garganta blanca aprenden un solo canto. Cada colonia puede tener su dialecto particular, pero todos los miembros de esa colonia cantarán ese canto y habrá muy poca variación aun cuando en el cercano árbol haya un gorrión cantor cantando interminables variaciones.

Pero el pinzón ojinegro es un ejemplo de variación individual. Por los estudios hechos, cada uno en forma individual puede tener un repertorio de hasta siete cantos, pero estos casi siempre serán distintos del pinzón vecino, quien también tendrá hasta siete cantos, así que en el caso de los pinzones la variación entre diferentes pájaros parece no tener límite, pero la variación en un mismo pájaro se limita a siete cantos diferentes.

Creo que al Señor le gusta la variación dentro de la variación. Esa es ciertamente la forma como él ha creado la sinfonía de los pájaros cantores. Podemos estar agradecidos por las variaciones que vemos en todas las cosas, incluyendo a ti y a mí. Piensa en las variaciones que nos habilitarán para cantar un canto especial de alabanza a nuestro Dios. ¡El reconocerá tu canto!

LA ARISEMA O DONCELLA EN EL PULPITO

***Sabe el Señor librar de tentación a los piadosos, y reservar a los injustos para ser castigados en el día del juicio* (2 Pedro 2:9).**

La arisema es una flor que crece en los bosques de la parte occidental de los Estados Unidos. Difícilmente se parece a una flor, porque es mayormente verde. Primero aparecen una o dos hojas al tiempo que el pabellón de follaje del bosque brota hacia arriba; después aparece un tallo sencillo que sostiene un esbelto tubo verdoso que parte de las varitas de las hojas. Debajo de la capucha está la parte propiamente dicha de la flor, un pedúnculo esbelto de florecillas blancas o purpurinas. Este pedúnculo representa a Juan y el tubo verdoso en el cual está, es el púlpito, porque a esta flor también se la denomina "Juan en el púlpito" o "la doncella en el púlpito" si es hembra.

Como sabes, muchas flores son fecundadas por los insectos que llevan el polen de las flores machos a las flores hembras y allí el polen hace que los huevos produzcan semillas. La mayoría de las plantas tienen el polen y la parte que produce los huevos en la misma flor, pero la arisema es diferente. Las flores de una planta de arisema pueden ser macho o hembra, pero no los dos a la vez. Y tú nunca puedes saber si son macho o hembra hasta que las flores se abren. El Juan en el púlpito que estás viendo, puede realmente ser la doncella en el púlpito. Un año la planta puede tener un "Juan" y al año siguiente una "doncella".

Estas plantas son fecundadas por diminutas moscas de los hongos que de algún modo son atraídas al tubo verdoso o púlpito desde donde se posan sobre las flores. Una vez que estas moscas están allí no pueden regresar o trepar por las orillas. Todo lo que pueden hacer es caer hasta el fondo del tubo. De modo que, ¿cómo llevan el polen de "Juan" a la "doncella"? En la base de todas las arisemas machos hay una minúscula abertura a través de la cual estas diminutas moscas escapan en busca de la arisema hembra, o "doncella en el púlpito". Sin embargo, cuando entran en el tubo verdoso de la arisema hembra, están condenadas. Aquí tampoco pueden volar hacia atrás ni trepar para salir, de manera que caen, pero esta vez no hay ninguna abertura y quedan atrapadas allí, donde mueren.

¿Puedes descubrir qué ejemplo se nos quiere dar con estas dos formas de ser de la misma planta?

Abril 23

UN NEGOCIO PRODUCTIVO

***Y cambiaron la gloria del Dios incorruptible en semejanza de imagen de hombre corruptible, de aves, de cuadrúpedos y de reptiles* (Romanos 1:23).**

La fabricación, venta y colección de señuelos para pájaros es un negocio muy lucrativo hoy día. ¡Tal vez estos señuelos atraen a más personas que patos! En una subasta en Nueva York efectuada en 1981, un señuelo que imitaba una gallineta se vendió por 23.000 dólares, así como lo oyes. En la misma subasta un señuelo de chorlito se remató por 17.000 dólares.

Al principio se introdujeron los señuelos para atraer a otras aves dentro del alcance de la escopeta del cazador o del arco y las flechas, de modo que hubiera alimento para la familia. Hace unos mil años, los indios americanos usaban señuelos y los preparaban rellenando las pieles de aves con hierba seca. El señuelo de madera comenzó a usarse a mitad del siglo XIX cuando las escopetas llegaron a ser algo común y cuando la caza profesional de aves llegó a ser una ocupación muy popular y lucrativa. En años recientes se los ha usado sólo para caza deportiva. Pero ahora, los mismos señuelos han llegado a ser el objeto de la caza. ¡Es mucho más lucrativo cazar señuelos que patos de verdad! ¡Qué cambio!

Los señuelos más caros son los más antiguos, y los más recientes son los que parecen más naturales. La manía de conseguir estos artículos ha llegado a extenderse tanto, que por todos los lugares los talladores de madera están produciendo señuelos que se usan sólo en exhibiciones. El tallar pájaros como una manifestación de arte, no está mal, pero a medida que la gente se aleja más y más del mundo natural, llegan a estar satisfechos con imitaciones y se entusiasman con señuelos que son solamente réplicas de la belleza real que hay en las cosas salvajes.

Una condición similar puede desarrollarse cuando la gente se aleja tanto de la idea de un Jesús real, viviente y que mora en nosotros, que empiezan a fabricar ídolos de varias clases para representar lo que ellos creen que es Dios. En los días de la antigüedad tales ídolos se los modelaba de acuerdo a las aves y a los animales. Hoy en día, los ídolos que hay en nuestras vidas son quizás diferentes.

¿Puedes nombrar algunos de los ídolos modernos que separan a los jóvenes de Dios?

EL MANIPULADOR DE SERPIENTES

***Entonces la serpiente le dijo a la mujer: No moriréis* (Génesis 3:4).**

A menudo nos referimos a estas palabras como a la primera mentira, y ciertamente es así. Satanás, hablando por medio de la serpiente, sedujo a Eva con una mentira.

Bill Haast, el director del serpentario de Miami, maneja centenares de serpientes que tienen veneno mortal, para extraerles el veneno. El veneno de serpiente es tan valioso como el oro puro. Los 28 gramos (una onza) se venden por centenares de dólares y el señor Haast se ocupa en extraerles el veneno. Esto sólo puede hacerse en forma manual, lo que quiere decir que hay que agarrar a las serpientes y "ordeñarles" el veneno gota a gota de sus colmillos y verterlo en copas de vidrio. El comenzó esta carrera en 1948, llevando serpientes de contrabando a Miami mientras estaba en la fuerza aérea. Hoy este serpentario es el mayor productor de veneno de serpiente que hay en el mundo. Además de usarse en la producción de contraveneno, el veneno mismo se usa en el tratamiento de enfermedades tan raras como la enfermedad de Lou Gehrig (una forma de parálisis de la columna vertebral).

Bill ha sido mordido por sus serpientes más de un centenar de veces, y dos veces estuvo a punto de morir. Pero se ha estado inyectando veneno de serpiente en su sangre en dosis muy pequeñas por largo tiempo, y ahora se considera que su sangre es un valioso suero contra la mordedura de serpiente. Se afirma que por lo menos 20 personas han sido salvadas con sangre de Bill. Algunos lo han llamado "el hombre de la sangre de oro".

Bill Haast cree que en realidad murió por unos pocos momentos durante una de sus experiencias casi fatales. Cree que dejó su cuerpo y que flotó hacia una esquina desde la cual vio como levantaban su cuerpo de la camilla y lo colocaban en el respirador. Concluye su descripción diciendo que "nadie debería atemorizarse ante la muerte". ¿Te suena familiar esa declaración? Lo que en realidad está diciendo nuevamente es: "No moriréis". El señor Haast podrá tener "sangre dorada", pero no tiene vida eterna. Sólo la sangre de Jesús puede darnos vida después de la muerte.

LOS GRILLOS TRAEN VIDA

***Porque todos vosotros sois hijos de luz e hijos del día; no somos de la noche ni de las tinieblas* (1 Tesalonicenses 5:5).**

Los hombres de ciencia que estudian las cavernas se llaman espeleólogos. El Dr. Nicholas fue un hombre de ciencia tal que estudió los grillos de las cavernas de Kentucky. Durante un período de tres años, él y sus asistentes tomaron nota y registraron la actuación de 3.750 grillos. Los espeleólogos marcaban los grillos con una manchita de pintura que se secaba rápidamente. La caverna que eligieron estaba dividida en 12 secciones y los grillos de cada sección tenían un color diferente. Y como estas manchitas de pintura siempre eran ligeramente diferentes, fue posible saber que cada grillo que vivía en la cueva tenía su vivienda particular en la pared de la misma.

El grillo de las cavernas se parece más a un saltamontes que a los grillos con los cuales estamos familiarizados la mayoría de nosotros. Es de un color café suave y posee grandes patas traseras que usa para saltar o alzar vuelo. Supongo que podrías llamarlos los brincadores de las cavernas. A diferencia de muchos de los organismos que viven en cuevas, y también de otras especies de grillos de cueva, estos grillos no son ciegos. La razón es que no pasan toda su vida en la caverna. Esto es lo que aprendió el Dr. Nicholas.

Cada noche, si la temperatura exterior estaba por encima de cero grado centígrado (32° Farenheit) y la humedad era de 85%, o más, una tercera parte de los grillos salían de sus moradas en la cueva en busca de alimento. Regresaban antes del amanecer con sus abdómenes llenos. Permanecían allí dos días mientras los otros dos tercios de los grillos restantes salían a su vez, una tercera parte cada noche. Pero aun cuando salían de la cueva, lo hacían por la noche, cuando la cantidad de luz es menos. Estas son criaturas de la oscuridad y de la noche, que se alimentan de plantas que a su vez obtienen su vida del sol durante el día.

Hay millones de hijos de Dios que viven en cavernas espirituales. Permítele a Jesús que brille por medio de ti para que también esas personas puedan llegar a ser hijos de la luz.

¿COMO CRECEN?

Y por el vestido, ¿por qué os afanáis? Considerad los lirios del campo, cómo crecen: no trabajan ni hilan; pero os digo, que ni aun Salomón con toda su gloria se vistió así como uno de ellos **(Mateo 6:28-29).**

Cuando Jesús estaba predicando sobre la ladera de la montaña aquella mañana de primavera, no dijo: "¡Oh, mirad las lindas flores! ¿no son hermosas?" No, él empleó la palabra "considerad" para decirnos cómo debemos pensar acerca de las flores. Cuando tú consideras algo, piensas acerca de eso y lo analizas, le prestas más atención que si fuera algo pasajero. Eso es lo que Jesús deseaba que hicieran sus oyentes, así que hagamos lo que él dijo.

Tú puedes dar por sentado el crecimiento de una planta, pero te sorprenderás al ver cuánto está en juego. Hay miles de hombres de ciencia en este mundo que han empleado toda su vida profesional estudiando el crecimiento de las plantas. Con todo, ignoramos mucho más de lo que sabemos acerca de esto: aún hay más preguntas que respuestas. Así que hay mucho que pensar en cuanto a "considerad los lirios del campo, cómo crecen".

Por ejemplo, ¿qué es lo que inicia el crecimiento? ¿Cómo sabe una semilla cuándo debe comenzar a desarrollarse? ¿Qué ingredientes son necesarios para comenzar el crecimiento? A simple vista, el proceso parece muy sencillo, como lo sabe todo jardinero: preparas el terreno, siembras la semilla, la riegas, la semilla germina, sacas las malezas, la planta crece, cuidas de que no entren pestes, la riegas más y más, la planta se desarrolla, florece, las abejas y otros insectos ayudan en su fecundación, el fruto se desarrolla con semillas adentro y el proceso está listo para volver a comenzar. ¿Es en realidad algo tan sencillo como eso? Piensa acerca de estas cosas y habla de ellas con tus familiares y amigos. Te vas a dar cuenta que no sabemos tanto como creemos que sabemos.

Sí, de algún modo en ese proceso encontramos el secreto de una vida cristiana: cómo empezar a crecer, cómo continuar creciendo en Jesús y cómo florecer y llevar fruto. ¿Puedes resolverlo? Comienza con Lucas 8: 5-15.

Abril 27

EL GRAN DIA QUE FRACASO

Los pensamientos son frustrados donde no hay consejo; mas en la multitud de consejeros se afirman **(Proverbios 15:22).**

Los que observan los pájaros tienen un juego llamado el "gran día" en el cual un pequeño grupo de personas (generalmente 3 ó 4) tratan de encontrar tantas clases de pájaros como es posible en un día de 24 horas. El récord mundial de un "gran día" se estableció en Zambia en 1975, cuando se encontraron 288 especies. El récord de los Estados Unidos es de 231 especies, y se estableció en California el 29 de abril de 1978.

Una mañana un amigo me llamó y me pidió que me uniera a él para un día realmente notable, cuando un equipo de 5 personas viajaría a través de los Estados Unidos en un avión de reacción, fletado. Trabajé por meses en esto, tratando de que cada cosa estuviera lista. Comenzaríamos en Texas, volaríamos a Arizona y desde allí a San Diego para el gran final. Recorrí con anticipación gran parte de la ruta. Hice estacionar automóviles en cada aeropuerto, de modo que no hubiera demoras. Sabía exactamente cuál sería el tiempo de vuelo entre las paradas. La revista Deportes Ilustrados envió uno de sus redactores y un fotógrafo para documentar la aventura. Había hablado con casi todos, excepto con el piloto y había hecho contactos con 5 de los 6 aeropuertos que usaríamos. Pensé que había hecho suficiente, pero estaba equivocado.

Llegó el día esperado. A las dos de la madrugada comenzaría lo que creíamos que iba a ser el nuevo récord mundial para un "gran día". Al menos, romperíamos el récord de los Estados Unidos. Pero habíamos pasado por alto dos cosas: el tiempo que tarda el avión en elevarse a la altitud adecuada para volar y para descender, y si encontraríamos gasolina de aviación en el aeropuerto de Arizona. No había gasolina, y tuvimos que hacer una escala que no estaba prevista en Tucson, cuando ya estábamos con tres horas de atraso. Así que en vez de establecer un récord aquel día, quedamos en el aeropuerto de Tucson y contemplamos cómo se ponía el sol sobre nuestro último pájaro, una codorniz, y era el pájaro número 183. ¡Había visto más pájaros que esos en un "gran día" en la parte este del Estado de Texas!

Habíamos calculado mal y perdimos porque habíamos fallado en obtener el consejo de ciertas personas claves.

LA REINA QUE LO DA TODO

***Por tanto, mirad por vosotros, y por todo el rebaño en que el Espíritu Santo os ha puesto por obispos, para apacentar la iglesia del Señor, la cual él ganó por su propia sangre* (Hechos 20:28).**

Cuando una hormiga reina cae al suelo después de su vuelo nupcial, comienza una vida de un consagrado darse que rara vez ha sido igualado. Primero, se desprende ella misma de sus alas. Nunca volverá a volar y los músculos de vuelo los necesitará para alimentarse, pues no conseguirá alimento por muchos meses. Debe vivir y alimentar a sus primeras pequeñuelas con las propias reservas de su cuerpo.

Después de perder las alas, la hormiga reina comienza a cavar una madriguera. Sólo puede cavar lo suficiente para esconderse de la vista de posibles enemigos. La hormiga reina agranda la parte final de la cueva para hacer una pequeña cámara y después sella la salida, aprisionándose en la cueva. En el proceso de cavar, la reina ha perdido sus mandíbulas y sus dientes. Ahora no puede comer aunque tuviera alimento.

Ahora la hormiga reina espera el momento de poner los huevos que producirá su cuerpo. Al principio sólo habrá unos pocos, porque si fueran demasiados la someterían a un esfuerzo excesivo y moriría. Cuando los huevos maduran, la reina alimenta las larvas de hormiga con su propia boca, con una sustancia que fabrica en su cuerpo. Al crecer las larvas, necesitan cada vez más alimento de la reina. La hormiga reina alimenta ahora a las larvas con lo último de sus reservas, y su única esperanza de supervivencia reside en estar segura de que las hormiguitas se harán adultas, cuando serán capaces de alimentarla a ella por el resto de su vida colocándole el alimento en la boca. Sorprendentemente, estas primeras larvas son capaces de transformarse en ninfas mucho antes del tiempo normal para las hormigas. Si no fuera así, entonces la necesidad que ellas tienen de alimentarse, mataría de hambre a la hormiga reina.

Al fin, las hormigas emergen de sus capullos e inmediatamente comienzan a servir a la extenuada reina, quien dio su último gramo de energía y reservas de alimento por ellas. Sin ella, las hormigas no existirían, y ahora, sin ellas, tampoco ella podría vivir.

Abril 29

EL PODER Y LA GLORIA

***Porque no me avergüenzo del evangelio, porque es poder de Dios para salvación a todo aquel que cree* (Romanos 1:16).**

El texto dice que el Evangelio es el "poder" de Dios. ¿Qué clase de poder es ése? ¿Es poderoso Dios? ¿Cómo medirías el poder de Dios? Tengo una respuesta para esa pregunta, pero primero, hablemos acerca del poder de Dios.

¿Qué clase de poder mueve tu hogar? Puedes usar gas natural o electricidad, o puedes usar una combinación de ambos, pero sin duda en tu hogar tienen electricidad. ¿Es poderosa la electricidad? ¿De qué forma la medimos? El electricista la mide en voltios y amperios. ¿Sabes cuánto poder eléctrico hay en un voltio o en un amperio?

La fuerza eléctrica se genera por el flujo de electrones libres, que se desplazan de un lugar a otro, generalmente a través de un cable o algún otro tipo de conductor. El voltaje es la presión con la cual se mueven los electrones y el amperaje tiene que ver con la cantidad de electrones que se mueven. Por ejemplo, cuando en un segundo de tiempo, pasan por un punto de un cable exactamente 6 trillones 242 billones de electrones, eso es un amperio. Si tienes una poderosa planta generadora de energía eléctrica e intentas forzar los electrones a través de un alambre más rápidamente, o si tratas de forzarlos para que pasen a través de un alambre de menor diámetro, el voltaje sube porque la "presión" es mayor. Cuando tanto el voltaje como el amperaje son elevados, el poder es inmenso.

Ahora, hablemos acerca del poder de Dios. Su poder eléctrico está ilustrado en una chispa de un rayo, y la luz de un relámpago puede tener una intensidad de hasta 100 millones de voltios y 160 mil amperios. ¡Tremendo! Nuestro Dios es ciertamente poderoso, ¿pero es esa la manera de medir el poder de Dios si el Evangelio es el poder de Dios?

La contestación a la pregunta: ¿Cuán poderoso es Dios?, es sencillamente ésta: el Creador de todo el poder que hay en la tierra y en todo el universo, se dio a sí mismo por ti y por mí. Ninguna otra cosa tenía el poder necesario para salvarnos del pecado y convertirnos en hijos e hijas de Dios.

LA ESFERA SOLAR

***El manda al sol, y no sale; y sella las estrellas* (Job 9:7).**

Este texto de Job nos habla del poder absoluto de Dios para controlar las estrellas. No estoy seguro de lo que Job quiso decir con la frase, "sella las estrellas", pero deseo contarte cómo nuestro sistema solar —el sol y todos los planetas— está aislado del resto del universo. Nuestro sistema solar está como encerrado en una gigantesca burbuja magnética llamada "helioesfera".

De una parte a la otra de esta burbuja hay la respetable distancia de 16 mil a 32 mil millones de kilómetros (10 a 20 mil millones de millas). Tiene una forma más o menos parecida a una gota de agua, con el sol casi en el centro de la parte más abultada de la burbuja. El borde de este enorme espacio es el límite exterior de la radiación electromagnética de nuestro sol. Durante los períodos de actividad de las grandes manchas solares, cuando el sol bulle con emisiones de radiaciones electromagnéticas, la burbuja se dilata; cuando la superficie del sol está en relativa calma, produciendo muy pocas manchas solares, la burbuja se encoge. Es algo así como si la burbuja "respirara" contrayéndose y expandiéndose cada 11 años, que es cuando las manchas solares alcanzan su culminación.

Ahora mismo, la sonda espacial Pionero 10, lanzada al espacio en marzo de 1972, avanza a toda velocidad (48 mil kilómetros por hora, o 30 mil millas), hacia los límites exteriores de esta burbuja y envía a la tierra mensajes con relación a los niveles de radiación solar y otros hechos que nunca antes fueron conocidos. En algún momento, para octubre del año 1986, el Pionero 10 estará más alejado del sol que el planeta más distante y para 1990, si todo sigue bien, la sonda espacial penetrará en el límite exterior de la "helioesfera" y entrará en el espacio interestelar. Los hombres de ciencia consideran que este logro constituirá la coronación del éxito de los lanzamientos al espacio de estas naves de la serie "Pionero".

Cuando leo acerca de los logros de este minúsculo artefacto espacial, no puedo sino preguntarme qué sucedería si Jesús regresara antes que esta sonda haya cumplido su objetivo, y si al viajar con él al cielo, nos cruzáramos con el "Pionero 10", navegando silenciosamente y enviando mensajes a un planeta muerto en el cual ya no hay hombres de ciencia que los escuchen. Parecería una cosa insignificante comparada con la gloria y la magnificencia de que estaríamos gozando al abandonar la "helio-esfera".

Mayo 1

LOBOS CON VESTIDOS DE OVEJAS

Guardaos de los falsos profetas, que vienen a vosotros con vestidos de ovejas, pero por dentro son lobos rapaces **(Mateo 7:15).**

Jesús obtuvo la mayor parte de sus ilustraciones de la naturaleza, de cosas que eran familiares para la gente. De esa forma, aunque no fueran capaces de entender todo lo que estaba tratando de enseñarles, podrían recordar la historia de la naturaleza o la ilustración, y el Espíritu Santo podría enseñarles la lección, cuando más tarde reflexionaran en las palabras de Jesús.

Cuando Jesús usó las palabras de nuestro texto, estaba citando un dicho que era muy común en sus días. La idea de un "lobo con vestido de oveja" viene de una de las seis fábulas de Esopo acerca de los lobos. En el tiempo de Jesús, ya se habían contado esos relatos por centenares de años. De acuerdo con la leyenda, Esopo era un esclavo que ganó el favor del rey por sus agudos dichos. Cuando Esopo deseaba hacer comprender algo a la gente, en vez de insultarla o herir sus sentimientos, tuvo la brillante idea de reemplazar a las personas con animales en sus fábulas. Sin embargo, el problema que eso produjo fue que después de varias generaciones la gente comenzó a creer que los animales de las fábulas de Esopo se comportaban en la vida salvaje de la misma manera como aparecían en los relatos.

Cuando Jesús usó esta frase tan familiar para todos, ni siquiera estaba insinuando que para atrapar una oveja para comer, los lobos en realidad se disfrazaban de ovejas. Estaba usando el mismo buen método de relatar historias que había usado Esopo, pero Jesús no tenía temor de que se supiera que él estaba hablando acerca de personas, en este caso, de falsos profetas. Los que le escuchaban, conocían la forma como los lobos venían y les arrebataban una oveja, si eran descuidados, y también conocían la fábula de Esopo. Atando cabos, podían descubrir la verdad acerca de sus líderes religiosos, que los enseñaban cada día en el error. Más tarde Jesús identificó en forma directa a los falsos maestros, pero aquí en el Sermón del Monte, simplemente dejó a sus oyentes con la idea de los lobos vestidos de ovejas.

LA PROMESA EN LA ARENA

***¿A mí no me temeréis? dice Jehová. ¿No os amedrentaréis ante mí, que puse arena por término al mar, por ordenación eterna la cual no quebrantará? Se levantarán tempestades, mas no prevalecerán; bramarán sus ondas, mas no lo pasarán* (Jeremías 5:22).**

¿Cómo describirías tú la arena? ¿Qué es? ¿Dirías acaso que son rocas pequeñísimas? ¿Cuántas de estas rocas microscópicas tendrías que tener antes de contar con una playa de arena? ¿De dónde vino la arena? ¿Cómo llegó a estar donde está? ¿De qué está hecha la arena? Hay muchas preguntas acerca de la arena, pero hay una promesa que está presente en cada franja de playa arenosa. La promesa se encuentra en nuestro texto. La arena es el límite que Dios le puso al mar.

¿Sabías tú que la arena es una muralla más sólida para el océano que las mismas rocas? La arena posee la habilidad de absorber toneladas y toneladas de agua entre todos los granitos de arena de la playa. El agua actúa como una cola que mantiene unida la arena e imposibilita que se mueva, aun en el oleaje más violento. La arena seca vuela y hasta desaparece, pero la arena de la playa se baña de una parte a la otra y permanece en su lugar.

La arena está constituida de muchas clases de rocas diferentes. Existe arena que está compuesta de cuarzo, mientras que otra está hecha de piedra caliza. Hay arena de color azabachado, compuesta de obsidiana. También hay arena formada de coral rosado y arena verdosa hecha de roca fundida que salió de los volcanes hace muchísimo tiempo. En Australia hay un tipo único de arena que está compuesta enteramente de minúsculas estrellas, es decir, de los esqueletos de unos protozoos acuáticos llamados foraminíferos.

Mientras que el océano más enfurecido no puede mover la arena muy lejos de la playa, el viento puede mover aun las dunas más grandes de arena seca. Dios hizo que las playas fueran una barrera, y su promesa es firme: la playa contendrá al mar. Algunas veces, tremendas olas desbordan momentáneamente la playa, pero se retira el mar, y la arena de la playa aún está allí.

Mayo 3

PINZONES "ESTRILDID" Y VIUDAS

***Dejad crecer juntamente lo uno y lo otro hasta la siega; y al tiempo de la siega yo diré a los segadores: Recoged primero la cizaña, y atadla en manojos para quemarla; pero recoged el trigo en mi granero* (Mateo 13:30).**

La cizaña que se describe en este versículo era probablemente una planta conocida como ballico o cominillo. Algunas variedades de esta planta también son venenosas. La cizaña no se puede distinguir del trigo hasta la cosecha, cuando la diferencia entre ambos es marcada; en ese momento las malezas venenosas pueden ser separadas del buen trigo. Dos especies de pájaros africanos manifiestan la misma dificultad durante la etapa de su desarrollo.

El primer grupo al cual me referiré es el pinzón "estrildid", del que existen 125 clases diferentes. Los polluelos de las diversas familias tienen dentro de la boca una colección de marcas especiales que es diferente para los miembros de cada una. Por ejemplo, el polluelo del pinzón llamado "melba" tiene en la boca manchas color café, blanco y azul claro. Por otra parte el granadero imperial tiene marcas blancas, amarillas, anaranjadas y azules, pero de un azul diferente al del pichón de la "melba", y en un lugar también diferente. Y así sucesivamente. Cada familia tiene su propio diseño para la boca de sus pichones. Los pájaros adultos no alimentan a los polluelos que no muestran los colores apropiados.

El segundo grupo de pájaros son los pájaros viuda. Estos pájaros ponen sus huevos en los nidos de los pinzones "estrildid" y dejan que los pinzones críen a sus polluelos. Cada clase de pájaro viuda, coloca sus huevos en el nido de sólo una especie de pinzón "estrildid", y cuando los polluelos del pájaro viuda rompen el cascarón, ¿a que no sabes lo que pasa? En la boca tienen exactamente los mismos colores que los polluelos de ese pinzón llevan en sus bocas. Los polluelos del pájaro viuda del paraíso, por su parte, tienen idénticos colores con los del pichón del pinzón "melba"; y los hijos del pájaro viuda con cola de paja presentan los mismos colores que los del pinzón granadero púrpura, y así sucesivamente.

No sólo parecen iguales las bocas de los polluelos, sino que los huevos parecen semejantes, así como el tamaño del cuerpo de los polluelos, hasta que ya son grandes. Es entonces cuando se percibe una diferencia notable.

UN ENEMIGO MICROSCOPICO

***Y no nos metas en tentación, mas líbranos del mal; porque tuyo es el reino, y el poder, y la gloria, por todos los siglos. Amén* (Mateo 6:13).**

Son tan insignificantes, que sólo los más grandes han sido vistos con los microscopios más potentes, y son tan infinitesimalmente pequeños que su peso se mide en términos del peso de los átomos de hidrógeno, que es la sustancia más liviana del mundo. Me refiero a los "viroides", denominados así porque son parecidos a los virus.

¿Has oído hablar de enfermedades raras que destruyen las verduras y la fruta? Muchas de esas enfermedades de las plantas son originadas por gérmenes microscópicos llamados "viroides". ¿No te parece extraño que seres tan pequeños puedan causar un perjuicio tan grande?

Los hombres de ciencia miden el peso de estos seres microscópicos como los virus, con una medida llamada "dalton". Un átomo de hidrógeno pesa un dalton y un átomo de hidrógeno es el átomo más pequeño compuesto de un electrón y un protón. Ahora bien, un virus es tan pequeño, que puede penetrar dentro de una bacteria microscópica. Los virus pesan de 3 millones y medio a 4 millones de daltones. Los viroides que originan cierta enfermedad de la papa pesan sólo 130.000 daltones, es decir, tú puedes colocar 30.000 de ellos en uno de los virus de la viruela.

Un viroide invade una célula de una planta sana llevando consigo un mensaje en clave que presenta a lo que podríamos llamar la oficina central de la célula, la orden de producir más viroides. Repentinamente, los procesos normales de la célula se encuentran ocupados en la producción de "viroides", y en poco tiempo hay incontables millones de gérmenes que abruman a la planta. La esencia de ese microscópico mensaje en clave continúa siendo un misterio para los hombres de ciencia.

Casi no hay forma posible de impedir que los viroides se extiendan y causen daño, y los problemas que ocasionan al parecer están aumentando en todo el mundo. ¡Cuán parecido a ellos es el pecado! No hay ninguna forma de evitar los resultados del pecado a nuestro alrededor. No podemos escapar a los resultados del pecado que nos rodea, pero contamos con la promesa de nuestro Salvador, y sabemos que él nos guardará para que no seamos devorados por los viroides del diablo.

Mayo 5

RABANOS SALVADOS

Entonces estarán dos en el campo; el uno será tomado, y el otro será dejado **(Mateo 24: 40).**

Algunos cristianos piensan que lo que este texto quiere decir es que la venida de Jesús será una experiencia secreta y que en algún momento los fieles desaparecerán de la tierra. Sin embargo, la Biblia enseña en forma clara que no habrá nada secreto en cuanto a su venida, porque todo ojo le verá (Apoc. 1: 7). El texto no dice que los que acepten a Jesús serán arrebatados corporalmente.

En un sentido muy real, la separación eventual de los salvados y los perdidos será el resultado directo de la elección que cada uno haya hecho en respuesta a la invitación de Dios. Permíteme ilustrar esto con una hilera de rábanos. Tú preparas concienzudamente el suelo, haces un surco, consigues las semillas y las esparces por igual en el surco. Antes de que pase mucho tiempo comienzan a aparecer las diminutas plantas de rábano, pero hay un número excesivo. Sembraste muchas en los mismos lugares y tienen que ser raleadas. Así que cuando las plantas tienen unos 25 milímetros (una pulgada), te colocas el sombrero de juez y decides qué plantas quedarán y qué plantas desaparecerán. Las plantas que arranques, morirán y las que dejes, vivirán.

Suponte ahora, que pudieras conversar con los rábanos. Podrías decirles: "Eh, amigos, quisiera salvaros a todos y os ofrezco lo siguiente: prometo cuidaros, regaros, limpiaros las malezas, y no dejaros hasta que seáis rábanos fuertes. Quiero salvaros a todos como rábanos especiales en mi huerta. Si os agrada la oferta, permaneced quietos, pero si no aceptáis mi oferta, sois libres de ir adonde deseéis. La elección es vuestra". Y he aquí que algunos de los rábanos aceptarán tu oferta y otros no. Algunos rábanos tirarán hacia arriba de sus raíces y se trasladarían de tu huerta a algún otro lugar que les parezca mejor, mientras otros permanecerán y crecerán en tu huerta.

Esa es la oferta que Jesús nos ha hecho a cada uno. Personalmente, estoy muy conmovido por la generosidad de nuestro Salvador. ¿Cómo te sientes tú?

MIRLOS ENGAÑADOS

***Porque se levantarán falsos Cristos, y falsos profetas, y harán grandes señales y prodigios, de tal manera que engañarán, si fuere posible, aun a los escogidos* (Mateo 24: 24).**

Imagínate que alguien te trajera una nota escrita diciendo que lo hace a pedido de tu padre. ¿Aceptarías la palabra del mensajero o examinarías la nota para ver si en realidad es tu padre el que te envía el mensaje? Haz de cuenta por un momento que el mensaje es contrario a todo lo que tú conoces de tu padre. ¿Influiría sobre ti el mensaje, o lo verificarías?

Los sinsontes son muy conocidos por la habilidad que poseen de imitar los reclamos y los cantos de otras especies de pájaros. Un ornitólogo decidió comprobar si los reclamos de los sinsontes eran suficientemente buenos como para engañar a los pájaros que imitaba. El hombre de ciencia grabó el canto que un sinsonte hacía, imitando al mirlo de alas rojas. El ornitólogo también grabó el canto de un verdadero mirlo de alas rojas. Tomó ambas grabaciones y las tocó en los territorios de diez mirlos machos cantores de esa especie, para ver si respondían a un canto que representaba a un intruso. En todos los casos estos mirlos no pudieron darse cuenta de la diferencia que existía entre el reclamo de los de su propia especie y el reclamo del sinsonte.

Hay muchas personas hoy en día en el mundo, que pretenden tener nueva luz de nuestro Padre celestial, pero los diversos cantos que cantan, no concuerdan. Toda esta gente pretende entonar el mismo canto que Jesús cantó, por así decirlo, y alegan que saben lo que Jesús enseña. ¿Cómo puedes saber tú cuál es el canto correcto? Oremos, para que nuestro juicio sea mejor que el del mirlo de alas rojas, que puede ser engañado por un sinsonte. Sólo puede estar seguro el que estudie la Palabra de Dios con oración y compare lo que dice la gente y la forma como vive, con la Palabra de Dios. "¡A la ley y al testimonio! Si no dijeren conforme a esto, es porque no les ha amanecido" (Isaías 8: 20): son burladores y engañadores.

MARAVILLAS DEL AGUA

***Y el Espíritu y la Esposa dicen: Ven. Y el que oye, diga: Ven. Y el que tiene sed, venga; y el que quiera, tome del agua de la vida gratuitamente* (Apocalipsis 22: 17).**

El agua es quizás la sustancia más importante de la tierra. Estoy seguro que el papel central que el agua desempeñó en el segundo y tercer días de la semana de la creación, no fue algo accidental. Consideramos el agua como una cosa corriente, pero sin ella, no seríamos casi nada.

El 65% de nuestro cuerpo es agua. El 78% del cuerpo de una rana es agua, y el 95% del de una medusa es agua. Todo ser viviente depende del agua para su existencia. Además, dependemos del agua para la regulación de la temperatura que sostiene la vida en este planeta. Una enorme cantidad de la energía solar que llega a la tierra es absorbida por el agua de los océanos. Si los océanos y los lagos del mundo no absorbieran mucha de la energía solar, nos cocinaríamos durante el día con temperaturas de casi 148 grados centígrados (unos 300 Fahrenheit) y nos congelaríamos por la noche. ¡El agua es algo esencial para nuestra vida!

Pensamos que sabemos mucho acerca del agua, pero es mucho más lo que desconocemos. Por ejemplo, ¿por qué las moléculas de agua se comportan en la forma que lo hacen en situaciones diferentes? La mayoría de las sustancias se encogen cuando se enfrían, pero no así el agua: se encoge hasta que se congela y después se dilata. La dilatación del agua congelada tiene poderes increíbles. Por ejemplo, si tomas un globo o una bola hueca de hierro cuyas paredes sean de un espesor de un poco más de 6 milímetros de grueso (un cuarto de pulgada), la llenas con agua y la congelas rápidamente en una solución de hielo seco (anhídrido carbónico solidificado), el globo explotará como una bomba y las piezas de metralla de este globo de hierro saldrán disparadas con una fuerza tal que penetrarán profundamente en una muralla de acero.

Así como el agua fue un elemento importante en los días de la creación, también es interesante saber que a través de toda la Biblia Jesús usó el agua como un ejemplo de su habilidad para dar y sostener la vida. Jesús es agua para el alma sedienta y también tiene todo el poder necesario para destruir el pecado.

UN NIDO HECHO DE CLAVOS

***Y lo hincaré como clavo en lugar firme; y será por asiento de honra a la casa de su padre* (Isaías 22: 23).**

En este texto, el clavo representa a Jesús, de quien el profeta predijo que establecería un gobierno firme en el cual podría confiar todo su pueblo. En varios lugares de la Biblia se usa esta figura para representar a Jesús.

Tengo un cuadro de un nido que fue construido por una pareja de reyezuelos en el taller del señor Kennedy, en Kerville, Texas. Es un nido extraordinario construido de casi nada más que clavos. Tu podrías decir que esta pareja de reyezuelos oyó decir a alguien que para edificar una casa buena hay que tener algunos clavos. Pero como nadie ha oído nunca que los pájaros construyan sus nidos con clavos, ¿por qué estos pajarillos eligieron construir su nido con ellos?

El señor Kennedy había instalado un pequeño ventilador en la pared de su taller. Fue a través de esta abertura, entre las aspas del ventilador, como los reyezuelos se introdujeron en el taller. Pero la abertura no era lo suficientemente amplia como para introducir los palitos que normalmente usan para construir un nido, de manera que tuvieron que usar lo más semejante a palitos que encontraron. Miraron, y encontraron las latas que contenían diferentes tamaños de clavos, tachuelas y tornillos y comenzaron a usarlos. Eso tiene sentido, ¿verdad?

Cuando el nido estuvo terminado, los reyezuelos lo rellenaron con virutas y otros materiales blandos que encontraron en el taller. Y fue así como en este duro nido, sus polluelos rompieron el cascarón.

Sin duda que deseamos mucho construir un hogar en la tierra renovada. No podemos tomar con nosotros las cosas de este mundo para construir nuestro hogar allí, de manera que tenemos que usar los materiales de construcción que Jesús nos provea. Y así como a Jesús se lo llama la principal piedra de una casa, también podemos decir que deseamos que nuestro celeste hogar sea construido con las firmes cualidades de ese clavo que describe Isaías.

BEETHOVEN E ICARO

***El padre ama al Hijo, y todas las cosas ha entregado en su mano. El que cree en el Hijo tiene vida eterna; pero el que rehúsa creer en el Hijo no verá la vida, sino que la ira de Dios está sobre él* (Juan 3: 35, 36).**

Beethoven es un gorila montés. Hasta hace poco tiempo, fue el cacique de una banda de 14 gorilas que viven en el monte Visoke en Ruanda, Africa. Por lo menos tiene 25 años de edad y fue el líder indisputado del grupo por unos 13 años. Para ser el líder en la comunidad de los gorilas monteses, el gorila tiene que ser macho de por lo menos 12 años de edad, la edad cuando el pelo de su espalda se va poniendo blanco. A estos machos adultos se los denomina espaldas plateadas. El gorila espalda plateada que es líder es el responsable del grupo, y debe tratar de conseguir que todos los miembros acepten todas las leyes de la comunidad gorila.

Beethoven había estado entrenando al único gorila de espalda plateada que había en el grupo, fuera de él, para que fuera su sucesor. Este joven gorila se llama Icaro y tiene unos 17 años de edad.

La "ley de la selva" es un código de leyes rígido por el cual sobreviven los animales salvajes. Para que Icaro demostrara que estaba preparado para ser el líder, tenía que llevar a cabo un acto, de acuerdo a la ley de la selva. Una de las dos viejas hembras de Beethoven se enfermó. Como ya no podía tener más crías, no se la necesitaba en el grupo, y mucho menos ahora que estaba enferma, porque era una carga inútil para todos. Así que mientras Beethoven observaba, Icaro mató a la vieja hembra. Después, Icaro tomó el lugar de Beethoven en el centro del grupo, y Beethoven se retiró hacia la esquina del grupo, para mostrar que entregaba su liderazgo.

Estoy contento porque no tenemos que vivir por la ley de la selva. Jesús vino a este mundo, se unió a nuestro grupo y demostró que era digno de ser nuestro líder, no destruyendo a nadie, aunque sea inútil, sino muriendo por cada hombre, mujer y niño, y aun por aquellos que algunos piensan que no valen nada. Tú y yo somos de precioso valor ante él, porque nos redimió. Verdaderamente tenemos un maravilloso líder.

LA SALAMANDRA RATHBUNI DEL ARROYO DEL PURGATORIO

***Vuelve el desierto en estanques de aguas, y la tierra seca en manantiales. Allí establece a los hambrientos, y fundan ciudad en donde vivir* (Salmo 107: 35-36).**

Una de las criaturas más extrañas que alguna vez se hallan desenterrado se encontró en 1895 cerca de San Marcos, Texas, cuando se trabajaba en la perforación de un pozo artesiano para un criadero de peces. Hicieron una perforación de 57 metros de profundidad (188 pies) para encontrar una corriente subterránea denominada Arroyo del Purgatorio. Con el agua que salió del pozo, vino una criatura que nunca antes había sido vista por el ojo humano y probablemente nunca antes por ningún otro ojo.

Allí, viviendo en la profundidad de las depresiones de la tierra, existía un tipo de salamandra desconocida hasta en las cavernas. La salamandra "Rathbuni" como la llamaron, no tenía ojos y de hecho, casi no tenía cabeza. Su cuerpo era sumamente delgado, de apariencia muy grotesca, y rematada en el extremo de la cabeza con un hocico romo, parecido a una cuchara. Sus patas, eran anormalmente largas, para ayudarle a explorar una amplia área en busca de alimento con el mínimo esfuerzo y a mantenerse elevada y ser capaz de captar los movimientos hechos por los minúsculos organismos que nadaban en la corriente. La cantidad de alimento disponible en el Arroyo del Purgatorio es increíblemente pequeña. Los limnólogos, científicos que estudian la vida que hay en el agua fresca, están sorprendidos que pueda existir tal animal en un medio ambiente tan pobre en alimento.

Esta salamandra tiene los órganos de la línea lateral mucho más desarrollados que la mayoría de las criaturas que viven en el agua.

La línea lateral es una línea de sensores especiales para detectar el movimiento, que se encuentra a lo largo del costado de la mayoría de las criaturas que viven en el agua. Este es el órgano que capacita a un grupo de peces para nadar en forma disciplinada. Cuanto más sensibles son los sensores de la línea lateral, tanto más fácil es detectar el movimiento en el agua circundante.

La fuerza creadora de vida que partió de Dios en la creación es tan fuerte que está obrando constantemente para ayudar a los descendientes del Edén a sobrevivir en situaciones que nos parecen imposibles. ¿Podemos pues dudar alguna vez que Dios dejará de cuidarnos? ¡Nunca!

Mayo 11

LA FABRICA DE LAS TERMITAS

***Has aumentado, oh Jehová Dios mío, tus maravillas; y tus pensamientos para con nosotros, no es posible contarlos ante ti. Si yo anunciare y hablare de ellos, no pueden ser enumerados* (Salmo 40: 5).**

Algunas veces estoy tan sorprendido como el salmista por las maravillas que Dios ha creado. Esa es la forma como me siento cuando pienso en las termitas. Hay millones y billones de estas pequeñas criaturas en todo el mundo y cada una de ellas es una fábrica microscópica con una cantidad de organismos diferentes trabajando en forma interna, cada uno llevando adelante su parte específica propia de la tarea que tienen a mano. Y con la mayoría de las termitas, la tarea que tienen a mano es comer y digerir madera.

¿Qué te parece si cuando te despertaras por la mañana, tuvieras la mesa por desayuno, o quizás comieras el gabinete de la cocina o los estantes de la biblioteca? Sin tener en cuenta lo que elijas, la comida siempre sería madera y sería el banquete más maravilloso que te puedas imaginar. Las termitas esperan pasar el día masticando madera, pero esto no es lo más admirable en cuanto a las termitas.

Dentro de una termita hay muchas criaturas microscópicas diferentes: hay un protozoo, que es un animal unicelular, y una cantidad de diferentes clases de bacterias. El protozoo tiene dos aletas insignificantes, parecidas a cabellos, con las cuales se mueve digiriendo la comida que la termita come y arrojándola de vuelta. Algunas veces, entre estas aletas filiformes se encuentra unos de los tipos de bacterias llamados espiroquetas que viven en el cuerpo del animal unicelular y probablemente son sus parásitos ya que se alimentan de él. El protozoo viven en la termita, la bacteria vive en el protozoo y la termita se beneficia de ambos. Así que la actividad que se desarrolla dentro de la termita es una verdadera fábrica con muchos obreros empujando juntos para hacer el trabajo. ¿No es sorprendente? El genio del poder creador de Dios no conoce límites.

EL PARAISO DE LOS AZULEJOS

***Cada cual ayudó a su vecino, y a su hermano dijo: Esfuérzate* (Isaías 41: 6).**

La descripción que Isaías da de la manera como las naciones isleñas se unieron y lucharon contra un enemigo común, es una maravillosa descripción de cómo nosotros, cristianos, deberíamos relacionarnos unos con otros. Cuando un miembro de nuestra comunidad, iglesia o nuestra familia sufre una tragedia, deberíamos poner manos a la obra y ayudar hasta que esa persona esté otra vez sobre sus pies. La vida familiar de los azulejos es un ejemplo perfecto de una ayuda tal.

Los azulejos son únicos en un asunto: parecen llevarse sumamente bien unos con otros. Se desparraman sobre una región, de modo que no tienen que pelearse por el mismo saltamontes, y cuando sucede algo a uno de los padres que tiene crías, los otros en el vecindario vienen para ayudar a alimentar a los bebés.

Una camada de polluelos de azulejo perdió a su padre. ¿Sufrieron los pichoncitos? De ninguna manera. Dos hembras acudieron en ayuda de la viuda. Una era una hembra que aún no se había apareado, de otro sector, la otra era una hembra de una de las primeras camadas de la estación, es decir, una hermana mayor de los bebés que estaban en el nido.

En otro caso, un par de azulejos justo habían terminado de criar una camada y tenían otra con pichones de siete días de edad, cuando murió la madre. En este caso, dos de los machos de la camada anterior se unieron al pájaro padre para cuidar de los polluelos. Estos dos hermanos mayores, tenían sólo ocho semanas de edad y estaban deseosos de ayudar al papito a cuidar de los pequeñuelos. Trabajaban desde el amanecer hasta el crepúsculo vespertino durante casi un mes hasta que sus hermanitos y hermanitas dejaron el nido para valerse por sí mismos. No existe falta de amor alrededor de la casa de los azulejos.

Evidentemente, cuando muere cualquiera de los padres en una familia de azulejos, no solamente ayudan los hermanos mayores sino todos los vecinos disponibles acuden para cooperar en forma voluntaria, como si fuera su tarea signada. ¿No es esto algo admirable?

Mayo 13

LOS ABEJORROS MADRES

Considera los caminos de su casa, y no come el pan de balde **(Proverbios 31: 27).**

¿Sabías tú que hay más de 200 clases diferentes de abejorros? Viven en todo el mundo y se encuentran desde las áridas cimas de los montes en el lejano norte hasta las selvas tropicales del ecuador.

A diferencia de la abeja obrera, que pierde su vida cuando le clava el aguijón a un enemigo, el abejorro puede usar su doloroso aguijón vez tras vez. Pero esta abeja negra y amarilla usa su aguijón sólo para protegerse.

Los abejorros viven en colonias parecidas a las abejas, pero la mayor parte de las veces su nido se encontrará debajo de tierra, en un agujero excavado por otro animal, tal como un ratón del campo. La reina, que establece una nueva colonia cada primavera después de haber hibernado todo el invierno, también puede elegir un árbol hueco u otro apartado lugar donde anidar.

Al principio la reina tiene que hacer todo el trabajo sola, pero cuando las primeras obreras nacen, tiene mucha ayuda y la colonia puede estar formada hasta por 400 individuos, y a ninguno de ellos es necesario decirle que haga las tareas domésticas. Cuando hay alguna rara queja, la reina le da al culpable una rápida embestida con la cabeza y coloca pronta y bondadosamente otra vez al "niño" negligente en su lugar. La reina es una buena madre, y cuida lo mejor que puede de su nidada de bebés abejorros.

Al escribir acerca de las virtudes de una buena esposa y madre, Salomón podría haber descrito con igual facilidad las laboriosas costumbres de la reina abejorro. Las madres deben trabajar incansablemente, aunque no se les agradezca, cuidando la casa, preparando el alimento y criando los niños. Hay poco tiempo para descansar. Salomón sigue diciendo de una madre así: "Se levantan sus hijos y la llaman bienaventurada". La próxima vez que veas un abejorro, pregúntate si estás haciendo o no tu parte para ayudar a tu madre a tener cuidado de las innumerables tareas que ella debe encargarse como reina de tu hogar.

SANGRE VERDE

***Y a toda bestia de la tierra, y a todas las aves de los cielos, y a todo lo que se arrastra sobre la tierra, en que hay vida, toda planta verde les será para comer. Y fue así* (Génesis 1: 30).**

Fue en el año 1818 cuando dos químicos franceses descubrieron la clorofila. El nombre de la sustancia significa "hoja verde", porque es esa la que hace que las hojas sean verdes. Experimentos realizados más tarde mostraron que esta misteriosa sustancia tiene mucho que ver con la producción de glucosa, que es una combinación de agua y dióxido de carbono que producen las plantas como la fuente básica de alimentación para todos los animales de la tierra. Pero la composición de la clorofila permaneció desconocida por casi un centenar de años después de su descubrimiento.

En 1912 se descifró el código de la clorofila y reveló que una molécula de esta sustancia milagrosa se compone exactamente de un átomo de magnesio unido a 136 átomos de hidrógeno, carbono y oxígeno. Eso en sí mismo no fue tan sorprendente, pero otro hecho que ya era conocido hizo que la composición de la clorofila constituyera un pasmoso descubrimiento. Si tomas ese solitario átomo de magnesio y lo reemplazas con otro átomo solitario de hierro, en esencia, produces una molécula de sangre. Las fórmulas son tan parecidas que los mismos hombres de ciencia apodaron a la clorofila, "sangre verde".

Uno de los mayores argumentos en favor de la doctrina de la creación tal como la expone el libro del Génesis, es el hecho que hay tanta similaridad entre todas las formas vivientes. Aparentemente Dios comenzó con una fórmula básica para las cosas vivientes y luego diversificó lo suficiente como para darnos los diferentes animales, pájaros, flores, árboles, mariposas, mariposas nocturnas, y toda otra clase de vida que fue creada en el día tercero, quinto y sexto de la semana de la Creación.

A Jesús le agrada la variedad y también el orden. Aunque nos hizo diferentes, hay leyes que son básicas para la vida, que nos mantendrán felices y sanos.

Mayo 15

MARIPOSAS HELICONIAS HIPOCRITAS

Y cuando ores, no seas como los hipócritas; porque ellos aman el orar en pie en las sinagogas y en las esquinas de las calles, para ser vistos de los hombres; de cierto os digo que ya tienen su recompensa **(Mateo 6: 5).**

Algunas de las mariposas más hermosas que viven en las regiones tropicales de América pertenecen a las diversas clases de mariposas llamadas heliconias. Esta familia de mariposas es tal vez mejor conocida por su práctica de la mímica, es decir, unas imitan a las otras. Las orugas de muchas heliconias se alimentan de plantas que le proporcionan una sustancia interna que es venenosa o muy desagradable para los pájaros. Generalmente un pájaro sólo necesita probar una de estas orugas para que aprenda a no molestar más a ninguna heliconia.

Otras clases de mariposas y también algunas familias de polillas, imitan a algunas de las heliconias que están protegidas contra los pájaros que de otro modo las devorarían. Pero eso no es todo, las heliconias que están a salvo de los pájaros son también imitadas por otras heliconias que serían un plato delicioso para los pájaros, pero como son tan parecidas a sus desabridas primas, los pájaros, generalmente no se meten con ellas.

Tu podrías decir que las heliconias de mal sabor tienen su protección en su interior. Por su hermosa apariencia exterior, hacen saber al enemigo que no deben ser tocadas. Pero las heliconias que imitan a sus protegidas primas, sólo cuentan con la apariencia de estar protegidas. Se mueven en su paraíso tropical en una vistosa exhibición de algo que no son. Son las verdaderas hipócritas del mundo de las mariposas, porque no tienen la verdadera protección interior. ¡Oh, son hermosas! Danzan a la luz del sol como la mejor de las heliconias que tienen la protección en su interior, pero cuando el enemigo las picotea, lo que sucede de vez en cuando, las devora con rapidez. Las heliconias que tienen la protección interior, casi nunca son pasto de los pájaros, porque éstos perciben de inmediato su mal gusto y las dejan caer. ¿Tienes tú la verdadera protección interior?

VARADOS EN LA ISLA DE ATTU

Y se dirá en aquel día: He aquí, éste es nuestro Dios, le hemos esperado y nos salvará **(Isaías 25: 9).**

La isla de Attu es la isla más distante de la cadena de las islas Aleutianas, en Alaska, y es el punto más occidental de los Estados Unidos. Está situada tan lejos al occidente, que en realidad pertenece al hemisferio oriental, si lo puedes entender.

En la primavera de 1978, varios de nosotros visitamos la isla de Attu para estudiar la migración de las aves y gozar de la belleza de esta parte remota del mundo de Dios. Las únicas personas que ocupan la isla en forma permanente son varias docenas de hombres asignados en forma temporaria a una estación de guardacostas. De lo contrario, las únicas cosas vivientes son las aves, algunos zorros importados, varios arbolitos plantados durante la Segunda Guerra Mundial y un suelo interminable cubierto de plantas características de la tundra. Originalmente habíamos planeado permanecer dos semanas, pero el tiempo se puso tan feo que todos, excepto uno, decidimos partir en el undécimo día. Había una pista en la isla, pero sin radar ni luces, de manera que el piloto del avión tenía que poder ver todo claramente para aterrizar. A menudo, por varios días seguidos, Attu está cubierta con una niebla tan densa que no puede aterrizar ningún avión.

Estaba lloviznando el día que teníamos que partir y una densa niebla envolvía la isla. Temíamos que el avión, que venía de Anchorage, ciudad distante 2.240 kilómetros (1.400 millas) al este, no pudiera aterrizar y tuviera que irse sin nosotros. A medida que se acercaba la hora de la llegada del avión, pensé acerca de las formas como estábamos varados en este mundo. No había forma de salir de la isla de Attu excepto por avión. No hay forma de salir de este mundo excepto por medio de Jesús.

Con ojos ansiosos miré hacia el cielo y alabé al Señor, cuando, en la última hora, la niebla se despejó lo suficiente como para permitir que el sol brillara y que hubiera suficiente visibilidad para que aterrizara el avión. Primero oímos el ruido del avión y después lo vimos venir a través de la dorada bruma del claro en el espacio. Todos los que estábamos esperando aplaudimos, y pensé cuánto más significado tendrá aplaudir cuando Jesús venga en las nubes del cielo.

Mayo 17

EL "PEZ 21 GRADOS AL NORTE DEL RESPIRADERO"

Si se escondieren en la cumbre del Carmelo, allí los buscaré y los tomaré; y aunque se escondieren de delante de mis ojos en lo profundo del mar, allí mandaré a la serpiente y los morderá **(Amós 9:3).**

Amós está hablando de la habilidad absoluta que Dios tiene para ubicar a sus criaturas sobre la tierra. Aunque es muy probable que Amós conociera poco acerca de los océanos, ciertamente Dios era conocedor de las profundidades del mar. El único mar que los escritores bíblicos conocían bien es el mar Mediterráneo, pero como en aquel tiempo no existían los submarinos ni otros medios para descender hasta el fondo, se refieren al mar como un lugar donde el fondo era tan profundo que era conocido sólo por Dios y por las criaturas marinas que él había creado. Ellos nunca podrían imaginarse la profundidad que podría tener.

Aún hay millones de kilómetros cuadrados de las profundidades del océano que no sólo están sin explorar, sino que ni siquiera han sido tocadas, y nadie sabe lo que puede haber allí. Cada año se encuentran cosas nuevas y sorprendentes en el fondo de los océanos. Por ejemplo, recientemente fueron sacados de una profundidad de 2.950 metros (8.500 pies), a unos 192 kilómetros (120 millas) del extremo de la Baja California, tres peces que no se parecían a ninguno otro visto antes; pero murieron al sacarlos a la superficie, de modo que sus costumbres permanecen desconocidas. Todo lo que se sabe acerca de ellos es que son de un color rosado claro, que miden entre 20 y 30 centímetros de largo (de 8 a 12 pulgadas), y que tienen dos manchas oculares y dientes pequeños y muy agudos.

Como fueron sacados cerca de los respiraderos volcánicos de agua caliente que hay en el fondo del océano, a 21 grados de latitud al norte del ecuador, se los ha llamado "pez 21 grados al norte del respiradero". Cuando se los pueda estudiar en forma más completa, probablemente recibirán un nombre más apropiado, pero por ahora fueron llamados así.

El ojo del Creador, que todo lo ve, sabe todo acerca de estos peces que viven en las profundidades del mar. Jesús sabe por qué están allí, qué comen, y cómo llegaron a ese habitat. ¡El conoce todo!

MUDARSE O NO MUDARSE: ESA ES LA DISPARATADA CUESTION

***Pero evita las cuestiones necias, y genealogías, y contenciones, y discusiones acerca de la ley; porque son vanas y sin provecho* (Tito 3:9).**

Es sorprendente cuántas cuestiones disparatadas podemos encontrar nada más que para hacer escándalo. Si te detienes a oír la mayor parte de los argumentos, escucharás sin duda las mayores simplezas. Trata de hacerlo alguna vez. Sucede en la familia, en la iglesia, en el gobierno y también entre gobiernos. Los asuntos básicos raramente se los discute. Los debates generalmente degeneran rápidamente a contenciones vanas y sin provecho acerca de cuestiones necias o sin importancia. Las hormigas nos proporcionan un buen ejemplo, cuando deciden, por alguna razón que hasta ahora nadie ha sido capaz de explicar, que desean trasladar el nido.

Generalmente es un pequeño grupo de hormigas radicales de la colonia, las que desean trasladarse. Por algunas razones que todavía desconocemos, esta minoría ha encontrado otro sitio para anidar y desean que éste sea su nuevo hogar. Así que empiezan tomando los muebles, los huevos, las larvas de hormiga y los capullos de oruga y comienzan a trasladarlos a la nueva vivienda.

Ahora bien, las hormigas conservadoras, o sea, las que no desean trasladarse, no quieren que sus muebles y sus crías salgan, pero cuando se dan cuenta de lo que ha sucedido, las promotoras ya han partido con una carga o dos del precioso contenido. Así que van tras ellas y vuelven a traer lo que perdieron. Para no ser vencidas tan fácilmente, las promotoras del cambio vuelven, toman otra vez la carga y la acarrean afuera. Pronto todo el nido está ocupado en esta sorprendente tontería. La colonia entera de hormigas está sobre un rastro, llevando el contenido del nido a un lado o al otro. Y aun se cruzan unas con otras en el camino. Dos corrientes de hormigas, llevando la misma carga, un grupo llevándola afuera, el otro trayéndola adentro. Al igual que las personas que tienen una disputa, ni siquiera saben por qué están luchando. Esta contienda puede seguir así por días, pero eventualmente uno de los dos bandos se cansa de esta acción sin provecho y desiste.

Mayo 19

PLANTAS INDICADORAS

***Porque será como el árbol plantado junto a las aguas, que junto a la corriente echará sus raíces, y no verá cuando viene el calor, sino que su hoja estará verde; y en el año de sequía no se fatigará, ni dejará de dar fruto* (Jeremías 17: 8).**

En la Biblia, Dios ha usado las plantas, particularmente los árboles, para ejemplificar diversas clases de personas, la clase que deberíamos ser y la que deberíamos evitar de ser. Tú no vas a tener ninguna dificultad en reconocer la clase de personas que se describen en nuestro texto, porque son semejantes a un árbol bien regado.

También se pueden usar las plantas para indicar la presencia de ciertos minerales en el suelo donde crecen. Estas plantas se las llama, plantas indicadoras. Los exploradores y los habitantes de los lugares secos del mundo, aprenden rápidamente a ubicar el agua observando las plantas indicadoras. Por ejemplo, en Asia central una planta llamada amargura siria ha sido usada por miles de años para encontrar agua y algunas veces a una profundidad de 30 metros (100 pies) debajo de la superficie.

En 1810 un geólogo observó áreas en el límite de los estados de Maryland y Pensilvania, donde la hojas del acebo eran amarillas con venas verdes. Supuso que estas plantas de acebo se estaban alimentando con elevadas concentraciones de uno o más minerales subterráneos. El geólogo tenía razón. El mineral era cromita, un mineral metalífero que contiene cromo, que más tarde fue explotado comercialmente.

Los hombres de ciencia han aprendido a leer las plantas para descubrir vetas de un gran número de minerales. Por ejemplo, grandes cantidades de níquel o de cobalto producirán manchas blancas en las hojas. El suelo rico en manganeso producirá plantas de un tamaño mayor que el normal. Donde hay uranio las plantas serán o muy pequeñas o muy grandes. En los primeros días de exploración para el desarrollo de la energía atómica, se usaron plantas como indicadores primarios de uranio en el oeste de los Estados Unidos.

¿Sabías tú que nuestras vidas también revelan de qué nos hemos estado alimentando? Jesús dijo: "Porque de la abundancia del corazón habla la boca" (Mateo 12: 34).

EL LAGO DE LOT

***Todos estos se juntaron en el valle de Sidim, que es el Mar Salado... Tomaron también a Lot, hijo del hermano de Abram, que moraba en Sodoma, y sus bienes, y se fueron* (Génesis 14: 3, 12).**

El Mar Muerto es una de las maravillas naturales del mundo. Los árabes lo llaman el lago de Lot, porque ocupa una gran parte de lo que una vez fue la fértil llanura que Lot eligió para establecer el hogar de su familia. Fue allí donde una lluvia de fuego y azufre destruyó la maldad de las ciudades de la llanura. Pero primero, Dios proporcionó una vía de escape para Lot y para todos los que quisieran unirse con él abandonando las ciudades. El grado de maldad que había en aquellas ciudades tal vez se pueda ilustrar con el hecho de que aun los ángeles enviados del cielo pudieron convencer sólo a Lot, su mujer y dos hijas para que abandonaran Sodoma. Aun la esposa de Lot detestaba irse, y en su deseo de permanecer en la ciudad, se fue rezagando y quedó convertida en una estatua de sal.

No sabemos exactamente lo que sucedió aquel día en aquella llanura, pero aparentemente los resultados dejaron una profunda depresión, sin ninguna salida al mar. La depresión se llenó con agua que hoy en día se llama el Mar Muerto, a 296 metros (1.300 pies) por debajo del nivel del mar.

Del río Jordán y de otros arroyos que desembocan en él, el Mar Muerto recibe un promedio de unos 6 millones y medio de toneladas de agua diariamente. Debido a que la región es tan caliente y seca, se evapora casi una cantidad semejante de agua cada día, de manera que sólo hay un aumento insignificante en el tamaño del lago. Mientras que el agua se evapora, los minerales quedan, por lo que ahora contiene tanta sal que es imposible que una persona se hunda en el agua. Literalmente, tú puedes flotar en la posición de sentado, con tu cabeza, hombros y pies, fuera del agua.

Se nos dice que en los últimos días todo el mundo será tan malvado como Sodoma. Nuevamente Dios ha enviado sus ángeles (tres de ellos, Apocalipsis 14) para amonestarnos de la destrucción venidera. Esta vez el resultado será una tierra muerta, no justamente un lago. ¿Cuántos de nosotros estamos listos a dejar el mundo sin mirar para atrás?

Mayo 21

SUNDI

***Porque el Señor mismo con voz de mando, con voz de arcángel, y con trompeta de Dios, descenderá del cielo; y los muertos en Cristo resucitarán primero* (1 Tesalonicenses 4: 16).**

Permite que te cuente la historia de Sundi, un vencejo imperial hembra que se quebró un ala al chocar en su vuelo contra la pared de una casa en Wisconsin, en la tarde de un domingo de agosto. Fue rescatada por una pareja vecina.

Ya estaba terminando el verano, y los parientes de Sundi que vivían en las casas para vencejos que había en el patio, iban a partir pronto hacia el sur. Su ala no se curó lo suficientemente rápido para que se les uniera, pero con la ayuda de un veterinario muy bondadoso, Sundi mejoró rápidamente y antes de mucho podía posarse en el cerco y gorjear con los otros vencejos. Pronto se fueron los vencejos, o así lo creyó la gente. Un día colocaron a Sundi afuera y con un grabador tocaron una grabación de sus gorjeos, para que se sintiera en casa. De repente, aparecieron diez vencejos que se posaron en un cable y comenzaron a gorjear. Colocaron a Sundi en la casa para los vencejos, y los otros vencejos revolotearon alrededor, descendiendo en vuelo rápido delante de ella y gorjeando con excitación, como invitándola a que se les uniera en su viaje hacia el sur. Sundi abrió las alas y trató de volar, pero no pudo hacerlo, de modo que se puso a revolotear por el suelo. Los vencejos la dejaron y Sundi continuó mejorando.

Ella trataba de volar varias veces al día. Cada día lo hacía algo mejor y antes de mucho, podía volar unos dos metros y medio (8 pies). Pero un día Sundi se estrelló contra la pared durante uno de sus ejercicios de vuelo, recibió heridas internas, y murió en su jaula.

Sundi había sido un miembro de la familia por sólo 40 días. Había hecho todo esfuerzo posible en su intento por volver a volar. Algunos de los hijos de Dios en esta tierra, están con nosotros sólo por un corto tiempo, pero nos dan tanto, que miramos hacia el futuro con gran anhelo, anticipando el gozo que conoceremos cuando nos encontremos en el día de la resurrección.

UNA ORBITA DE GRAN PRECISION

***Porque sol y escudo es Jehová Dios; gracia y gloria dará Jehová. No quitará el bien a los que andan en integridad* (Salmo 84: 11).**

Como tú sabes, la tierra gira alrededor del sol. La órbita elíptica que el planeta tierra recorre en su viaje alrededor del sol es sumamente precisa. De hecho, es tanta su precisión que aun es difícil imaginársela. Permíteme explicarlo.

Al moverse la tierra a través del espacio, esta gigantesca esfera de roca, agua, suciedad y todo lo demás, también da vueltas, rotando como un trompo. Aprendí en la clase de astronomía que la tierra también se mueve en otras formas, pero por ahora es suficiente que hagamos rotar nuestras cabezas cuando tratamos de imaginarnos cómo funciona con sólo dos clases de movimientos. De manera que la tierra que gira sobre sí misma, se mueve a través del espacio sobre una línea imaginaria que la lleva a dar la vuelta alrededor del sol en un año. Bien, seguramente debe desviarse un poquito al moverse por el espacio, después de todo tiene un diámetro de 40.000 kilómetros (25.000 millas), está girando y la luna la atrae, haciendo que los billones de toneladas de agua se muevan de arriba abajo. ¡Con seguridad que debe balancearse un poquito fuera de la línea!

Bueno, la tierra varía levemente en su recorrido, y no sigue exactamente la línea de la elipsis. De hecho, la tierra se aparta de su órbita unos 2,8 milímetros (la novena parte de una pulgada) cada 29 kilómetros (18 millas). ¡Eso es exactitud! Es decir, 2,54 centímetros (una pulgada) en 260 kilómetros (162 millas). Pero esa variación es parte de la órbita exacta que sigue la tierra. En otras palabras, se supone que se balancee, pero se balancea con exactitud.

Si la tierra se desviara fuera de la línea solamente unos 3,17 milímetros (la octava parte de una pulgada), cada 29 kilómetros, nos abrasaríamos. Y si se desviara de la elipsis sólo 2,54 milímetros (la décima parte de una pulgada) cada 29 kilómetros, nos congelaríamos. Para que la vida continúe en el planeta tierra, la órbita debe estar un poco desviada de la elipsis, exactamente 2,8 milímetros, cada 29 kilómetros de su órbita alrededor del sol.

Estoy seguro que con esa clase de exactitud en su haber, puedo depender del Señor para que provea a todas mis necesidades.

Mayo 23

EL HUEVO PERDIDO

Nada hagáis por contienda o por vanagloria; antes bien con humildad, estimando cada uno a los demás como superiores a él mismo **(Filipenses 2: 3).**

El cóndor de California, una de las aves voladoras más grandes de América del Norte, casi está a punto de desaparecer. Pronto puede suceder que no quede ninguno. No existen más que unas dos docenas que viven en los escabrosos montes de la parte sur de California. En tiempos pasados, esta especie se extendía a lo largo de casi todo el oeste, pero los cóndores de California aman la soledad y no se reproducen bien donde hay gente que los perturbe, y justamente ahora hay demasiada gente a su alrededor como para que se adapten.

El gobierno ha contratado a hombres de ciencia para ver si es posible salvar a esta magnífica ave de la extinción. Estos científicos tuvieron que observarlos sin inquietarlos, de manera que establecieron puestos de observación ocultos a gran distancia de donde se sabe que anidan estas aves. Los hombres de ciencia permanecen en esos escondrijos día tras día y usan telescopios para observar a los cóndores.

En el invierno de los años 1981-1982, entre todos ellos sólo pusieron un huevo. Lo pusieron en un nido que estaba situado en una cueva superficial al borde de un risco. Desde su lugar secreto ubicado a casi 800 metros (media milla) los hombres de ciencia observaron el nido con el huevo. Estaban entusiasmados porque al fin habría otro cóndor californiano, pero imprevistamente sucedió algo.

La pareja que había puesto aquel huevo solitario comenzó a pelear para ver quién de los dos lo empollaría.

"Es mío, yo lo puse", dijo la señora cóndor.

"Pero ahora me toca a mí", dijo el señor cóndor.

Pasaron varios días riñendo, y luego, como suele suceder, de las palabras pasaron a los hechos, de la bulla pasaron a los empujones y las dos aves comenzaron a maltratarse por el huevo. La lucha llegó a ser tan intensa que empujaron el huevo hasta el borde del barranco, y de pronto el huevo cayó por el borde y se deshizo contra las rocas del fondo. Los cuervos tuvieron huevo fresco de cóndor para el almuerzo.

¿Crees que valió la pena la disputa de aquellos cóndores para perder el único huevo que habían puesto en varios años?

PARTICULAS VELOCES

***Al principio de tus ruegos fue dada la orden, y yo he venido para enseñártela, porque tú eres muy amado. Entiende, pues, la orden, y entiende la visión* (Daniel 9: 23).**

Este texto muestra la existencia de alguna fantástica ley natural de la cual no sabemos nada. Daniel había estado orando. Su oración empieza en el versículo 4 y cuando llegó al 21, el ángel Gabriel viene y le dice: "Cuando comenzaste la oración, se me ordenó que viniera y te explicara la visión que te perturba, y aquí estoy".

No importa cómo la leas, la oración de Daniel no te llevará más que unos minutos y hay dos períodos de tiempo implícitos en el mensaje del ángel. Primero, ¿cuánto tiempo tardó en llegar al cielo la oración de Daniel? El ángel dijo, "al principio de tus ruegos fue dada la orden". Eso quiere decir que la oración de Daniel fue transmitida instantáneamente al cielo, y en el mismo instante se dio la orden desde el trono de Dios al ángel Gabriel. Ahora bien, suponemos que Gabriel estaba al lado del trono de Dios, pero el ángel también podía haber estado en cualquier lugar del universo, cumpliendo otra misión requerida por Dios. De cualquier modo, Gabriel recibió el mensaje al comienzo de la oración de Daniel y con toda probabilidad se dirigió de inmediato al planeta tierra, llegando varios minutos después. Hasta hace poco tiempo la ciencia ni siquiera tenía un teoría para explicar tal velocidad en los viajes espaciales, mucho menos para explicar la instantánea recepción de la oración de Daniel en el cielo.

Hace poco tiempo, un hombre de ciencia de la Universidad de Columbia sugirió que existen ciertos rayos hasta ahora desconocidos en el universo. De acuerdo a esta teoría, la velocidad más baja a la cual pueden viajar estos rayos es la velocidad de la luz, o sea 300.000 kilómetros por segundo (186.000 millas). Sin embargo, no se conoce el límite máximo de velocidad de esta partícula. Eso significa que sería posible para una de esas partículas dejar la tierra y estar en cualquier parte del universo en forma instantánea. Yo no puedo entenderlo, pero sé que Jesús oye y contesta mis oraciones, y se me hace difícil esperar para preguntarle cómo hace él eso.

Mayo 25

EL MONTE QUE EXPLOTO

***Por tanto, también vosotros estad preparados; porque el Hijo del Hombre vendrá a la hora que no pensáis* (Mateo 24: 44).**

Exactamente a las 8:31 de la mañana del día 18 de mayo de 1980, explotó el monte Saint Helens con una fuerza 500 veces superior a la de la bomba atómica que terminó la Segunda Guerra Mundial. Toda la cima del monte desapareció dejándolo 396 metros (1.300 pies) más bajo. Una nube de cenizas se elevó a la altura de 19 kilómetros (12 millas) por encima del monte y tremendas cantidades de barro compuesto de ceniza mezclada con nieve, comenzaron a deslizarse por las laderas estrellándose con estrépito a través de los valles y causando muerte y destrucción más allá de lo imaginable. Lo que este fango no pudo destruir, lo hicieron las nubes de ceniza y de gas tóxico.

Harry Truman vivía con sus 16 gatos justamente a 8 kilómetros (5 millas) al norte del monte. Al hacerse cada vez más patente la amenaza de una erupción, se le dijo repentinamente que se fuera, pero su contestación fue: "Nadie conoce más acerca de esta montaña que yo y no se va a atrever a explotar sobre mí". En la víspera de la erupción, Harry estaba regando su césped, sin preocuparse aparentemente por el peligro. Nadie lo volvió a ver, ni a él ni a sus gatos. A la siguiente mañana, la hermosa casa que tenía junto al Spirit Lake, no era nada más que una masa hirviente de lodo verde y agua.

David Crockett, un camarógrafo de la televisión, estaba al pie del monte Saint Helens cuando explotó. Escuchó el rugido y miró hacia arriba y contempló cómo un banco de lodo se dirigía hacia él . Debido a que se encontraba en un terreno un poco elevado, el muro de lodo embravecido se dividió en dos y barrió con todo por ambos lados de donde él estaba. Al asentarse sobre él la nube de ceniza, grabó estas palabras en su grabadora: "Estoy caminando hacia la única luz que veo... Puedo oír cómo retumba el monte... La ceniza...quema mis ojos... Es muy, pero muy difícil respirar y está muy oscuro. Si sólo pudiera respirar aire. Señor, ¡dame una pausa!... O está oscuro, o estoy muerto. Señor, ¡quiero vivir!" Crockett vivió. Fue alzado por un helicóptero de rescate diez horas más tarde.

Pronto vendrá Jesús. Ya escuchamos los estruendos. Debemos alistarnos. No podremos sobrevivir si ignoramos las amonestaciones, como no sobrevivió Harry Truman. Y, al igual que David Crockett, debemos dirigirnos hacia la única luz que podemos ver en este mundo oscuro, y esa luz es Jesús.

PLATILLOS VOLADORES CON PLUMAS

***Entonces aparecerá la señal del Hijo del Hombre en el cielo; y entonces lamentarán todas las tribus de la tierra, y verán al Hijo del Hombre viniendo sobre las nubes del cielo, con poder y gran gloria* (Mateo 24: 30).**

Un día de primavera, cuando andaba observando pájaros en la costa sur de Texas, vi lo que parecía una pequeñísima nube redonda en el cielo, sobre el mar. Avanzaba y parecía que se acercaba. Por medio de mis binoculares pude ver que la oscura nubecilla se sacudía ligeramente al avanzar. Después vi otra más lejos, y otra más. Estas nubes estaban tan lejos, que apenas las divisaba, pero parecía que todas venían acercándose a tierra. Cuando estuvieron lo suficientemente cerca, pude ver que estaban compuestas de centenares de manchitas, ¡eran pájaros! Nunca antes había visto tantos pájaros volando en bandadas como esta vez.

Una de estas bandadas de pájaros pasó velozmente cerca de mí y se posó en un árbol cercano. Finalmente, pude identificarlos como pinzones, avecillas del tamaño de un gorrión que viven en la parte central de los Estados Unidos y que invernan desde el sur de Méjico hasta Sudamérica. Los pinzones iban de regreso a su residencia veraniega. Pero, ¿cuál era el significado de su vuelo en forma de bandada esférica? Había visto muchos pinzones antes, pero no había captado esta forma de actuar.

La investigación ha revelado que cuando los pájaros vuelan en un grupo compacto conservan energía para vuelos de largo alcance sobre el mar, donde no hay nada para comer. Cuando los pájaros vuelan como si fueran uno solo, usan una de las leyes de la aerodinámica de vuelo: cada pájaro en la bandada trabaja menos que si volara solo. La forma esférica es especialmente apropiada para dar a la bandada la mayor cantidad de eficiencia de vuelo. En un sentido muy real, la bandada es una sola unidad: un plato volador con plumas.

Cuando Jesús venga, primero veremos una pequeña nube a la distancia. A medida que se vaya acercando, distinguiremos miles y miles de ángeles acompañándolo, todos volando juntos como una nave espacial etérea, viniendo para llevarnos a nuestra residencia eterna en el cielo.

Mayo 27

EL CAMALEON Y EL COLOR

***¿Mudará el etíope su piel, y el leopardo sus manchas? Así también, ¿podréis vosotros hacer bien, estando habituados a hacer mal?* (Jeremías 13:23).**

Todos hemos oído que los camaleones pueden protegerse cambiando el color para confundirse con el medio ambiente; pero en realidad, no tienen la habilidad para cambiar de color a voluntad. En vez de eso, las emociones y la temperatura del aire son las que controlan el color de la piel del camaleón. Los camaleones de las diversas familias tienen colores diferents, pero básicamente los colores del camaleón cambian de claro a oscuro, dependiendo de cómo usa una sustancia química llamada melanina que tiene en las células de la piel.

La melanina también se encuentra en la piel de los seres humanos, y la cantidad varía según la raza y la herencia. En el camaleón, las moléculas de melanina pueden agruparse en un lugar o diseminarse homogéneamente en las células epiteliales. La piel del camaleón está compuesta por un cierto número de capas, y la acción de la melanina en las diferentes capas determina el color. Los camaleones de una familia, por ejemplo, se volverán amarillos cuando el tiempo es muy cálido y color gris mate si el tiempo está frío. Si se acerca un intruso, el camaleón se vuelve pálido, y en una pelea el perdedor manifiesta su derrota volviéndose negro. Estos colores no tienen mucho que ver con el medio ambiente que rodee la rama en la que el camaleón está posado.

Hasta cierto punto, los seres humanos pueden cambiar su color. Algunos de nosotros podemos tostarnos, pero el proceso lleva cierto tiempo. Algunas veces nos abochornamos, y nuestro rostro y cuello enrojecen. Cuando nos asustamos nos volvemos pálidos y cuando tenemos mucho frío nos ponemos azulados. Todos estos colores son producidos por los cambios en la acción de nuestra sangre que corre justo debajo de la piel, pero no podemos cambiar el color de nuestra piel como lo hace el camaleón, cambiando la concentración de la melanina.

El texto para hoy nos dice que nosotros como pecadores no podemos por nuestras propias fuerzas hacer el bien, de la misma manera que no podemos cambiar el color de nuestra piel. Pero el camaleón nos muestra que el Creador ha hecho provisión para el cambio y Jesús ha prometido morar en nuestras vidas por medio de su Espíritu para cambiarnos desde adentro. Cuando eso suceda, no será meramente una experiencia emocional: será una experiencia permanente. ¿La has experimentado ya?

LAS CACHIPOLLAS O EFIMERAS

***Mas, oh amados, no ignoréis esto: que para con el Señor un día es como mil años y mil años como un día* (2 Pedro 3:8).**

La palabra "efímero" significa que algo dura sólo muy poco tiempo, tal vez sólo un día, y luego desaparece. Algunas flores son efímeras porque florecen una mañana y cierran sus capullos esa misma tarde, para no volverse a abrir jamás. Cuando colocamos la palabra efímero junto con la palabra griega para ala, "ptera" tenemos la palabra efemerópteros que es el nombre científico para un grupo de insectos alados que viven solamente un día. Estos insectos son las cachipollas o efímeras. En realidad, las cachipollas viven bajo el agua durante varios años como larvas, o criaturas parecidas a los gusanos, pero en el gran día, cuando crecen y llegan a ser adultas, se convierten en efímeras.

Arrastrándose fuera del agua, las larvas de la cachipolla emergen de sus viejos cuerpos y despliegan sus alas que brillan tenuemente al volar. Tienen menos de 24 horas para completar el ciclo del apareamiento. Ponen los huevos y después, de acuerdo a su efímera naturaleza, la cachipolla adulta muere. Esto parece una triste historia de amor, pero así sucede con las cachipollas. Los huevos madurarán y las crías comenzarán de nuevo el ciclo en sus viviendas acuáticas.

Comparado con las cachipollas, otros animales viven mucho tiempo. El récord de longevidad en un animal lo posee la tortuga de Marion, que vivió 152 años o más. Por supuesto, eso no es nada si lo comparamos con la edad de Matusalén que tenía 969 años cuando murió (Génesis 5:27).

Pero comparado con la eternidad, aun la edad de Matusalén no fue más que un día. Aunque vivió casi mil años, la Biblia nos dice que todo ese tiempo es como un día para Dios. Un día es todo lo que la cachipolla necesita para completar su misión, y toda la vida es suficiente para completar la tarea que Dios nos da a cada uno. La cantidad de tiempo no tiene tanto que ver, como la manera como lo usamos para cumplir el propósito de Dios para nuestras vidas.

Mayo 29

KOJAK, EL GATO CAZADOR

***Pues la Escritura dice: No pondrás bozal al buey que trilla; y: Digno es el obrero de su salario* (1 Timoteo 5:18).**

En verdad, es difícil encontrar un animal que sea vago. Cada criatura tiene su obra que hacer y la lleva a cabo con determinación. Tal vez las excepciones más notables sean los animales domesticados y mimados que tiene el hombre. No es raro ver a un animal así, sea perro o gato, que no hace nada sino permanecer acostado casi todo el día. Supongo que no hay nada particularmente malo en eso, excepto que el Creador le dio a cada ser creado una tarea que hacer, y después que entró el pecado en el mundo, el trabajo llegó a ser más importante, en parte como una manera para mantenernos ocupados de modo que no nos metiéramos en problemas. Pero volvamos por un minuto a hablar de los perezosos gatos mimados.

¿Sabías tú que el gobierno británico ha tenido gatos en su planilla de pagos por más de cien años? Parece que el sistema postal británico tuvo un problema a mediados del siglo pasado. Los ratones devoraban las cartas. Los empleados del correo trataron de terminar con ellos, usando veneno y trampas, pero los ratones continuaban royendo los diarios más importantes de la nación. En 1868, el director de correos de Londres ordenó que se alquilaran tres gatos para atacar el problema, con un salario semanal de cuatro peniques. "Pero —dijo el secretario—, si el número de los ratones no disminuye en seis meses, los gatos serán despedidos".

Los gatos pusieron manos a la obra. El número de ratas y ratones se redujo en forma tan drástica que el secretario dio su aprobación para alquilar gatos adicionales. Aún ahora hay gatos que trabajan en las oficinas de correos de Londres, pero el sueldo ha aumentado en forma considerable. Uno de los cazadores de ratones mejor pagados es Kojak, un gato rabón que gana una libra esterlina y 80 chelines por semana. Su patrón dice que "casi cada semana Kojak deja una pareja de ratas y una colección de ratones en mi escritorio".

Acuérdate de Kojak y de sus compañeros de trabajo la próxima vez que sientas pereza. Recuerda lo que dijo el sabio: "Todo lo que te viniere a la mano para hacer, hazlo según tus fuerzas" (Eclesiastés 9:10).

GERTRUDIS, LA PATA FAMOSA

***¡Jerusalén, Jerusalén, que matas a los profetas y apedreas a los que te son enviados! ¡Cuántas veces quise juntar a tus hijos, como la gallina a sus polluelos debajo de sus alas, y no quisiste!* (Lucas 13:34).**

Nadie sabe por qué una hembra de ánade silvestre decidió anidar en el centro de la ciudad de Milwaukee, pero el lugar que eligió para empollar sus huevos estaba en la punta de un conjunto de pilotes al lado del puente sobre la calle Main, por donde pasaban más de 80.000 personas cada día. Era en abril de 1945, cerca del fin de la Segunda Guerra Mundial y la gente de Milwaukee estaba preparada para algunas noticias simpáticas. De manera que cuando apareció en el diario local el primer relato acerca de la pata, la apodaron "Gertrudis la Grande" y llegó a convertirse en el foco de la atención por más de un mes. Gertrudis se hizo famosa mundialmente a través de los despachos diarios de la prensa. Las noticias de cada nuevo huevo que ponía salían a relucir en todo el mundo. Los tranvías se detenían para que los pasajeros echaran una mirada a las últimas noticias. Las escuelas hacían viajes al puente. Gertrudis comenzó a recibir regalos.

Desafortunadamente, existía un problema. Cuando las crías rompieran el cascarón, se lanzarían naturalmente al agua, un agua que estaba tan contaminada con petróleo que los patitos ciertamente morirían. Para prevenir esta tragedia, las autoridades de la ciudad ordenaron que grandes bombas comenzaran a surtir más de siete millones y medio de litros de agua (dos millones de galones) fresca del lago por hora para hacer desaparecer el aceite. El 30 de mayo, el desfile realizado para honrar la memoria de los soldados muertos en campaña pasó por el lugar donde Gertrudis tenía el nido lleno de huevos, y a las 5:30 de la tarde salió la gran noticia: ACABA DE NACER EL PRIMER PATITO DE GERTRUDIS. La vigilia se mantuvo toda la noche y el día siguiente, mientras una por una las crías rompían el cascarón. En la mitad de la segunda noche se desató una fuerte tormenta, y el viento lanzó al agua a los patitos recién nacidos. Las cuadrillas de rescate encontraron a la pata y a sus crías. Varios días más tarde, Gertrudis la Grande y su familia fueron trasladadas a un parque de la ciudad.

Jesús nos colocó aquí en esta tierra y el pecado vino y convirtió a este planeta en un lugar muy terrible para vivir. Pero Jesús tomó todas las medidas necesarias para ayudarnos a sobrevivir; y él vela sobre nosotros aun con más amor y devoción que los habitantes de Milwaukee que se preocuparon de Gertrudis.

Mayo 31

¿CUANTOS COLORES?

***Y amaba Israel a José más que a todos sus hijos, porque lo había tenido en su vejez; y le hizo una túnica de diversos colores* (Génesis 37:3).**

Era una túnica muy especial para José, probablemente hecha con muchas piezas diferentes de tejidos de diversos colores. Todos los colores representaban el amor especial que Israel, cuyo nombre también era Jacob, sentía por José. Pienso que fue justamente un amor así el que Dios tuvo por nosotros cuando creó el mundo con tantos colores.

¿Cuántos colores puedes nombrar? Todos conocemos los colores llamados primarios: el azul, el rojo y el amarillo. Podemos mezclarlos para conseguir colores tales como el anaranjado, el morado, el verde y el café. Pero también sabemos que todos estos colores pueden combinarse para conseguir una variedad interminable de matices diferentes.

Los hombres de ciencia han dividido los colores en unos dos millones y medio de matices dentro del espectro visible del color. Cada uno de estos matices tiene su propia longitud de onda electromagnética que lo hace diferente de todos los demás.

Un descubrimiento reciente muy interesante es que cuando cada matiz diferente es visto a través de nuestros ojos, afecta nuestro cerebro de distintas maneras. Parece que Dios creó el color en la naturaleza como una forma de guiar nuestra conducta. Los verdes y los azules relajan el cuerpo, sea que te gusten esos colores o no. Los rojos y los anaranjados estimulan a la acción al cerebro y a todo el cuerpo. ¿Es acaso alguna maravilla que en toda la naturaleza los colores dominantes son el azul del cielo y el verde de las hojas y el césped? Existe muy poca cantidad de color brillante, justo lo necesario para estimularnos al nivel adecuado para la buena salud.

El Dr. Alejandro Schauss ha estudiado los efectos del color e informa que el color rosa calma a los pacientes con trastornos mentales. Como dice él: "Es más barato y mejor que los sedantes". También nos informa que el color naranja estimula el apetito y que el negro tiende a deprimirnos. El Dr. Schauss ha identificado un color que él dice que hace a la gente más robusta, pero teme decir cuál es porque podría ser mal usado.

Dios creó el mundo con una túnica de muchos colores.

EL BENEFICO JABON

Lávame más y más de mi maldad, y límpiame de mi pecado (Salmo 51:2).

¿Sabes tú por qué se usa jabón para la limpieza? El jabón ha sido llamado "agente molecular" entre el agua y el aceite o la grasa. Y lo es porque cuando usamos esta combinación conseguimos realizar la limpieza. Pero tú puedes decir: "Yo no estoy manchado con grasa, y por lo tanto no necesito jabón". A muchos adolescentes les gustaría que les dijeran que no necesitan usar jabón, ¿no te parece? Pero la realidad es que, en mayor o menor medida, todos tenemos algo de grasa en el exterior del cuerpo.

La piel por naturaleza es grasosa. Una de las primeras defensas de nuestro organismo contra las enfermedades es la producción de diversas sustancias en la piel para protegerse de los gérmenes dañinos. De modo que tú y yo tenemos cubierto todo el cuerpo con una delgada capa de aceite y grasa.

Cuando el polvo se mezcla con el aceite natural de la piel, no lo podemos lavar con agua, por lo que necesitamos jabón. El jabón actúa en la siguiente forma: un extremo de la molécula de jabón se une con una molécula de grasa, y el otro extremo se une con una molécula de agua. Así se desintegra la grasa en pequeñísimas partículas que son arrastradas por las moléculas de agua. Es más sencillo de lo que parece, ¿verdad?

Pero si no usas jabón, aunque te restriegues la piel utilizando abundante cantidad de agua, obtendrás muy poca limpieza; podrás inclusive aumentar la cantidad de agua y frotarte con más fuerza, pero sin jabón no lograrás la limpieza deseada. Podrás inclusive pararte bajo una catarata, pero sin jabón seguirás tan sucio como al principio.

Lo mismo sucede con el pecado. Pecamos, y quedamos manchados con acciones sucias hasta que Jesús viene y nos limpia. El perdón de Jesús actúa como el jabón: limpia. Cuando queremos limpiar nuestra vida, podemos tratar interminablemente de conseguir librarnos del pecado, pero sin Jesús todo será un esfuerzo inútil. Porque él venció al pecado, puede lavarnos de nuestra maldad. Si queremos estar limpios debemos aceptar a Jesús.

OIDOS ENVANECIDOS

Escuchad y oíd; no os envanezcáis, pues Jehová ha hablado **(Jeremías 13:15).**

Los oídos forman una unidad con las orejas, y no todos están conformes con las que tienen. Unos piensan que son demasiado grandes o pequeñas, y otros las consideran excesivamente salientes o nada atractivas. Pero ya sea que estemos o no a gusto con nuestras orejas, podemos sufrir de oídos envanecidos. Si rehusamos escuchar algo que es para nuestro bien, pero que por no ser de nuestro agrado lo que se nos dice, evitamos prestarle atención, entonces tenemos oídos envanecidos.

Cuando nuestro hijo Miguel tenía tres años de edad, algunas veces actuaba como si no hubiese escuchado que le decíamos ciertas cosas. Entonces, cuando le preguntábamos: "Miguel, ¿escuchaste?" El respondía sacudiendo la cabeza y decía: "No". El no quería oír, y en su inmadurez decía no haber escuchado, creyendo entonces que podría hacer lo que nosotros le decíamos que no hiciera. Tenía oídos envanecidos, porque no quería escuchar.

No hay muchos sordos, pero hasta ellos pueden tener oídos envanecidos, porque el acto de oír, en el sentido en que hablo, es más "comprender" que la habilidad física de oír sonidos. A continuación haré un comentario que espero que te interese.

Hablando de la capacidad física para escuchar, la cual es maravillosa, permíteme compartir contigo un par de hechos relacionados con los tímpanos. Todos los sonidos que llegan a los oídos son ondas que golpean los tímpanos, o membranas que cierran el canal auditivo, produciendo en ellos vibraciones. Estas vibraciones son recogidas por unos huesecillos del oído interno y transmitidas a un centro nervioso amplificador, y de allí un haz de nervios las lleva al cerebro, donde los sonidos son convertidos en significados que podemos entender.

Es interesante notar que el tímpano humano es tan sensitivo que aun la nota alta más débil que podamos oír, causa vibraciones en el tímpano que tienen el diámetro de un simple átomo de hidrógeno. ¡Dios nos ha dado oídos que pueden oír! Pero nos los dio para que también escuchemos lo que él tiene que decir y actuemos de acuerdo con ello. ¿Oyen tus oídos correctamente, o tienes oídos envanecidos?

EL PAJARO GARRAPATERO Y LA OROPENDOLA

¿Andarán dos juntos, si no estuvieren de acuerdo? **(Amós 3:3).**

En América Central y Sudamérica, dos clases de pájaros han aprendido a vivir juntos de una manera interesante. La oropéndola y el pájaro garrapatero son primos en la familia de los mirlos. La oropéndola construye magníficos nidos semejantes a canastas colgantes que se mecen como péndulos en las ramas de los altos árboles. Estos nidos cuelgan cerca de un metro (tres pies) desde su punto de fijación en la rama, son construidos en forma de colonias, por lo que suelen verse grupos de ellos en un mismo árbol.

El pájaro garrapatero no construye nidos, pero pone sus huevos en los de la oropéndola y deja que ésta críe sus pichones. El huevo del garrapatero le resulta familiar a la oropéndola, porque tiene más o menos el mismo tamaño y forma que el de ésta.

Tener que criar pichones adoptivos, además de los propios, podría considerarse una carga para las oropéndolas. Pero no es así, debido a un hecho interesante que veremos a continuación. Un tipo de moscardón que vive en la misma región que estos pájaros, coloca sus huevos sobre los pichones de la oropéndola, y cuando salen las larvas, éstas matan a los pajaritos y los devoran. Para evitar este problema, las oropéndolas construyen sus nidos cerca de los nidos de abejas y avispas, porque por alguna razón los moscardones no molestan a los pájaros cuando hay abejas y avispas alrededor; pero no hay suficientes nidos de estos insectos para proveer seguridad a todos los nidos de oropéndolas. Aquí es donde los pájaros garrapateros entran en juego. Cuando hay un huevo de garrapatero en un nido, generalmente el pichón se desarrolla más rápido y engulle los huevos de moscardón o sus larvas tan pronto como los encuentra. Así, al dar al pichón del pájaro garrapatero un hogar, las oropéndolas ponen a salvo sus propias crías.

Cuando vemos extraños casos de compañerismo en la naturaleza, no siempre podemos conocer la razón de esa situación, pero existe una explicación. Lo mismo sucede con las personas: hay amigos para cada uno. Puede ser que al principio no nos resulten atractivas algunas personas que nos rodean, pero cuando las entendemos mejor, encontraremos que se convierten en amistades beneficiosas.

Junio 4

LA MULTICOLOR SERPIENTE VERDE DE LOS ARBOLES

***Pero la serpiente era astuta, más que todos los animales del campo que Jehová Dios había hecho; la cual dijo a la mujer: ¿Conque Dios os ha dicho: No comáis de todo árbol del huerto?* (Génesis 3:1).**

En Nueva Guinea vive una detestable boa verde. Pero no siempre es verde, y en esto existe un misterio. Esta serpiente, llamada boa verde de los árboles, no es venenosa y tampoco es grande como las boas en general. Raras veces crece hasta alcanzar más de dos metros (seis pies) de longitud, pero lo cierto es que tiene un genio terrible. Un misterio acerca de este tipo de boa es que de los huevos nacen serpientes que pueden ser de tres colores: azul, amarillo, y café, pero nunca verde. Solamente las serpientes adultas, a partir de un año de edad, son de color verde, no importa qué color tengan al nacer.

Karl Switak fue a Nueva Guinea a recolectar especímenes de estas boas verdes de los árboles para zoológicos de los Estados Unidos. Karl tuvo que ir a las montañas y entrar en contacto con las tribus de aquel lugar, muchas de las cuales eran caníbales; pero necesitaba su ayuda para conseguir las serpientes que buscaba. Cuando les mostró las fotos de diferentes tamaños y coloridos de boas y les dijo que se trataba de las mismas serpientes que cambiaban de colores, los nativos se rieron de él. Ellos conocían bien a la serpiente, pero no podían creer que la café y la amarilla se volvieran verdes.

Los indígenas de la tribu le llevaron a Karl toda suerte de animalitos silvestres mientras buscaban estas serpientes. Y todo lo que él no quiso, ellos se lo comieron: víboras, ratones, y cualquier otra cosa. Karl dice en su relato: "Ellos no tienen supermercados donde comprar su comida".

Cuando le llevaron la primera boa verde de los árboles, Karl abrió la jaula sin mayor precaución y la serpiente le mordió la nariz. Por supuesto, desde entonces fue más cuidadoso. En el camino de regreso, una de las hembras puso doce huevos, de los cuales salieron diez pequeñas serpientes color café y dos amarillas.

¿Te parece que, hablando figuradamente, la serpiente también le mordió la nariz a Eva en el Edén?

UNA LUZ LLAMADA LUCIFERINA

***¡Cómo caíste del cielo, oh Lucero, hijo de la mañana! Cortado fuiste por tierra, tú que debilitabas a las naciones* (Isaías 14:12).**

Lucifer significa "portador de luz", y antes de caer en el pecado este hijo de la mañana ocupaba un lugar junto al trono de Dios. La luz producida por las luciérnagas, a veces es llamada "luciferina", porque también es una luz transportada.

Las luciérnagas tienen células especiales llamadas fotocitos que van conectadas a pequeños tubos de aire que proveen oxígeno para producir destellos de luz. En los fotocitos hay sustancias químicas que pueden ser activadas mediante un nervio, y cuando la luciérnaga quiere comenzar a producir destellos, envía mensajes eléctricos por medio de los nervios a los fotocitos, con lo que se abren los tubos de aire en el momento exacto para que provean el oxígeno necesario. Como resultado, las sustancias químicas reaccionan y se convierten en moléculas de gran energía. Luego la luciérnaga interrumpe el flujo de energía eléctrica nerviosa, con lo que se acorta la provisión de oxígeno. La molécula cargada de gran energía se desintegra, con lo que las sustancias químicas regresan a un estado de baja energía, y esta secuencia produce los destellos de luz, que tú puedes ver en las noches de verano.

Hay cerca de mil diferentes clases de luciérnagas en el mundo, y cada una de ellas tiene su propia y peculiar manera de brillar, diferente por el número de destellos que realiza por minuto y el intervalo entre cada uno de estos destellos.

Un interesante aspecto de la luz producida por las luciérnagas es que los destellos son fríos, mientras que la luz eléctrica genera calor. Yo pienso que es muy significativo que a la luz fría se la denomine luciferina, relacionándola con Satanás, en tanto que a la luz caliente se la asocia con Jesús, el cual nos dice que él es la luz del mundo. En los últimos días Satanás aparecerá como un ángel de luz que pretenderá engañar a los rectos y tratará de hacerles creer que él tiene la verdad. Pero su mensaje será frío y carecerá del cálido amor de Jesús.

Junio 6

PLANTAS QUE GOLPEAN

***Dios, Dios mío eres tú; de madrugada te buscaré; mi alma tiene sed de ti, mi carne te anhela, en tierra seca y árida donde no hay aguas* (Salmo 63:1).**

Algunas plantas avisan cuando tienen mucha sed. Un botánico australiano llamado Juan Milburn descubrió esto no hace mucho mientras escuchaba a las semillas del risino. ¿Qué dicen estas plantas? Dicen: "click"; eso es todo lo que dicen las plantas por medio de un micrófono especial fijado sobre los tallos. El minimicrófono del Dr. Milburn es tan sensible que él lo prueba golpeándolo con un cabello humano. Pero es tan poderoso que puede captar con facilidad los tenues sonidos cuando se lo coloca en el tallo de una planta. Cuando el vegetal "habla" haciendo click, el receptor lo capta con toda claridad y lo transmite como si fuera el ruido producido por dos maderas que se golpean. A la vez, el sonido es amplificado de tal forma que el Dr. Milburn tampoco tiene problema para oírlo. Ahora bien, ¿cómo puede la planta producir esos clicks?

Toda planta tiene unos pequeños tubitos llamados alvéolos leñosos, que llevan agua desde las raíces hasta las hojas. Cuando hay abundancia de agua donde está plantada, los tubos se llenan y literalmente la planta levanta el agua desde las raíces y la esparce en las ramas. En cambio, durante la sequía, los tubos se vacían; pero la planta trata de elevar agua desde las raíces, cuando en realidad no la hay. El vegetal realiza tal esfuerzo en esas condiciones que los tubos se rompen, produciendo un chasquido que el Dr. Milburn oye como un "click" mediante su micrófono.

Las plantas nos dan un maravilloso ejemplo de fe. Ellas nunca renuncian en su esfuerzo por conseguir agua. Jesús nos ha prometido el agua de la vida por medio del Espíritu Santo, y nosotros solamente necesitamos pedirlo. Pero a veces nos desanimamos y es lo mismo que si tal agua no existiera. David anhelaba a Jesús tanto como un sediento en el desierto desea agua.

Jesús ha prometido que cualquiera puede tomar el agua de la vida libremente, pero a veces nosotros tenemos que estar totalmente sedientos antes de darnos cuenta de nuestra necesidad de agua vivificadora.

EL GRAJO Y EL ESTORNINO

***Mas Dios muestra su amor para con nosotros, en que siendo aún pecadores, Cristo murió por nosotros* (Romanos 5:8).**

En el Estado de Texas hay gran cantidad de grajos de cola larga, que son pájaros ruidosos un poco más pequeños que los cuervos, pero negros como éstos. Los grajos no solamente tienen admirables colas grandes, sino también un voraz apetito. Hay millones de ellos, y andan alrededor de las ciudades y pueblos devorando insectos, basuras de diferente tipo, y también pajarillos si los pueden cazar. Si encuentran nidos de pájaros cuando los padres están ausentes, los grajos se comerán gustosamente a todos los pichones. Así, mientras estos atrevidos y agresivos pájaros pueden tener admirables e impresionantes colas, son también conocidos por su comportamiento dañino.

Un día lluvioso mientras manejaba por una calle de una ciudad, un grajo voló repentinamente frente a mi automóvil y cruzó la calle para atacar a un pichón de estornino que yacía desamparado y mojado en la cuneta. El pequeño estornino saltaba con toda energía tratando de salir de la cuneta. Si lograba alcanzar el borde de la misma podría esconderse entre los arbustos y ponerse a salvo. Pero el grajo lo arrebató justo cuando yo cruzaba. Al pasar mi auto salpicó agua, lo que asustó a los dos pájaros. El grajo se alejó volando y el pichón de estornino alcanzó el borde, salvándose.

Todo esto sucedió en cuestión de pocos segundos. Yo socorrí al pequeño estornino pasando a propósito sobre un charco para que salpicara el agua, sabiendo que cuando creciera se convertiría también en un pájaro agresivo, capaz de arrojar de sus nidos a otros pajarillos para vivir entre ellos. Pero por el momento no deseaba que le ocurriera ningún daño a ese polluelo, y me sentí contento porque con mi automóvil lo ayudé en tal situación.

En esas circunstancias pensé en Jesús, quien nos ama de tal manera que murió para salvarnos, aunque cuando crezcamos podamos llegar a ser pillos y rebeldes. Cuando el demonio tentó a Adán y Eva en el Edén, creyó que los había asegurado bajo su poder. Pero Jesús proveyó una vía por la cual no solamente ellos pudieron salir, sino que también cada uno de nosotros puede ser librado del enemigo.

Junio 8

UNA PRADERA O UNA SOLA FLOR

***¿No has sabido, no has oído que el Dios eterno es Jehová, el cual creó los confines de la tierra? No desfallece, ni se fatiga con cansancio, y su entendimiento no hay quien lo alcance* (Isaías 40:28).**

Mi lugar favorito es un vallecito situado en las montañas. No pienso en ninguno en forma particular porque cualquiera me sirve lo mismo. Lo que me interesa es que sea tranquilo. Pero tengo un problema en relación con el valle, que quiero compartir contigo. ¿Debo concentrarme en todo el valle o en una sola flor?

Hay numerosas sensaciones que uno puede experimentar en un lugar como ése. Puedo acostarme de espaldas sobre su tupido y hermoso césped, sintiendo la tibieza del sol; puedo experimentar la firmeza de la tierra debajo de mí; puedo oír la sinfonía que los pajaritos y los insectos ejecutan a mi alrededor; puedo percibir la amplitud de la distancia hablándome, y pensar que en la tierra no hay nada que se parezca a estar cerca del cielo.

Pero quizá pierdo la esencia del valle por no advertir en forma particular cada una de las miríadas de pequeñas flores allí existentes, todas ellas perfectamente formadas y pintadas con toda delicadeza por el Creador. La casi totalidad de las flores de los valles de este mundo florecen y se marchitan sin que nadie las haya visto. ¡Qué terrible pérdida!, me digo para mí mismo. Por esto decido estudiar la hermosura de una de esas flores hasta que sus cualidades se graben en mi mente. Puedo observar cómo la suave brisa de la montaña la mece levemente, ver cómo las mariposas se posan sobre ella y absorben su néctar. También una pequeña abeja podrá visitarla para obtener polen o dulzura para su miel.

Yo desearía poder ver cómo crecen las flores. Si tuviera ojos con la potencia de microscopios podría observar los pequeños granos de polen que han sido traídos desde otras flores por la visita de las abejas o mariposas. Si mis ojos funcionaran en cámara lenta podría captar desde la germinación de la semilla hasta la formación de los pétalos y cómo luego éstos se marchitan y caen. Pero, por supuesto, no me es posible ver tales cosas, porque mis ojos no están capacitados para ello. Por eso anhelo el cielo donde tendré posibilidades de estudiar cada flor de la pradera, tanto que al mirarlas las pueda conocer como a mis amigos y familiares.

EL TESTIMONIO DE LA LUNA

***Como la luna será firme para siempre, y como un testigo fiel en el cielo* (Salmo 89:37).**

Mientras escribo esto puedo ver la redonda luna brillando en la claridad del despejado cielo de Texas. El sol se acaba de poner y el firmamento permanece todavía azul. Los coyotes posiblemente aullarán esta noche, porque les gusta la claridad de las noches de luna, así como a mí. Las palabras de un canto dicen: "La luna llena brilla, brilla plenamente en sus dominios". La luna es como un testigo para nosotros; capta la luz del sol y nos la refleja plena y abundantemente.

Justo después de ponerse el sol el 18 de junio del año 1178, algunas personas observaban la salida de la luna cerca de Cantórbery, Inglaterra, cuando de repente ésta pareció que era sacudida violentamente por una gigantesca explosión. La luna se vio como una antorcha flameante que esparcía chispas y cenizas en todas direcciones. La descripción de este hecho fue realizada por un monje de aquel lugar, quien escribió la historia conforme se la relataron los hombres que la vieron. En nuestra época, el Dr. Hartung, astrónomo de la Universidad de Nueva York, leyó la historia y supuso que la explosión pudo haber sido causada por el impacto de un asteroide. Valiéndose de la descripción hecha por el monje, el Dr. Hartung calculó el probable sitio del impacto en la luna. Luego fue al Instituto Planetario de Houston, Texas, para revisar el mapa de la luna. Deseaba ver si existía el cráter donde él suponía que debía estar, causado por aquella explosión. Y en el lugar exacto, el Dr. Hartung encontró un cráter de dieciocho kilómetros (doce millas) de longitud y dos veces más profundo que el Gran Cañón del Colorado. Allí estaban visiblemente salpicadas las marcas que se extendían desde el cráter hasta cientos de kilómetros. El Dr. Hartung supone por el tamaño de la depresión, que el asteroide podría haber sido tan grande como varios campos de fútbol y haber hecho impacto en la luna a una velocidad de 65 mil kilómetros (40 mil millas) por hora, aproximadamente.

Sería inconcebible pensar que un impacto tan colosal como el experimentado por la luna en 1178 podría hacer que ésta dejara de reflejar la luz del sol.

La luna es un reflector eterno. Yo quisiera ser semejante a ella, siendo un eterno reflector de la luz de Jesús, el Sol de justicia. ¿Y tú?

Junio 10

HABITOS MALOS

***Instruye al niño en su camino, y aun cuando fuere viejo no se apartará de él* (Proverbios 22:6).**

A veces los niños no entienden por qué los padres les imponen ciertas reglas y limitaciones. Y los padres frecuentemente dicen a sus hijos: "Cuando sean grandes lo entenderán".

La infancia es el tiempo para aprender cómo se debe vivir. Generalmente se aprende más rápido cuando se es niño, y lo aprendido se recuerda por mucho más tiempo. Ser un adulto sabio es ago más que aprender muchas cosas tan bien como cuando se era niño, porque hacer lo recto se convirtió en un hábito.

Los murciélagos aprenden a poner la confianza en sus habilidades para moverse a través de las tinieblas. Tienen que ser capaces de evitar árboles, alambres, edificios y otros obstáculos que puedan interponerse en su camino. Los murciélagos no pueden ver como tú y yo lo hacemos, por lo cual usan un radar —señales sonoras— para orientar su vuelo. Siendo que no pueden desperdiciar todo su tiempo preocupándose del funcionamiento de ese radar, el Creador les ha dado una increíble memoria.

Algunos murciélagos fueron puestos en un cuarto oscuro que contenía una gran cantidad de cables por entre los cuales tenían que volar para obtener comida. Usando su radar les tomó cierto tiempo aprender dónde estaban los cables, pero una vez que aprendieron la ubicación de cada uno de éstos, los murciélagos volaban sin ninguna vacilación y evitaban los obstáculos. Para probar si ellos habían aprendido dónde estaban ubicados los cables, o si todavía usaban el radar para percibirlos en su camino, todos los cables fueron reemplazados por rayos fotoeléctricos, como los que se usan en las puertas que se abren automáticamente cuando tú pasas e interrumpes el rayo. Los experimentadores encontraron que inclusive cuando no había ni un solo cable, esquivaban los lugares donde éstos habían estado. Los murciélagos habían memorizado tan bien la ubicación de cada objeto que podían volar a través del cuarto lleno de cables imaginarios sin tocar siquiera un rayo fotoeléctrico.

Como jóvenes cristianos, ustedes necesitan aprender a reconocer los cables del diablo en tal forma que puedan instintivamente esquivar el peligro de la tentación en cualquier momento.

EL GIGANTESCO NIDO DEL PAJARO TEJEDOR

***Y le dijo Jesús: Las zorras tienen guaridas, y las aves de los cielos nidos; mas el Hijo del hombre no tiene dónde recostar la cabeza* (Lucas 9:58).**

Es sumamente significativo que el Creador de cada ser viviente, el Dios que dio a cada criatura un sitio donde habitar, no tuvo casa cuando vino a esta tierra como Salvador de la humanidad. Yo creo que Jesús deseó una casa particular, pero antes de que hablemos de eso, te diré algo acerca del tejedor social del Africa —un pequeño pájaro que construye un inmenso nido. Los pájaros tejedores son miembros de una numerosa familia de pajarillos.

Los tejedores sociales trabajan en compañía, y así, en lugar de hacer un nido para cada uno, construyen lo que podríamos llamar una casa de departamentos, tan grande que puede dar cabida a cien pares de avecillas. Te resultará difícil imaginar cuán grandes son estos nidos, a menos que hayas visto uno. Vistos a la distancia parecen una parva de paja sobre un árbol. El nido puede tener unos cuatro o cinco metros (de doce a quince pies) de diámetro. Como cada año la colonia de tejedores lo agranda, a veces el peso del mismo llega a ser tal que el árbol que lo sostiene se cae.

En 1924, el Museo Americano de Historia Natural, de Nueva York, encargó a un profesional que trajera uno de esos nidos para muestra. Un buen ejemplar fue localizado, y costó una pequeña fortuna transportarlo hasta Nueva York debido a los métodos que tuvieron que utilizar para mantenerlo intacto. El nido fue rehabilitado y puede ser visto en el museo mencionado. Colgado de un árbol artificial, requiere para limpiarlo de tres a cuatro personas trabajando tiempo completo durante el mes, pero no tiene pájaros adentro. Cuando los tejedores vivían en él lo mantenían limpio, ventilado y reparado todo el tiempo. Uno de estos interesantes nidos puede ser usado por numerosas generaciones de tejedores.

Yo creo que también Jesús quiso una casa de departamentos. El no tuvo una casa propia, porque es muy social y quiere vivir con todos nosotros. Anhela habitar en nuestros corazones, y está construyendo una hermosa casa-jardín en el cielo, donde moraremos juntamente con él en armonía y paz.

Junio 12

LA MOSCA QUE CAUSA CEGUERA

***Había ciertos griegos... que habían subido a adorar en la fiesta... diciendo: Señor, quisiéramos ver a Jesús* (Juan 12:20-21).**

Decenas de miles de personas en el oeste del Africa son víctimas de la "ceguera del río", una enfermedad causada por un pequeño insecto oscuro llamado mosca negra.

La mosca negra se alimenta de sangre humana y mientras succiona su sustento deposita pequeños parásitos en la corriente sanguínea. Estos parásitos se ubican bajo la piel, causando la formación de ampollas de feo aspecto, las que producen gran comezón. Los parásitos se multiplican rápidamente y se propagan por todo el cuerpo; inclusive entran en la córnea del ojo, revestimiento que cubre el iris y la pupila. Algunos parásitos mueren en la córnea, dejando sobre ella una pequeña mancha opaca, la cual impide el paso de la luz. Comprenderás que mientras más parásitos mueren encima de la córnea, un mayor número de estas pequeñas manchas enceguecedoras se acumularán sobre ella. Inevitablemente, las manchas terminan por cubrir la córnea y ésta queda definitivamente destruida, dejando a la víctima ciega para el resto de la vida.

En las zonas donde esta mosca negra abunda, una persona puede ser picada hasta mil trescientas veces al día, de tal manera que es muy difícil evitar el dolor y la ceguera que produce su picada. Las víctimas, que suelen llevar poca ropa, frecuentemente tienen dolor, picazón y lastimaduras en todo el cuerpo.

La ceguera es una triste condición para los que tienen que soportarla. Por eso aguardamos la venida de Jesús cuando los ciegos recobrarán la vista; algunos de ellos volverán a ver de nuevo, y otros verán por primera vez. Sin lugar a dudas su venida será la primera escena que ellos contemplarán admirados.

Pero hay una ceguera aún peor que la de no poder ver con nuestros propios ojos. Pequeños pecados pueden introducirse en nuestras vidas cuya multiplicación puede destruir nuestra visión espiritual, de tal manera que nos impida ver el amor de Jesús y hacer que nuestros corazones no respondan voluntariamente a él.

Ojalá nos mantengamos siempre ansiosos de ver a Jesús como los griegos que fueron al templo, sin permitir que alguna cosa, por pequeña que sea, nos prive de su maravillosa presencia.

LA CONTIENDA DESATADA

***El hombre perverso levanta contienda, y el chismoso aparta a los mejores amigos* (Proverbios 16:28).**

La palabra "perverso" significa desobediente, voluntarioso, obstinado y difícil de tratar. No es nada divertido estar junto a una persona así. El chismoso es otra clase de persona muy desagradable. Otro proverbio dice: "Donde no hay chismoso, cesa la contienda" (Proverbios 26:20). Escucha la siguiente historia relacionada con una situación de contienda.

En el siglo pasado, los barcos trajeron a los Estados Unidos accidentalmente semillas, o quizá plantas, que se convirtieron en un problema en años recientes. Se trata de la planta llamada "púrpura salicaria". En las húmedas tierras del norte de los Estados Unidos, esta planta representa una contienda desatada, no obstante dudo que eso tenga que ver con el origen de su nombre.

La púrpura salicaria es una planta atractiva que crece cerca de dos metros de altura (cinco pies), y florece dando manojos de hermosas y perfumadas flores rojizas parecidas a las rosas. Desafortunadamente, dondequiera que esta planta encuentra tierra buena, se reproduce en forma muy activa. Por ejemplo, lo que en 1951 eran aproximadamente unos cuatro mil metros cuadrados (un acre), de hermosas flores purpurinas silvestres, en la parte norte del Estado de Nueva York, cinco años después se había multiplicado mil veces tanto. En su proceso de invasión, la púrpura salicaria destruye a las otras plantas nativas como la espadaña, juncos, y otros arbustos. Esta planta es hermosa, pero cuatro millones de metros cuadrados (mil acres) son más que demasiado, aunque se trate de algo que es bueno.

En un esfuerzo por controlar el crecimiento desmedido de esta planta, se la ha cortado, arrancado, quemado, anegado y rociado con herbicidas, pero todo ha resultado inútil. Cada año una planta de esta clase produce ochenta mil tallos en una media hectárea (un acre). Y estos tallos pueden producir veinticuatro billones de nuevas semillas. ¡Inconcebible la multiplicación de semillas que se producirán en ese sitio mencionado de Nueva York si no se combate la plaga!

Sería difícil encontrar un mejor ejemplo de los resultados de un chismoso de lengua desenfrenada y voluntariamente desobediente.

Junio 14

EL PODER DEL ABONO

***El entonces, respondiendo, le dijo: Señor, déjala todavía este año, hasta que yo cave alrededor de ella, y la abone. Y si diere fruto, bien; y si no, la cortarás después* (Lucas 13:8-9).**

Hay cosas en la Biblia que son bastante terribles cuando piensas acerca de ellas: muertes, vicios, engaños, robos, etc., aun entre el pueblo de Dios, que era su mensajero. Yo deseaba saber por qué la Biblia menciona toda esa corrupción. ¿Por qué Dios no habló solamente cosas buenas? Naturalmente, hay varias respuestas. El otro día, mientras preparaba abono para mi jardín se me ocurrió que justamente delante de mí tenía una respuesta a esta pregunta. Sacaba con una pala el guano de animal para mezclarlo con heno antes de desparramarlo en el jardín.

Primero puse abajo una capa de pasto y hierba cortada y luego coloqué una de guano encima. Mantuve todo esto debidamente humedecido para estimular el desarrollo de las bacterias, cuya acción produce calor, el que junto con la humedad transforma los ingredientes en sustancias nutritivas para las plantas cuando el abono es aplicado al jardín. Una vez terminada la fermentación de la mezcla así preparada, el resultado es quizá el mejor fertilizante conocido. Si una siembra o un árbol frutal no mejora con la aplicación de este abono, entonces hay muy pocas probabilidades de que se los pueda ayudar en otra forma.

Quizá la Biblia produce el mismo efecto, porque contiene una demostración de los resultados del pecado, como también una explicación del carácter de Jesús. Considerando todos los aspectos de este mundo como han sido presentados por Dios, y con la ayuda del riego del Espíritu Santo, podríamos producir mucho fruto. Los dos discípulos que se encontraron con Jesús en el camino a Emaús tuvieron esa experiencia. "¿No ardía nuestro corazón en nosotros, mientras nos hablaba en el camino, y cuando nos abría las Escrituras?" (Lucas 24:32).

LA ORUGA GITANA

***Y dije yo en mi corazón: Al justo y al impío juzgará Dios; porque allí hay un tiempo para todo lo que se quiere y para todo lo que se hace* (Eclesiastés 3:17).**

Cuando un huevo de oruga gitana se abre, sale una pequeña larva, que sube por el árbol en el que nació. Trepa hasta la ramita más alta, y la oruguita trata de alcanzar aún más arriba, pero al no conseguirlo, se cae. Sin embargo no llega al suelo, porque se sujeta en un hilo de seda emitido por ella misma. Luego la oruguita empieza a subir nuevamente por el hilo de seda. A veces, el viento arrastra el hilo con su pasajero colgante y lo lleva hasta algún otro árbol cercano. Cuando la oruga viajera aterriza en un nuevo árbol, comienza de nuevo el mismo procedimiento.

Después de un buen número de viajes en su "paracaídas", la tierna oruga gitana decide quedarse, y comienza a comer las hojas cortando huecos en las mismas. Luego de más o menos una semana de alimentarse, la oruga cambia la piel y comienza a consumir las hojas enteras. La oruga cambiará de piel cinco o seis veces dentro de los próximos dos meses, antes de llegar a su madurez completa; y con cada cambio de envoltura su apetito aumenta. Finalmente deja de comer y empieza a envolverse en un capullo que va tejiendo. En el espacio de dos semanas una polilla adulta sale del capullo, se junta con su pareja y pone huevos, con lo que comenzará el ciclo completo otra vez. Después de poner sus huevos, la polilla muere.

El plan de vida de la oruga gitana es como sigue: nacer, trepar, caer, trepar, volar por el aire, aterrizar, trepar, caer, trepar, volar por el aire, aterrizar, trepar, volar por el aire, aterrizar, comer, mudar, comer, mudar, comer, mudar, comer, mudar, comer, tejer, dormir, despertar, volar, aparearse, poner huevos, morir. Hay un tiempo específico para cada deber de las orugas y ellas cumplen todos sus deberes sin quejarse. Inclusive, más importante aún, la oruga no procura cambiar su horario ni intenta hacer cosas para las cuales no es el tiempo todavía.

Así también Dios tiene un programa para cada uno de nosotros, y cada uno de nosotros tiene diferentes momentos para las actividades propias. ¿Cumpliremos con tanta dedicación nuestras tareas así como la oruga gitana cumple las suyas?

Junio 16

LA TORTUGA MATAMATA

Hemos puesto nuestro refugio en la mentira, y en la falsedad nos esconderemos **(Isaías 28:15 ú.p.).**

Isaías está reprendiendo aquí a los descendientes de Efraín por su proceder engañoso. Algunas personas se habitúan a vivir en un nivel de falsedad tal, que llegan a mentir con toda naturalidad. Los que proceden en esta forma no son considerados como personas veraces aunque digan la verdad, y practican su engaño a sabiendas. También hay animales que obtienen su comida por medios engañosos, y uno de los casos más extraños es el de la "tortuga matamata", que habita en las frescas aguas de los ríos del norte de América del Sur. La matamata es una tortuga con el cuello torcido (hay solamente unas pocas variedades de estas extrañas tortugas en el mundo). El nombre se le ha puesto debido a la forma como tiene que proceder.

La tortuga matamata no puede meter su cabeza en el caparazón como la mayoría de las otras especies lo hacen; además, tiene un largo cuello, de manera que debe doblarlo como una letra S y ponerlo bajo el caparazón hacia el costado, como un cisne coloca su cabeza bajo el ala. Cuando es atacada por un enemigo, finge estar muerta, quedando fláccida, dejando su largo cuello y cabeza colgando y manteniendo la mandíbula relajada. También esta especie está imposibilitada de morder con fuerza porque tiene una mandíbula muy débil. No puede obtener comida por ningún medio directo.

La manera como la tortuga matamata consigue su pescado para comer es por medio del engaño. Sobre los lados del largo cuello tiene unas salientes semejantes a pedazos de vegetación que flotan en el agua. La tortuga flota con su puntiaguda nariz por encima del agua y con el resto de su cuello y caparazón muy rígido como si fuera un pedazo de madera al que hay pegadas plantas acuáticas. Cuando un pez inadvertido se refugia bajo este "pedazo de madera", la matamata súbitamente abre su enorme boca y se traga el pez.

A veces es para nosotros una gran tentación tomar ventaja de los demás, y dejar que hagan nuestro trabajo mientras mantenemos una actitud engañosa. Pero más adelante en la presentación que Isaías hace acerca del proceder de Efraín, leemos: "Granizo barrerá el refugio de la mentira, y aguas arrollarán el escondrijo".

RESCATADOS POR UN CARDENAL

***El salva y libra, y hace señales y maravillas en el cielo y en la tierra; él ha librado a Daniel del poder de los leones* (Daniel 6:27).**

Estas son las palabras de Darío dichas a los pobladores de toda la tierra, después de haber visto con sus propios ojos cómo Dios había salvado milagrosamente a Daniel en el foso de los leones.

En otro sentido, la historia contada por Luis Jacobberger, de Omaha, Nebraska, es también un notable rescate. En 1979 él escribió esta experiencia en una carta a la *Nature Society News* (sociedad de noticias relacionadas con la naturaleza).

El lugar donde se produjo este rescate fue el nido múltiple de varias parejas de martín purpurino que vivían en él. Un cardenal macho se encontraba situado más alto y cantaba con todas sus fuerzas, como acostumbran a hacerlo en primavera. Mientras el Sr. Jacobberger observaba la escena, cinco gorriones llegaron repentinamente y empezaron a tratar de ahuyentar a los martines para apoderarse del nido. Este es un problema común para los martines purpúreos, los cuales a menudo pierden la pelea y tienen que ir a otro lugar. El Sr. Jacobberger informa que los martines lucharon durante largo rato y valientemente, pero parecían llevar las de perder contra los persistentes y egoístas gorriones.

En el momento cuando la disputa parecía llegar a su fin, el cardenal tomó parte en la lucha. Como un rayo rojo llegó al nido y agarró a un gorrión por el cuello, voló derecho hacia el suelo contra el cual golpeó tan fuerte al gorrión que éste quedó tirado por un rato antes de levantarse.

Luego el cardenal voló de nuevo hacia el nido y agarró a otro gorrión, haciéndole lo mismo que al anterior. El decidido protector repitió esta acción una y otra vez, hasta que todos los gorriones recibieron su merecido y se rindieron para jamás volver.

Luis Jacobberger dice: "Nosotros probablemente no habríamos creído en este incidente, pero mi señora y yo lo presenciamos con nuestros propios ojos".

Darío también estaba compartiendo su testimonio personal. Y siendo que Jesús ha rescatado a cada uno de nosotros, digámosle al mundo lo que el Señor ha hecho en nuestras propias vidas, de lo cual nosotros mismos somos testigos.

Junio 18

LA RATA INDESTRUCTIBLE

***Mas gracias sean dadas a Dios, que nos da la victoria por medio de nuestro Señor Jesucristo* (1 Corintios 15:57).**

Una pareja de ratas que viven en una bodega, basurero, alcantarilla, o en los lugares abandonados de una ciudad, pueden tener en el transcurso de un año quince mil descendientes. El hombre, desde la antigüedad, por ejemplo en Egipto, ha tratado de vencer esta plaga tremenda, tanto por razones de salud como por causas económicas. Más de veinte diferentes clases de enfermedades son transmitidas por estos roedores, incluyendo la temible peste bubónica, la cual ha cobrado las vidas de millones de personas. A la vez, estos animales se comen más de la quinta parte de todas las cosechas de alimentos que planta el hombre. Millones de dólares se gastan cada año en un esfuerzo por librarse de las ratas, pero todavía prosperan y parece que a pasos agigantados, aun bajo las más adversas condiciones. Hace un tiempo, cuando una isla del Pacífico fue sacudida y prácticamente arrasada debido a una prueba atómica, las ratas permanecieron vivas.

Estamos hablando principalmente de dos clases de ratas: la de color café, la cual pesa más de medio kilo (más de una libra), y la negra, cuyo tamaño es más o menos la mitad de la anterior. Las dos especies viven virtualmente en todo el mundo.

Por lo visto, no se conoce la manera de ganar la guerra contra las ratas. Todo lo que podemos hacer es controlarlas de manera que su número no sea demasiado grande. Estos ejemplares se reproducen con increíble rapidez, y se tornan inmunes a los venenos, característica que heredan sus descendientes. Las ratas parecen indestructibles.

Pensando en estas condiciones de las ratas, viene a la mente un problema más grande aún, que causó la iniciación de las dificultades con las ratas: el pecado. No importa lo que hagamos contra él, el pecado parece crecer. Hay más basura y suciedad espiritual en el mundo hoy, que nunca antes; y el pecado parece sobrevivir a nuestros mejores esfuerzos para vencerlo. "Mas gracias sean dadas a Dios, que nos da la victoria por medio de nuestro Señor Jesucristo"; tal vez nosotros podamos ganar la guerra contra las ratas. Y con Jesús no hay ninguna duda de que podremos obtener la victoria contra el pecado y vivir en la tierra nueva, en la cual no habrá problema de ratas.

BACTERIAS CALIENTES SOBRE EL MONTE SAINT HELENS

***De generación en generación es tu fidelidad; tú afirmaste la tierra, y subsiste. Por tu ordenación subsisten todas las cosas hasta hoy, pues todas ellas te sirven* (Salmo 119:90-91).**

En el hirviente cráter del monte Saint Helens hay algunas bacterias que son casi idénticas a las encontradas en los resolladeros volcánicos en las profundidades del mar, y semejantes a las que se han encontrado en los fósiles, a los cuales los evolucionistas les dan tres mil millones de años.

El factor por el cual estas bacterias pueden sobrevivir en diversas temperaturas, indujo a un científico a suponer que todas están relacionadas y tienen su herencia común en algún antepasado que podemos ubicar en el comienzo del tiempo. Estamos de acuerdo con esto, ¿verdad? Sin embargo, no creemos que se necesitaron miles de millones de años para reunir las condiciones que prevalecen tanto en los volcanes de las profundidades del mar como en los de las altas montañas, como el Saint Helens.

Los alimentos para las bacterias son productos químicos: manganeso, azufre y dióxido de carbono. Estos elementos y compuestos se encuentran en abundancia en los materiales de un volcán en erupción.

El misterio que permanece dondequiera es, ¿cómo esas bacterias llegaron a la cumbre del monte Saint Helens, cuando los únicos otros lugares en los cuales se pueden localizar son en las profundidades del mar o en los fósiles endurecidos como rocas? Nadie sabe la respuesta a este interrogante, pero la teoría es que las bacterias se han ido desarrollando en lo profundo de las hendiduras de las montañas y en las cavidades de las alturas por donde anteriormente han pasado otras erupciones. Pero una cosa es segura: si esas criaturas microscópicas pueden aparecer de repente en un lugar donde nunca antes habían estado, la teoría de que los fósiles requieren millones de años para su evolución no tiene ningún fundamento.

Todas las cosas vivientes están al servicio del Creador, y Jesús toma cuidado de todas ellas, desde el más pequeño microbio hasta la ballena más grande. También nosotros podemos depender confiadamente de Jesús quien tiene cuidado de nosotros conforme a su voluntad, porque ésta es su manera de proceder.

Junio 20

SOLAR MAX

Suave ciertamente es la luz, y agradable a los ojos ver el sol **(Eclesiastés 11:7).**

Somos bendecidos sobremanera por nuestra propia estrella, el sol. Pero hay mucho más en el sol de lo que nuestros ojos pueden ver.

Solar Max está estudiando el sol y es capaz de mirarlo directamente, aunque probablemente tú y yo quedaríamos ciegos si intentáramos mirarlo así por unos pocos segundos. Solar Max también tiene la ventaja de realizar este estudio desde un confortable satélite que viaja en las alturas del espacio. Tú, con toda razón supones, y estás en lo cierto, que Solar Max es un robot ubicado en un satélite. Solar Max estudia el sol desde el ventajoso punto que le proporciona una altura de casi seiscientos kilómetros (356 millas) sobre la tierra, Solar Max usa ojos electrónicos para examinar la superficie del sol y sus manchas solares, las cuales son gigantescos torbellinos creados por las tormentas solares.

Solar Max también está estudiando las llamaradas solares, que son inmensas lenguas flamígeras que ascienden cientos de miles de kilómetros desde la superficie solar. Estas cintas de fuego, que están asociadas con las manchas solares, muchas veces se salen de su camino y se lanzan hacia el espacio; mientras el fuego se desvanece, la intensa radiación permanece y se mueve como una pared invisible de partículas con carga radiactiva que avanza por el espacio. Cuando esta pared choca con nuestro planeta, la mayor parte de ella es desviada por el campo magnético de la tierra. Pero una pequeña cantidad de radiación penetra en nuestra atmósfera causando extraños y notables fenómenos. Primero llegan los rayos X, perturbando las transmisiones radiales y causando imágenes fantasmas sobre las pantallas de los radares. Luego, en el espacio de una hora, los protones y electrones provenientes directamente del sol causan interrupciones en las comunicaciones, que pueden a veces durar varios días.

Es tal la cantidad de electricidad que entra en nuestra atmósfera en esas circunstancias, que los cielos polares se iluminan como si fueran luces fluorescentes, causando el fenómeno conocido como aurora boreal. Tremendas cargas de electricidad pasan a través de los alambres tendidos por los hombres, produciendo resultados sorprendentes; por ejemplo, en 1854, durante una de estas explosiones solares, los telegrafistas podían operar sus instrumentos sin necesidad de baterías.

Nosotros apenas podemos comenzar a tener una leve idea del tremendo poder solar. Pero esa energía no es mayor que el poder que nos es concedido a ti y a mí por intermedio de Jesús, el Hijo de Dios.

UN AGUILA MUERE POR SU HIJO

***Como el águila que excita su nidada, revolotea sobre sus pollos, extiende sus alas, los toma, los lleva sobre sus plumas, Jehová solo le guió, y con él no hubo dios extraño* (Deuteronomio 32:11-12).**

Esta historia sucedió al norte de Wisconsin, Estados Unidos, en la primavera de 1977. Un grupo de ornitólogos estaba realizando su estudio anual de los nidos de águilas en esa región, cuando notaron que algunas volaban sobre un nido en el cual las cosas parecían no andar del todo bien. Por tal motivo el piloto que los transportaba pasó repetidamente sobre el nido, para que pudieran ver desde su avión lo que sucedía. Aunque los ornitólogos no podían decirlo con certeza, parecía que había un águila muerta en su nido.

Algunos días más tarde los científicos visitaron el sitio de aquel nido para cerciorarse de lo que habían visto. Cuando treparon hasta el nido, dos águilas adultas comenzaron a volar alrededor gritando en son de protesta. Encontraron un aguilucho. Estaban realmente desconcertados, porque encontraron lo que les había parecido ver: la madre águila que había estado muerta por un mes. Pero había un aguilucho en el nido, vivo y con buena salud. ¿Cómo pudo haber sucedido?

Los ornitólogos examinaron el árbol y el terreno en aquel sitio, y repentinamente encontraron la respuesta a su pregunta; un rayo había caído en aquel árbol. Allí estaba la evidencia de esto ya que una porción de la planta había sido literalmente fulminada por el rayo. Las ramas, algunas de ellas de más de diez centímetros (cuatro pulgadas) de diámetro habían sido desgajadas y esparcidas sobre la tierra. Las señales indicadoras del lugar donde el rayo había caído se veían justo por debajo del nido, y luego se podía ver todo el camino que había recorrido hacia la tierra.

Por algún milagro el aguilucho había sobrevivido, mientras la madre, probablemente con sus alas extendidas para cubrir el nido de la furia de la tormenta, había sido muerta. Y por una afortunada bendición el águila padre fue capaz de reclutar otra consorte casi inmediatamente para ayudar en la muy ardua tarea de alimentar a un águila en crecimiento.

Esto es un perfecto ejemplo del amor que Jesús tiene para con nosotros. El estuvo dispuesto a dar su vida para salvarnos.

Junio 22

LA TRETA DE LA MARIQUITA

Aderezas mesa delante de mí en presencia de mis angustiadores **(Salmo 23:5).**

Algunas plantas químicamente tratadas tienen un sabor que resulta desagradable a los insectos, y a veces hasta pueden ser venenosas para ellos. En otras, el producto químico desagradable no se produce sino hasta que el insecto muerde la planta, con lo que ésta no derrocha energía produciendo la sustancia, a menos que sea necesaria. Este sistema de la secreción de productos químicos ha sido cuidadosamente estudiado para saber en qué forma afecta a diferentes insectos; pero algunos de ellos tienen una manera especial de resolver el problema. Veamos.

Un insecto se posa sobre una planta que desea comer, y al primer mordisco la planta segrega una sustancia química apropiada que es acarreada por el sistema circulatorio de la misma. El repelente es producido en pocos minutos y transportado al sitio donde se ha efectuado el ataque. Generalmente el insecto invasor es repelido y se traslada a otra planta más tolerante. Pero hay algunos insectos, por ejemplo la mariquita, que no son repelidos. Se limitan a cortar una parte de la hoja, aislándola del resto, la que luego comen con toda tranquilidad, porque el producto químico desagradable no puede afectar la parte cortada. Mientras tanto, la planta está produciendo grandes cantidades de repelente que es enviado a lugares cercanos para resguardarlos de una posible invasión de insectos.

Cuando la mariquita finaliza la comida dentro del círculo, tiene que volar a otra planta, o a algún sitio del mismo árbol pero que esté por lo menos a unos siete metros (veinte pies) de donde estuvo comiendo (suficientemente lejos como para que el producto químico no alcance aquel lugar), y allí el insecto de nuevo corta una porción de otra hoja y se alimenta con toda seguridad.

Es interesante notar que estos insectos deben cortar una parte de la hoja para gozar de su comida. Ellos parecen entender el concepto según el cual hay que hacer primero las cosas que son más importantes.

Así también Jesús nos cerca con su cuidado protector, pero tal como estos insectos deben realizar su trabajo primero, también nosotros debemos llevar a cabo el nuestro. Debemos confiar en Jesús, creer en él y pedirle que nos cuide.

DIC, EL NOMBRE ABREVIADO

***Así nosotros, siendo muchos, somos un cuerpo en Cristo, y todos miembros los unos de los otros* (Romanos 12:5).**

"Dic" es el nombre que yo he abreviado para ayudarte a simplificar el de un organismo que vive en la selva. Su nombre científico es *Dictyostelium.* Dic es un tipo de planta que solemos llamar moho.

Bajo circunstancias normales Dic es un pequeño organismo microscópico que se parece a una ameba. Vive solo y se alimenta de bacterias que se producen sobre la tierra dura del bosque cuando se pudren las hojas, maderas, etc.

Pero por alguna razón que no conocemos, llega el momento cuando Dic quiere compañía, y esto con un propósito muy especial. Cuando llega ese momento, Dic envía una señal química al aire; otros individuos de su especie la perciben y comienzan a unirse a él; pronto hay decenas de miles pululando alrededor, y amontonándose unos sobre otros forman un conjunto que mide más o menos medio centímetro (un sexto de pulgada). Cuando hay unos cien mil de estos parientes de Dic unidos en esa forma, se encorvan y comienzan a arrastrarse como una babosa. En ese momento, cada uno de los *Dictyostelium* se convierte en una parte de un organismo que puede ser observado a simple vista. Siendo que todo esto sucede generalmente bajo las hojas y en medio de la tierra, el nuevo organismo puede arrastrarse en la oscuridad, pero a veces sale a la luz y recibe los rayos del sol.

Cuando sienten el calor solar, estos organismos cambian inmediatamente. La mayoría de ellos forman esporas, especialmente los de la parte superior; los restantes constituyen un tipo de tallo que empuja las esporas hacia el aire. El viento lleva esas esporas y cuando caen en un terreno propicio dan lugar a nuevos individuos iguales a Dic.

A veces nos ponemos a pensar por qué no podemos adorar a Dios solos y en la forma como queremos, sin tener que ir a la iglesia. Pero debemos recordar que si bien es cierto que necesitamos una relación personal con Jesús, también es importante que nos reunamos con otros para formar la iglesia, la cual es el cuerpo de Jesús. De esta manera, cada uno de nosotros contribuye a formar un cuerpo mayor que nos habilita para seguir adelante hasta que lleguemos al nuevo mundo.

Junio 24

EL CORAZON DE LAS SANDIAS

A José dijo: Bendita de Jehová sea tu tierra, con lo mejor de los cielos, con el rocío, y con el abismo que está abajo. Con los más escogidos frutos del sol, con el rico producto de la luna **(Deuteronomio 33:13-14).**

En el texto de hoy, Moisés está bendiciendo a la tribu de José y le promete abundantes frutos traídos por la fuerza del sol. La sandía es ciertamente tal fruta. Cuanto más cálido el sol y más seco el ambiente, tanto mejor para que la sandía adquiera su sabor. Si hay exceso de lluvia, la sandía tiende a resultar desabrida. Pero cuando esta fruta recibe los rayos del sol durante cierto tiempo en su período de maduración, el agua de la sandía desaparece, con lo que se produce una concentración del azúcar y la pulpa de la fruta se torna muy dulce y deliciosa.

Desde mi niñez, que pasé en el campo, me han gustado mucho las sandías. Algunas grandes, otras pequeñas, de color rojo encarnado las de una clase y amarillentas las de otra, redondas algunas y ovaladas otras, lisas o rayadas, no importaba. En aquel entonces podía comer sandía en todas las comidas del día. Sinceramente creo que la sandía es un don especial del Creador. Después que nos mudamos del campo a la ciudad, casi siempre tuvimos que comprar las sandías, generalmente caras. Por eso comíamos toda la pulpa roja o amarilla que tenían, casi hasta la parte blanca. Todos hacían lo mismo. Pensábamos que era la única forma de comerlas.

En la zona agrícola donde ahora vivimos se producen tantas sandías que hasta se echan a perder en el campo. Los agricultores tienen más de lo que pueden comer, vender o regalar. Hay tantas sandías que la gente en aquellos lugares les come solamente el corazón. Una vecina nos dijo que se sorprendió al saber que algunos se comen la mayor parte de la sandía, porque ella siempre le había comido solamente el corazón, y el resto se lo daba a las vacas.

Es sumamente agradable poder comer los corazones de las sandías hasta quedar satisfecho. El hacerlo es como si estuviésemos gozando de las bendiciones dadas a José.

DOMINIO SOBRE LOS PECES

***Entonces dijo Dios: Hagamos al hombre a nuestra imagen, conforme a nuestra semejanza; y señoree en los peces del mar* (Génesis 1:26).**

El hombre ha tomado esta orden más o menos literalmente a través de toda la historia. Pero nosotros hablaremos acerca del dominio que uno puede establecer sobre un acuario o pecera. Si tienes una pecera con peces, tienes un pequeño dominio, un reino especial que es tuyo y el cual debes cuidar. En un sentido muy real los peces son tus súbditos y están bajo tu control y cuidado.

Hace un tiempo el pastor de nuestra iglesia nos contó algo de lo que él había aprendido cuidando su pequeño acuario. Nos mencionó las diferencias que hay entre diversas clases de peces y también las que existen entre los peces de una misma clase. Nos dijo lo importante que es proporcionarles los ingredientes requeridos y poner las plantas adecuadas en el agua, como también lo necesario que es mantenerles la temperatura correcta. Tener dominio sobre los peces requiere pensar y trabajar.

Los antiguos sumerios ya tenían el hobby de criar peces más de dos mil años antes de Cristo. Los primitivos egipcios también los criaban por placer y para estudiarlos. Moctezuma, el gobernador azteca del territorio que ahora es conocido como México, también poseía viveros para peces tanto de agua dulce como salada. Actualmente los acuarios constituyen un activo y próspero entretenimiento, con millones de dólares que se invierten cada año en su mantenimiento. Hay muchas organizaciones que proveen lo necesario a quienes se dedican a esta actividad. La primera sociedad de acuarios en los Estados Unidos se fundó en 1893, y actualmente hay asociaciones casi para cualquier tipo de peces.

Existen cosas fascinantes y reconfortantes concernientes al cuidado de los peces y sus costumbres.

Estoy seguro que Adán y Eva disfrutaron de los peces en el río de la vida en la misma manera como nosotros gozamos de ellos en nuestros acuarios. Tener una pecera es una buena manera de ejercer, aunque sea modestamente, el control que Jesús le dio al hombre en el principio. Y esto también nos ayuda a entender cuánto nos ama el Señor y cuida de nosotros, ya que hasta nos ha dado dominio sobre los peces.

Junio 26

¿ES POSIBLE MORIR DE RISA?

El que sacia de bien tu boca de modo que te rejuvenezcas como el águila **(Salmo 103:5).**

¿Has escuchado contar un incidente tan divertido que la gente "se moría de risa" al oírlo? Esta frase es usada para describir algo que es extremedamente gracioso. Pero en realidad la gente se puede morir de risa. Eso ha sucedido con los indígenas de una tribu de Nueva Guinea, los que se mueren riendo cuando contraen el mal llamado "enfermedad de la risa", producido por un virus que se aloja en el cerebro. Pero eso no es nada gracioso.

El Dr. Gajdusek fue a esa tribu para ayudar a encontrar el remedio a dicha enfermedad, la cual, extrañamente, afectaba sólo a mujeres y chicos; los hombres nunca la contraían. El médico creía que esta afección se relacionaba con un rito particular de la tribu, la cual consideraba a sus muertos con tanta reverencia, que comían los cerebros de los difuntos. Gajdusek sospechaba que esta práctica transmitía los virus a los que comían los sesos humanos. Pero, ¿por qué, entonces, esta enfermedad afectaba solamente a las mujeres y a los chicos?

Los hombres de la tribu vivían juntos en una gran casa en el centro de la aldea, mientras que las mujeres y los chicos lo hacían separadamente en viviendas que rodeaban la casa de los hombres. Estos tomaban su alimentación en la gran casa donde vivían, pero la comida era cocinada para ellos por las mujeres y los chicos en sus hogares. Mientras se preparaban los sesos de los cadáveres, eran probados por las mujeres y los niños para saber si estaban listos.

Cuando estaban totalmente cocinados, el exquisito plato era llevado a la casa de los hombres, donde éstos gozaban de la comida que ellos pensaban les daría gran fuerza y buena salud. Cuando el manjar era completamente cocinado, el calor destruía los virus, por eso los hombres no se enfermaban. Pero mientras se estaba cocinando, cualquiera que probaba el potaje contraía la enfermedad.

A veces nos preguntamos por qué se envía misioneros a ayudar a gente tan primitiva. Pero si alguien va a las aldeas de esas tribus y ayuda a los indígenas a que conozcan al Creador de todas las cosas y sepan cuánto les ama y cómo ha provisto mejores dietas para ellos, éstos pueden aprender a evitar la enfermedad y también experimentar la felicidad que produce el encuentro con Jesús.

EL CAPRICHOSO TORNADO

***Porque sembrarán viento, y torbellino segarán* (Oseas 8:7).**

El tornado tiene cierta semejanza a una bestia embravecida, y por eso se lo suele llamar "la bestia descontrolada del tiempo". Es asombroso en su poder y fuerza destructora, e impredecible en el camino que sigue.

El tornado se produce cuando un viento helado y seco a grandes alturas, formando un frente frío, se encuentra con otra corriente de aire húmedo y caliente que viene en dirección contraria, pero más abajo. El resultado del impacto entre estos vientos produce una tremenda fricción dando como resultado un tornado.

Generalmente éste se mueve hacia el noreste con una velocidad aproximada de sesenta y cinco kilómetros (cuarenta millas) por hora. Pero las ondas centrales de esta tromba pueden desarrollar una rapidez de unos seiscientos cincuenta kilómetros (cuatrocientas millas) por hora, lo que hace del tornado una "poderosa bestia destructora". Este "tiempo bestial" que durante su travesía ondula como una víbora, puede desbaratar los edificios de un pueblo mientras que a otros los deja intactos. Un tornado que sacudió el pueblo de mi madre, en Wisconsin, cuando ella era niña, destruyó el teatro, pasó por encima de una iglesia sin tocarla y derribó el siguiente edificio.

En Codell, Kansas, un tornado se producía anualmente el veinte de mayo. Uno de ellos sacudió aquel pueblo en esa fecha en 1916, otro en 1917 y un tercero en 1918. Podemos imaginar la alegre sorpresa de los pobladores de aquel sitio cuando no fueron visitados por este "temperamental tiempo" el veinte de mayo de 1919.

En otro lugar, también del Estado de Kansas, el 30 de mayo de 1879, dos tornados, marchando a más de setenta kilómetros (cuarenta y cinco millas) por hora, repentinamente succionaron la totalidad del agua en una extensión de más de un kilómetro y medio (una milla) del río Azul que serpentea en aquel lugar; la succionaron con peces y todo. En 1931, otro tornado levantó un tren de ochenta y tres toneladas de peso, con ciento diecisiete pasajeros adentro, elevándolo casi veinticinco metros (ochenta pies) y lo arrojó en una hondanada.

Pero también a veces los tornados marchan uniformemente destruyendo todo lo que encuentran en su camino.

En la Biblia a los tornados se les llama "torbellinos", y en el versículo de hoy el profeta Oseas nos dice que cuando se juega con el pecado, éste puede al principio actuar como un pequeño viento, pero más tarde producirá problemas y destrucción semejantes a los causados por un tornado.

Junio 28

EL NUEVO HOGAR DEL AGUILA PESCADORA

***Y el que estaba sentado en el trono dijo: He aquí, yo hago nuevas todas las cosas. Y me dijo: Escribe; porque estas palabras son fieles y verdaderas* (Apocalipsis 21:5).**

Sadie Hawkins es una águila pescadora o halieto que decidió construir su nido sobre la punta del palo trinquete de un yate de veinticinco metros (setenta pies), evaluado en ciento veinticinco mil dólares. El yate se encontraba en Newport Harbor, California, en 1978. Antes de que esta ave construyera su casa en aquel lugar, nadie se había preocupado de ella y a nadie le importaba si tenía nombre o no. Pero siendo que desde 1912 ninguna águila pescadora anidaba en el sur de California, el nuevo huésped fue más que bienvenido por el público admirador, y hasta le pusieron nombre.

Pero, de todas maneras había un serio problema. El yate pertenecía a la familia Levis; y el Dr. Levis estaba pagando mil doscientos dólares al mes para mantener el yate en el puerto, y quería trasladarlo a un dique para repararlo antes de venderlo. Puesto que las águilas pescadoras generalmente construyen un nido local y lo usan durante toda la vida, lo cual puede ser diez años o algo así, el Dr. Levis no podría pagar el alquiler del nido de Sadie. ¿Qué hacer? Su primera solución fue simplemente echar abajo el nido y trasladar el bote, pero sus seis chicos vetaron la idea.

Como solución final, una firma local compró un alto palo de cedro que fue colocado en el puerto junto al yate del Dr. Levis. Luego, con la ayuda de una grúa y personal de la compañía de teléfonos, el nido fue cuidadosamente envuelto y colocado en la punta del palo de cedro. Entonces el Dr. Levis pudo mover sin dificultad su yate y llevarlo a varios kilómetros de distancia.

Ahora, los habitantes del lugar que habían tenido la alegría de presenciar el cambio, esperaron ver si Sadie aceptaría el nuevo lugar para su nido. El águila no regresó durante un día y la gente esperaba lo peor. Pero luego reapareció posándose sobre una antena de T. V. cercana, y lo hizo acompañada. ¡Ya era una pareja de águilas pescadoras! El nuevo hogar fue aceptado, y sin lugar a dudas era superior al que había tenido.

Sadie había construido su hogar sobre un fundamento inestable; no había seguridad para su nido. Pero su nueva residencia, al igual que nuestro hogar celestial, está construido sobre un fundamento sólido que no puede ser movido.

LA PRUEBA DEL PROTON

***El cielo y la tierra pasarán, pero mis palabras no pasarán* (Mateo 24:35).**

Los científicos han comenzado a cavar un gigantesco agujero en el fondo de una profunda mina de sal en el Estado de Ohio. Cuando la excavación esté terminada, será llenada con diez mil toneladas del agua más pura que se puede encontrar. En los lados de la cámara instalarán células fotoeléctricas, instrumentos que pueden detectar aun las más mínimas cantidades de luz. Tal vez te preguntes por qué los científicos piensan que podrían detectar luz en una cámara hermética llena de agua ubicada a seiscientos sesenta metros (dos mil pies) de profundidad. Pero en eso consiste el experimento.

Una vez terminado el proyecto, cuando la cámara esté llena de agua y las células fotoeléctricas colocadas en sus respectivos lugares, los científicos observarán los resultados durante un año. Si las células fotoeléctricas captan un repentino rayo de luz durante el año, los hombres de ciencia nos dicen que eso significaría la desintegración de un protón, una de las partes del átomo. Nos preguntamos, ¿descubrir tal cosa es tan importante? Los científicos afirman que si un protón se desintegra en la cámara bajo el suelo de Ohio, eso significará que algún día el mundo llegará a su fin.

Pero esto no ha de asombrarnos. La Biblia dice con toda claridad que el mundo llegará a su fin: "Los elementos ardiendo serán desechos" (2 Pedro 3:10). Estos estudiosos, en su infinito escepticismo, tratan de probar todas las cosas por sí mismos. Las teorías y especulaciones sobre las cuales basan sus experimentos requieren años de estudios para comprenderse, y generalmente se refieren a la materia de que están hechas las cosas y a la forma como seguirán siendo. Estos investigadores están estudiando acerca de lo que llaman materia y energía.

Dios entiende la relación que hay entre la materia y la energía. El trabaja a través de sus leyes y guía los planetas y soles en su recorrido. En cierto sentido Dios destruirá este viejo mundo, porque él puede simplemente convertir en energía esta materia pecaminosa y volverla a su estado perfecto mediante su poder creador. "Vi un cielo nuevo y una tierra nueva; porque el primer cielo y la primera tierra pasaron" (Apocalipsis 21:1)

Junio 30

LEVANTANDOSE CON EL TORBELLINO

***Entonces respondió Jehová a Job desde un torbellino* (Job 38:1).**

Cuando se viaja por las praderas y desiertos del oeste de los Estados Unidos, es común ver remolinos de viento que en esos lugares son llamados "polvo del diablo". Generalmente van hacia el norte y ligeramente hacia el este, y son mayormente visibles por el polvo y las hojas que levantan a su paso. Están formados por corrientes ascendentes de aire caliente, y a menudo levantan polvo y desechos a grandes alturas. Hay una cantidad de energía que se pone en acción en tales remolinos, y aparentemente algunos pájaros han aprendido a usarla para tomar altura.

En cierta ocasión, en Oklahoma, un meteorólogo quería fotografiar uno de estos remolinos. Notando uno particularmente grande, dirigió su automóvil hacia el lugar por donde éste iba a pasar. El remolino era plenamente visible por la columna de polvo que iba levantando; pero cuando cruzó por una pequeña arboleda se tornó invisible, porque no había polvo para levantar. El meteorólogo vio varios buitres que revoloteaban. Al parecer no habían estado en contacto con la corriente ascendente del remolino. Sin embargo, cuando este desapareció comenzaron a bajar en círculos hacia la tierra. El remolino volvió a verse al levantar polvo nuevamente cuando pasó por un campo arado. Los buitres se dirigieron hacia él, y cuando lo alcanzaron, abrieron ampliamente las alas y fueron levantados hasta perderse de vista en el espacio.

Fue como si una voz desde el torbellino hubiera hablado a los buitres diciendo: "Yo puedo levantar fácilmente vuestro gran peso". La misma voz de Dios que habló a Job desde el torbellino nos habla a nosotros por medio de su Palabra. Jesús nos dice a cada uno: "Y yo, si fuere levantado de la tierra, a todos traeré a mí mismo" (Juan 12:32). Todo lo que nosotros necesitamos hacer, como aquellos pájaros que buscaron inmediatamente el remolino, es ir rápido a Jesús y permitirle que él nos tome con todas nuestras cargas, y nos eleve hasta alturas que ahora tal vez ni podemos imaginar.

EL ELEFANTE QUE LLORO

***Jesús lloró* (Juan 11:35).**

Tal vez ya sabes que éste es uno de los versículos más cortos de la Biblia; pero en muchos aspectos es también el más largo, debido a la cantidad de amor comprendido en esas dos palabras.

Por cierto que no es posible saber si los animales sienten en forma parecida a nosotros, por lo que es un error atribuirles las mismas emociones manifestadas por los seres humanos. Sin embargo existen casos en que resulta difícil no describir como emociones algunas experiencias de los animales.

Consideremos, por ejemplo, la forma como los elefantes reaccionan cuando encuentran un elefante caído. Es cosa conocida que en ese caso hacen todo lo posible por reanimar al moribundo. Después de la muerte, llevan a cabo lo que parecen rituales destinados a manifestar la tristeza que sienten por la muerte de un miembro de la manada. Con frecuencia dan la impresión de enterrar a sus muertos, porque acumulan ramas y hierbas sobre el cadáver.

Cuando los elefantes encuentran los huesos de un elefante muerto tiempo antes, suelen reunirse alrededor del esqueleto y levantar suavemente diversos huesos, especialmente los colmillos. Luego los mantienen alzados con la trompa mientras caminan de un lado a otro, y a veces los transportan a cierta distancia antes de depositarlos nuevamente en el suelo.

La manifestación más notable de emoción en un animal que he leído, se encuentra en un libro titulado *La dinastía Abú*, escrito por Iván Sanderson, famoso explorador de la selva. Cuenta acerca de un elefante de circo llamado Sadi que al no poder desempeñar su parte trató de salirse del escenario, pero le ordenaron que entrara nuevamente: "El elefante Sadi se puso de rodillas y luego se echó sobre un costado. Los dos hombres quedaron atónitos durante un rato, porque Sadi lloraba como un ser humano. Ahí permaneció postrado mientras las lágrimas le corrían por la cara y el enorme cuerpo se le sacudía por efecto de los sollozos".

Afortunadamente para todos nosotros, Jesús pudo completar su misión en el mundo. Lloró en numerosas ocasiones, y siempre movido por la profundidad de su amor por los seres humanos, por ti y por mí.

Julio 2

EL HELIOTROPO, PIEDRA DE LA SABIDURIA

***Pero uno de los soldados le abrió el costado con una lanza, y al instante salió sangre y agua* (Juan 19:34).**

Jesús murió a causa de la angustia que experimentó. La angustia provocada por la carga del pecado que llevó por ti y por mí fue tan grande, que quebrantó interiormente su cuerpo humano. Nadie más ha experimentado un grado tan profundo de aflicción. Cuanto más nos aproximamos a Jesús, tanto más podemos sentir esa aflicción. Fue muy dolorosa, y él la sufrió por nosotros.

Hay una piedra preciosa llamada heliotropo, que es una variedad de cuarzo de color verde con manchones de rojo vivo. Una vez pulida se obtiene una gema de gran valor. El heliotropo es la piedra preciosa popularmente considerada como símbolo de los que han nacido en el mes de marzo.

Según un mito muy en boga en la Edad Media, el heliotropo se habría formado cuando la sangre de Jesús cayó sobre una piedra verde que había al pie de la cruz. Según otros mitos y leyendas, llevar consigo un heliotropo proporciona sabiduría.

Cuando unimos las dos leyendas obtenemos una vislumbre de una verdad que no tiene nada de mito. La Biblia dice claramente que "Jehová da la sabiduría" (Proverbios 2:6). ¿Nos concede el Señor sabiduría dando a cada uno un trozo de heliotropo para que lo llevemos colgado al cuello o en otro lugar? Por supuesto que no.

El apóstol Pablo, en su primera carta a los corintios, compara la sabiduría de los hombres con la que Dios nos concede, y concluye hablando de "Cristo Jesús, el cual nos ha sido hecho por Dios sabiduría, justificación, santificación y redención" (1 Corintios 1:30).

Ciertamente obtenemos sabiduría de lo que Dios llevó a cabo en la cruz. Procede de la provisión hecha por Jesús al derramar su sangre, y es verdadera sabiduría que confunde hasta la sabiduría humana más brillante. Está al alcance de todos, sin que cueste nada. No necesitas pagar el precio elevado de una gema para recibir la sabiduría que Jesús desea darte gratuitamente. "Si alguno de vosotros tiene falta de sabiduría, pídala a Dios, el cual da a todos abundantemente" (Santiago 1:5).

NO MAS PLAGAS

***Y oí otra voz del cielo, que decía: Salid de ella, pueblo mío, para que no seáis partícipes de sus pecados, ni recibáis parte de sus plagas* (Apocalipsis 18:4).**

En el lenguaje moderno una plaga es por regla general una enfermedad mortal. En la Biblia se utiliza esta expresión para denotar diversos desastres y otros acontecimientos naturales que causaban pérdidas de vidas. Ahora que la ciencia se ha desarrollado tanto, se cree que Dios no tiene nada que ver con los desastres naturales. ¿Qué crees tú?

Durante la Edad Media, el término *plaga* se refería mayormente a la peste bubónica, llamada también muerte negra. Millones de personas morían debido a la plaga. El cólera es otra enfermedad a la que también se le ha dado el nombre de plaga. Puede matar en un solo día. Cuando sobreviene una epidemia de cólera y no se dispone de las medicinas necesarias para combatirla, se calcula que la mitad de la población del lugar afectado morirá por efecto de la plaga.

La última plaga de alcance mundial fue una epidemia de influenza que ocurrió en 1918, y mató a más de 20 millones de personas. Como resultado del progreso del conocimiento médico y de precauciones como la inmunización, parece que en la actualidad es bastante menos probable que ocurran esas calamidades. En todos los países existen centros de investigación médica que ejercen vigilancia constante para evitar que se repitan esas epidemias del pasado.

Cuando se preguntó a los expertos del Centro de Control de las Enfermedades que funciona en Atlanta, Estados Unidos, si se produciría una nueva plaga en el futuro, éstos contestaron: "Probablemente no". ¿Es ésta una declaración animadora?

Si crees en lo que dice la Biblia, sabes que se producirá por lo menos una plaga más que afectará a la humanidad (Apocalipsis 16:1-2). El Centro para el Control de las Enfermedades u otros organismos semejantes no tendrán ningún control sobre esta plaga. Dios dice a los que le aman: "Ni plaga tocará tu morada" (Salmo 91:10). Esta es una seguridad en la que podemos confiar.

CINCO PATITOS Y SUS PADRES SOMORGUJOS

***Mas a todos los que le recibieron, a los que creen en su nombre, les dio potestad de ser hechos hijos de Dios* (Juan 1:12).**

Un verano, en la costa de Alaska, una pareja de patos de flojel anidó a corta distancia de un nido ocupado por somorgujos árticos. La historia que referiré es asombrosa por diversas razones, pero principalmente porque los somorgujos normalmente se comen a los patitos. El hecho de que hubiera dos nidos de especies distintas tan cerca el uno del otro era inusitado, porque los patos de flojel adultos son capaces de proteger a sus crías contra cualquier intento realizado por los somorgujos para causarles daño.

Ambos nidos estaban ocupados por sus respectivos pares de aves adultas cuando fueron visitados por un ornitólogo el 6 y el 13 de julio. Pero el científico encontró una situación muy diferente el día 27. Por razones que se desconocen, los cinco patitos de flojel, que habían nacido en el intervalo habían pasado al cuidado de los somorgujos. Los padres de los patitos no volvieron a aparecer, y los somorgujos no habían tenido crías.

Los somorgujos cuidaron a los patitos de flojel con la misma dedicación como si hubieran sido hijos suyos. Les llevaban alimentos de la laguna cercana. Los llamaban suavemente, pero graznaban con fuerza en situación de peligro, y los patitos corrían hacia ellos cuando los llamaban. Ocasionalmente uno de los patitos se subía sobre el lomo de unos de sus padres adoptivos, como si fuera el orgulloso capitán de un barco que navegaba en la laguna. Estas aves pertenecientes a especies muy diferentes y hasta antagónicas, no tenían dificultad alguna para comunicarse, y la familia adoptiva manifestaba tanta paz y felicidad como cualquier otra familia.

Como pecadores no pertenecemos a la familia de Dios, pero al creer en Jesús llegamos a formar parte de la familia que Dios ha adoptado. Y como cristianos manifestamos un nuevo amor hacia todos, lo que nos ayuda a vivir en paz y armonía con los demás.

UNA CULEBRA QUE AMENAZA PERO NO MUERDE

Respondiendo Jesús, les dijo: Mirad que nadie os engañe **(Mateo 24:4).**

Existen numerosas serpientes inofensivas que tratan de engañar a sus enemigos y hacerles creer que son peligrosas. Cuando era niño, cierta vez caminaba por un sendero del campo seguido de mi familia. Repentinamente quedé espantado al encontrarme con una culebra negra que levantó la cola y la hizo vibrar como lo hace una serpiente cascabel. Regresé corriendo hacia donde estaban mis padres, mientras gritaba: "¡Hay una cascabel!" Mi padre me tranquilizó y me acompañó hasta el lugar donde se encontraba la culebra. Me sentí mejor cuando me explicó que era inofensiva. Nunca me olvidé de la habilidad de la culebra negra para deshacerse de mí en forma rápida y eficiente.

La culebra llamada heterodón es un buen ejemplo de las amenazas que una serpiente es capaz de hacer. Esta culebra posiblemente es la más inofensiva de todas las de América del Norte. Alcanza alrededor de un metro de largo (3 pies) y no ataca a la gente. Se conocen pocos casos de seres humanos mordidos por estos reptiles, y cuando esto ha ocurrido se ha debido a que junto con la culebra tenían sapos o ranas, por lo que el reptil ha confundido un dedo con uno de estos anfibios, que son su alimento natural. Pero normalmente el heterodón no muerde, aunque lo capturen o molesten. He jugado con estas culebras y las he encontrado muy amigables y fáciles de manejar.

La amenaza más famosa del heterodón consiste en hincharse desde la cabeza hasta el cuello, en silbar y en acometer contra el enemigo. Si eso no logra intimidarlo, se enrolla, esconde la cabeza entre los anillos, abre la boca y saca la lengua como si estuviera muerta. Debido a esto la gente del campo le ha dado el nombre de "víbora del desierto", porque suponen que el heterodón es una serpiente muy venenosa.

Satanás, el primer engañador, le mintió a Eva cuando le habló por medio de la inofensiva serpiente en el jardín del Edén. A veces Satanás trata de hacerte creer que es inofensivo, y en otras ocasiones procura convencerte de que es más poderoso de lo que realmente es. El cristiano no debe dejarse afectar por las amenazas de Satanás ni tampoco por sus engaños.

7—V.A.D.

Julio 6

LA DEVASTACION DE LA POLILLA LAGARTA

***De modo que si alguno está en Cristo, nueva criatura es; las cosas viejas pasaron; he aquí todas son hechas nuevas* (2 Corintios 5:17).**

En la región norte de los Estados Unidos habita un pequeño insecto llamado polilla lagarta. Los que viven en esa zona conocen perfectamente los graves problemas que causa.

En la primavera nacen millones de orugas de los huevecillos puestos por las polillas; las hambrientas orugas deben comer para convertirse en polillas adultas. De modo que trepan por los árboles y devoran las hojas. Podría decirse que se comen bosques enteros. Al poco tiempo han desaparecido todas las hojas de los árboles, devoradas por las insaciables orugas. He visto montañas enteras en Nueva York y Massachusetts con los árboles desnudos como si fuera invierno, y peor aún, porque ni siquiera los árboles perennes quedaban con hojas.

Las orugas que encuentran suficiente cantidad de hojas que comer a fin de convertirse en polillas son las que tienen suerte. El resto no tiene alimento una vez que se terminan las hojas. Se descuelgan de los árboles mediante un hilo de seda y salen a buscar nuevas provisiones de hojas. A veces forman una espesa capa en el suelo, de modo que resulta imposible caminar sin pisarlas. Cierto día de junio de 1981 había tantas orugas en la vía férrea que las ruedas de los trenes resbalaban sobre ellas y no podían subir una cuesta en Massachusetts. Pero cuando se acaban las hojas de los árboles, las orugas se mueren mientras buscan más alimento. ¿Qué pasa con los bosques después de la partida de las orugas? Los árboles parecen estar muertos.

Luego ocurre un milagro en algunos árboles. Aparecen brotecitos y se forman nuevas hojas. Al poco tiempo todos los árboles están cubiertos de hermosas hojas verdes. Nuevamente llega la primavera al bosque. En esa forma desaparece el daño causado por las orugas.

LOS DE AFUERA

***Después que el padre de familia se haya levantado y cerrado la puerta, y estando fuera empecéis a llamar a la puerta, diciendo: Señor, Señor, ábrenos, él respondiendo os dirá: No sé de dónde sois* (Lucas 13:25).**

A veces nos referimos a los que no son miembros de la iglesia como a "los de afuera". Tal vez no debiéramos referirnos a ellos en esa forma, porque podría desanimar a algunos que piensan hacerse miembros de la iglesia. Además, puede hacer creer a los demás que nosotros nos consideramos mejores que ellos porque nos encontramos a salvo dentro de la iglesia. No me entiendas mal; sabemos muy bien que hay gente que está fuera de la esperanza en Jesús, y esto puede sucederle aun a quienes son miembros de la iglesia. Utilizaré un ejemplo de la naturaleza para explicar esta situación. Se trata del caso de un ave marina de los mares tropicales llamada planga de patas azules.

Esta ave marina anida en el suelo en diversas islas del Pacífico, y especialmente en las Galápagos. Los nidos consisten en depresiones poco profundas en las que la hembra deposita varios huevos. Mientras se encuentra en el nido y en sus idas y venidas, esta ave deposita sus excrementos alrededor del nido, lo que termina por formar un anillo. Cuando nacen los polluelos, ese anillo desempeña una parte importante en su supervivencia.

La planga de patas azules alimenta únicamente a los polluelos que se encuentran dentro del anillo. Los polluelos que están fuera del mismo los considera pertenecientes a otra familia y por lo tanto no los alimenta; son los de afuera o forasteros. Generalmente no se presentan dificultades en los nidos de estas aves, pero cuando el alimento escasea, el polluelo más grande y más fuerte empuja fuera del nido al más pequeño y más débil, y lo hace salir.

En esa forma el polluelo restante se asegura toda la provisión de comida, puesto que la madre no reconocerá como suyo al hijo que se encuentra fuera del anillo, el que morirá de hambre.

Si bien es cierto que debemos encontrarnos dentro del círculo de seguidores de Jesús, ¿no te alegras al saber que él va constantemente en busca de los que se han salido del nido?

Julio 8

UNA SUPERGALAXIA

***Como son más altos los cielos que la tierra, así son mis caminos más altos que vuestros caminos, y mis pensamientos más que vuestros pensamientos* (Isaías 55:9).**

Tú sabes que la tierra gira alrededor del sol juntamente con los demás planetas, y sabrás también que a ese conjunto lo llamamos sistema solar. Además, debes saber que existen millones de soles. Las estrellas que ves brillar en la noche son esos soles. Cada uno puede tener planetas y constituir sistemas solares separados. Pero no podemos ver esos planetas. Casi todos los soles que ves como estrellas forman parte de gigantescos sistemas denominados galaxias. Una galaxia es algo así como un enorme remolino de soles que giran alrededor de un centro, más o menos como la tierra y el resto de los planetas giran alrededor del sol. Nuestra galaxia se llama Vía Láctea porque en la antigüedad le dieron ese nombre sin saber de qué se trataba. Existen tal vez millones de galaxias en el espacio, cada una compuesta de miles de millones de estrellas o soles.

Puede ser que ya sabes todo esto, pero a continuación leerás algo que podría ser nuevo para ti. Los astrónomos han llegado recientemente a la conclusión de que existen grupos de galaxias que posiblemente viajan juntas en el espacio, constituyendo lo que ellos llaman supergalaxias. Un astrónomo cree que nuestra Vía Láctea es parte de una supergalaxia que está formada por unas 20 galaxias. Las 20 galaxias girarían alrededor de un centro común, y nosotros, con nuestra galaxia, viajaríamos a la velocidad de un millón y medio de kilómetros (un millón de millas) por hora alrededor de ese centro.

Resulta interesante pensar que en alguna parte en medio del gran universo se encuentra el trono de Dios, y que tal vez todos los sistemas: los sistemas solares, grupos de estrellas, galaxias y tal vez conglomerados más grandes aún, giran con magnífico esplendor y en perfecto orden alrededor de ese trono. Cuán admirable será escuchar a Jesús explicar estos misterios del universo.

AROMA DE MURCIELAGOS

***Mi Dios, pues, suplirá todo lo que os falta conforme a sus riquezas en gloria en Cristo Jesús* (Filipenses 4:19).**

Este es uno de mis pasajes bíblicos favoritos. El poderoso Dios del universo, Dueño de todo lo que existe, me dará lo que necesito porque Jesús me ama y yo lo amo a él. ¡Qué promesa admirable! No tiene por qué faltarme nada y no debo temer quedarme sin lo que realmente necesito. Es una promesa de la Palabra de Dios, y podemos pedir que se cumpla en nuestro caso. Si alguna vez sientes tentación a dudar de que esto sea verdad, te sugiero que recuerdes el caso del murciélago de nariz larga y el maguey.

El maguey, planta nativa de los desiertos del sureste de América del Norte, depende del murciélago de nariz larga para la polinización de sus flores a fin de producir semillas. ¿Pero por qué querría este murciélago polinizar el maguey? Sucede que este mamífero volador depende del maguey para obtener dos aminoácidos que son indispensables para su vida. ¿Pero cómo sabe el murciélago que puede encontrar esos elementos nutritivos tan importantes en el maguey? Tal vez ésta sea la parte más asombrosa. El Creador ha provisto al maguey con la facultad de producir un "aroma de murciélago" especial. Las flores de esta planta producen ácido tírico, que es la misma sustancia que atrae al murciélago hacia la hembra y viceversa.

De manera que los murciélagos de nariz larga son atraídos por el aroma del ácido tírico que emiten las flores de maguey. Cuando los murciélagos encuentran las flores, introducen sus largas lenguas para extraerles el néctar, lo que contribuye a la polinización de las plantas; por su parte, los murciélagos reciben dos elementos nutritivos esenciales: la prolina, que contribuye a la producción de tejido conjuntivo en las alas, y la tirosina, que estimula el crecimiento de sus hijitos, quienes la reciben a través de la leche materna.

Si el Creador manifiesta tierna preocupación por los hijos de los murciélagos y por las plantas de maguey, al punto de haber dispuesto un procedimiento tan complicado para beneficiarlos a ambos, ¿necesitamos nosotros sentir preocupación ansiosa por nuestras vidas?

Julio 10

LA CALANDRIA DE PECHO NEGRO Y SUS NIDOS

***Cuando encuentres por el camino algún nido de ave en cualquier árbol, o sobre la tierra, con pollos o huevos, y la madre echada sobre los pollos o sobre los huevos, no tomarás la madre con los hijos. Dejarás ir a la madre, y tomarás los pollos para ti, para que te vaya bien, y prolongues tus días* (Deuteronomio 22:6-7).**

Dios es partidario de la conservación de los recursos naturales. El texto de hoy lo prueba. El Creador se ha preocupado siempre de la vida de sus criaturas. El ser humano, en su preocupación con el deporte de la caza y en su búsqueda del sustento, a veces siente la tentación a tomar más de lo necesario. Por eso Dios ha considerado conveniente darle algunas reglas que debe observar cuando toma aves para su sustento.

Otro ejemplo de la preocupación de Dios por las avecillas que anidan lo encontramos en el extraordinario hábito de un pajarillo norteamericano llamado calandria de pecho negro. Estas aves anidan primero en la zona de las praderas de los Estados Unidos y el Canadá, aunque unas pocas lo hacen más hacia el este.

En la primavera, los machos emigran primero que las hembras. Ocupan el territorio comprendido entre Texas y las Dakotas, se establecen y esperan la llegada de las hembras. Cuando las hembras llegan a Texas, de paso en su viaje al norte, se quedan un tiempo, anidan y crían una familia en ese territorio establecido por los machos. Cuando los hijos crecen y pueden valerse por sí mismos, las hembras siguen viaje hacia el norte para reunirse con los machos que las esperan, y allí construyen sus nidos y crían a sus hijos.

De modo que las calandrias de pecho negro crían dos familias por año, una en el sur antes que haga demasiado calor, y la otra en el norte. Se trata de un sistema muy eficiente.

No sabemos por qué las calandrias han escogido este método para aumentar la población de su especie, pero estoy seguro que el Creador, que cuida de la madre y sus hijuelos, tuvo que ver con este comportamiento de las avecillas.

EL AJOLOTE

***Cuando yo era niño, hablaba como niño, pensaba como niño, juzgaba como niño; mas cuando ya fui hombre, dejé lo que era de niño* (1 Corintios 13:11).**

La palabra "ajolote" es de origen azteca y significa "juguete de agua". El ajolote es una salamandra que vive en México y en el oeste de los Estados Unidos. Tiene un rasgo peculiar, y es que muchos ajolotes nunca crecen. Siguen siendo criaturas inmaduras durante toda la vida, que puede ser hasta 25 años.

Toda salamandra tiene su origen en un huevo. Del huevo nace una larva que vive en el agua. En el caso de las ranas y los sapos, esas larvas se llaman renacuajos. A las salamandras jóvenes, lo mismo que los renacuajos, también les crecen patas, salen a la tierra y allí viven durante el resto de sus vidas. Pero en el caso de los ajolotes, las criaturas inmaduras con frecuencia no llegan a la adultez. Por alguna razón las branquias respiratorias no se convierten en pulmones, como en las otras salamandras. Como resultado, los ajolotes inmaduros deben permanecer en el agua durante el resto de sus vidas, y arrastrarse en el fondo de las lagunas lo mismo que las criaturas que tienen poco tiempo de haber nacido.

La razón por la que algunos ajolotes no maduran parece que tiene que ver con la cantidad de agua y alimentos existentes. Donde hay más alimento en tierra y las lagunas se secan, un mayor número de ajolotes maduran; pero en los lugares en que la tierra se reseca pero las lagunas no se agotan, un mayor número de ajolotes permanecen en estado de inmadurez en el agua. Maduran cuando las condiciones ambientales lo permiten. Considero que esto encierra una lección para nosotros.

El autor del libro de los Hebreos compara nuestra necesidad de alimento espiritual con la diferencia existente entre la leche y el alimento sólido. Una criatura se alimenta de leche, y eso es casi lo único que los nuevos cristianos pueden recibir de la Palabra de Dios. Pero a medida que crecen en la vida cristiana, necesitan alimento más sólido para madurar. "Pero el alimento sólido es para los que han alcanzado madurez, para los que por el uso tienen los sentidos ejercitados en el discernimiento del bien y del mal (Hebreos 5:14). No tiene sentido seguir siendo criaturas en el desarrollo cristiano, cuando disponemos del alimento necesario para madurar.

EL ESCARABAJO DE LAS MIMOSAS

***Y sabemos que a los que aman a Dios, todas las cosas les ayudan a bien, esto es, a los que conforme a su propósito son llamados* (Romanos 8:28).**

Aunque tengas en el patio de tu casa un árbol de mimosa, puede ser que no sepas nada acerca del escarabajo de las mimosas. En casa tenemos dos de estos hermosos árboles, y a los picaflores les encanta libar en los miles de florecillas rosadas cargadas de néctar. Pero estos árboles no viven mucho tiempo, y si queremos prolongarles la vida, debemos asegurarnos de que estén poblados por los escarabajos de las mimosas.

El escarabajo de las mimosas es de tamaño pequeño y tiene la particularidad de vivir únicamente en estos árboles, ya que no puede habitar en ninguna otra parte. Tiene la boca especialmente adaptada para cortar la corteza de las ramitas del árbol. El escarabajo corta la corteza en anillo alrededor de las ramitas, con lo cual termina por matarlas. A primera vista esto puede parecer un perjuicio para el árbol, pero como veremos a continuación, a la larga resulta beneficioso.

Cuando la hembra está lista para poner sus huevos, se dirige al comienzo de una rama, abre una ranura y en ella deposita los huevos. A continuación camina algunos centímetros hacia el tronco del árbol y comienza a cortar la corteza hasta formar un anillo alrededor de la ramita. El corte es apenas suficientemente profundo para interrumpir el paso de la savia hacia el extremo de la rama. Debido a eso la rama no tarda en secarse y termina por caer cuando el viento sopla con fuerza, con lo que los huevecillos se esparcen. Cuando nacen los pequeños escarabajos, éstos buscan un árbol de mimosa, suben por el tronco y vuelven a comenzar el mismo proceso vital.

Esta poda natural de las ramas del árbol duplica la vida de la mimosa. De modo que lo que hubiera podido considerarse como un daño causado al árbol, en realidad le prolonga la vida. El árbol de mimosa emite un aroma especial que atrae a los escarabajos. ¿Crees tú que podríamos considerar nuestros pequeños problemas como un proceso de podado efectuado por Dios para ayudarnos a vivir eternamente?

LOS POLLUELOS DE GAVIOTA APRENDEN A ORAR

***Aconteció que estaba Jesús orando en un lugar, y cuando terminó, uno de sus discípulos le dijo: Señor, enséñanos a orar, como también Juan enseñó a sus discípulos* (Lucas 11:1).**

Tal vez pensarás que el título de esta lectura devocional es extraño. Al fin y al cabo, ¡los pájaros no pueden orar! ¿Pero no les dijo Jesús a sus discípulos que, como parte del Padrenuestro, debían decir: "El pan nuestro de cada día, dánoslo hoy"? (Mateo 6:11). Pienso que podría decirse que el polluelo de gaviota está orando por su alimento cuando se lo pide a su madre o a su padre, pero en general reservamos la palabra *oración* para referirnos a una conversación con Dios. De modo que no es del todo correcto decir que un ave ora. Sin embargo el Creador, que hace provisión para las aves, está siempre atento hasta a las necesidades de los polluelos; de modo que el pedido de alimento de las avecitas no está muy lejos de ser una oración.

Consideremos, por ejemplo, al polluelo de la gaviota. Cuando sale del cascarón debe comenzar a comer, pero no sabe exactamente cómo hacerlo. Al parecer nace con un pequeño conocimiento, que es la atracción que el color rojo ejerce sobre él. De alguna manera sabe instintivamente que donde hay color rojo también hay alimento. Pero el polluelo no puede dirigir muy bien el pico hacia el pico rojo de la gaviora adulta, de modo que el padre o la madre bajan el pico hasta ponerlo frente al polluelo. Al verlo éste, comienza a picarlo, pero no siempre da en el blanco. Con un poco de práctica logra tomar con su piquito el pico de la madre y darle un tironcito, que es la señal para que ésta le dé alimento.

¿Es el método que emplea el polluelo para obtener comida muy diferente del que nosotros empleamos para orar a Dios para pedir su bendición? Cuando somos jóvenes e inexperimentados en el cristianismo, Dios debe mostrarnos el camino y enseñarnos cómo debemos pedirle las cosas que necesitamos. Cuán feliz se sentirá cuando aprendamos a confiar en él suficientemente para pedirle todo lo necesario para nuestra vida.

Julio 14

EL CESPED DE TU CASA

***Descenderá como la lluvia sobre la hierba cortada; como el rocío que destila sobre la tierra* (Salmo 72:6).**

Este versículo se refiere a la forma como Jesús, el Mesías, vendrá a su pueblo: como el suave rocío que cae sobre la hierba. La hierba verde tiene algo especial. El césped o zacate bien cuidado invita a caminar sobre él con los pies descalzos. La falda cubierta de hierba de una colina invita a echarse a rodar por ella. Los "delicados pastos" del Salmo 23 han sido siempre símbolos de paz. Sí, nos sentimos atraídos por el césped verde y bien cultivado, y realizamos grandes esfuerzos por tener un césped bien cuidado en nuestra casa.

Se calcula que en los Estados Unidos hay más de ocho millones de hectáreas (veinte millones de acres) de terreno dedicado al cultivo de césped, lo que representa alrededor del dos por ciento de la superficie total del país. Es ésta una enormidad de terreno que debe regarse, desmalezarse y protegerse contra los insectos.

Pocos jóvenes comprenden la variedad de hierbas que existen en el césped de su casa. Tal vez pienses que tu césped se compone de una sola clase de hierba. La verdad es que contiene diversas clases, *además* del zacate que se sembró. A pesar de tus esfuerzos por impedirlo, muchas clases de hierbas crecen en tu césped.

Aunque te parezca asombroso, hay también unas cien clases de insectos, sin incluir los caracoles, babosas, arañas, ácaros rojos, cochinillas de humedad, lombrices y otras criaturas.

La cantidad de crecimiento que se produce en las plantas de un prado es fenomenal. Hay más crecimiento de plantas nuevas en un terreno cubierto de césped que en una pradera de pasto alto o en un bosque de coníferas de igual superficie.

Jesús tenía la costumbre de llevar a sus seguidores al aire libre y sentarlos en la hierba para que escucharan sus enseñanzas. En el césped de tu casa puedes aprender diversas lecciones que tu Creador desea enseñarte.

LOS MICROCIRCUITOS INTEGRADOS

***Y vi los muertos, grandes y pequeños, de pie ante Dios; y los libros fueron abiertos, y otro libro fue abierto, el cual es el libro de la vida; y fueron juzgados los muertos por las cosas que estaban escritas en los libros, según sus obras* (Apocalipsis 20:12).**

La invención de la computadora ha cambiado la forma como se hace la mayor parte de las cosas en el mundo. El hombre, repentinamente, ha adquirido la capacidad de realizar hazañas que hubieran confundido la mente de nuestros antepasados. Al parecer no hay límites para lo que pueden hacer esas máquinas con memoria.

Uno de los secretos de la prodigiosa capacidad de las computadoras es la posibilidad de almacenar enormes cantidades de información en espacios muy reducidos, y de recuperarla para utilizarla en cualquier momento. Con este fin se emplean diminutos trozos de cristal de silicio, denominados "microchips" o "microcircuitos". Están provistos de diminutos circuitos integrados de gran complicación. Un trocito de silicio no más grande que la cabeza de un alfiler puede almacenar información equivalente a cuatro páginas mecanografiadas, y recibe el nombre de microchip de 64K (la K significa mil bitios o unidades de información). Cuando leas esto ya habrá microchips de capacidad de almacenamiento mucho mayor. La compañía IBM ya ha anunciado que trabaja en la creación de un microchip superpoderoso de 288 kilobitios. Además, ya se experimenta con uno de un mineral llamado arseniuro de galio, que podrá almacenar diez veces más información que los microchips convencionales de silicio. Se anticipa que en el futuro cercano se podrán almacenar los libros de toda una biblioteca en el lugar que actualmente ocupa un solo libro.

Uno de los problemas que encuentran los especialistas en la creación de microchips de mayor capacidad, es que la fuerza de gravedad afecta la perfección de los cristales. Para solucionar este problema, se espera construir fábricas espaciales de microchips para eliminar el efecto de la gravedad.

Podrás imaginar que Dios, que es tanto más poderoso que los seres humanos, dispone de los medios necesarios para guardar registro de todo lo que hacemos. ¿Te interesaría ver los "libros" de Dios? Debemos sentirnos agradecidos porque gracias al sacrificio de Cristo por nosotros, nuestras malas acciones pueden ser borradas de esos libros cuando nos arrepentimos y pedimos perdón.

LA PLANTA QUE CRECE MAS RAPIDO EN EL MUNDO

***El es quien cubre de nubes los cielos, el que prepara la lluvia para la tierra, el que hace a los montes producir hierba* (Salmo 147:8).**

Dios provee todo lo necesario para que podamos vivir en nuestro planeta, y sus promesas son seguras para los que confían en él. En el oriente hay una planta especial muy apreciada por los habitantes de esa región lejana. Es un pasto, pero no un pasto ordinario como el que crece en el patio de tu casa. Es la planta que crece con mayor rapidez en el mundo, porque a veces crece hasta 45 centímetros (18 pulgadas) en un solo día. ¡Casi se la puede ver crecer! En el Japón, país en el que esta planta tiene una enorme importancia, dicen en broma que la planta crece con tanta rapidez que hasta se la *oye* crecer. Se trata del bambú.

El bambú alcanza su altura máxima durante un corto período de crecimiento al comienzo del verano. Se convierte en una vara tierna y muy alta que demora tres años en madurar y endurecerse para poder ser usada en la fabricación de diversos objetos y muebles. Por ejemplo, el bambú es el material más usado en el Japón para la construcción de casas, y lo ha sido durante siglos. Esta valiosa planta se utiliza casi en su totalidad. Hasta las hojas y la pulpa se emplean en la fabricación de papel.

Pocas veces es posible ver un bambú en flor, pero la planta florece y da semillas, pero pueden transcurrir hasta sesenta años sin que florezca. Algunas plantas de bambú que has visto probablemente nunca han tenido flores, porque se muere después de florecer. En el Japón, un bambú en flor es señal de mala suerte, y no resulta difícil comprender la razón. Cuando muere la fuente que satisface tantas necesidades de los japoneses, en verdad es mala suerte. Pero aun en la muerte hay vida, porque las semillas, que se parecen al arroz o a la cebada, se muelen y la harina se usa como alimento. ¿Será que hacen pan de bambú?

La hierba que Dios hace crecer sobre los montes para los japoneses, es el bambú. Debes agradecer al Creador porque ha hecho provisión para satisfacer todas las necesidades de los seres humanos, y también de los animales, las aves y los peces.

ABEJAS Y CENIZAS VOLCANICAS

***Bienaventurados los perfectos de camino, los que andan en la ley de Jehová* (Salmo 119:1).**

A veces resulta difícil aceptar, en relación con las lecciones que enseña la naturaleza, que las leyes naturales actúan en forma rápida y con dureza. El que las transgrede debe pagar la penalidad; esta regla casi no tiene excepciones.

Cuando el monte Saint Helens, situado en el Estado de Washington, Estados Unidos, entró violentamente en erupción hace algunos años, el aire se llenó de partículas microscópicas de ceniza. En la región que circunda este volcán se encuentran algunos de los campos de cultivo más fértiles del mundo. Abundan los productos agrícolas, incluyendo frutas y flores. Hay, además, millones de abejas que contribuyen a la polinización de las flores, y con eso, a la producción de fruta. Cuando las abejas salieron de sus colmenas después de la erupción, no sabían que estaban condenadas a muerte por la ceniza que flotaba en el aire y que ellas no podían ver.

Las abejas tienen el cuerpo cubierto de pelos especiales que las protegen contra la posibilidad de chocar con los objetos que se encuentran en su vuelo, y además sirven para retener el polen que interviene en la polinización. En los días subsiguientes después de la erupción, esos pelos se convirtieron en trampas para las partículas de ceniza, en vez de atrapar el polen. Sabido es que las abejas tienen peines y escobillas naturales para desprenderse del polen cuando se torna demasiado abundante; pero esos instrumentos no les sirvieron de nada cuando quisieron desprenderse de la ceniza que se acumulaba peligrosamente sobre sus cuerpos, a tal punto que no podían volar. La ceniza causaba otro problema: se metía en los tubos respiratorios de las abejas y las sofocaba, o bien dañaba la capa de cera que les cubre el cuerpo para impedir que se deshidraten por efecto del calor. Resulta interesante saber que las abejas que se encontraban en esta condición se ponían irritables y picaban con más facilidad.

Millones de abejitas murieron en los días que siguieron a la erupción. No podían hacer frente a las condiciones inusitadas que repentinamente habían surgido en su vida. Los apicultores no pudieron salvarlas, de modo que perecieron. ¿No te sientes feliz y agradecido porque tienes un Salvador que dio su vida por ti?

Julio 18

PEDIDO DE AYUDA EN LA TRIBULACION

***En mi angustia invoqué a Jehová, y clamé a mi Dios. El oyó mi voz desde su templo, y mi clamor llegó delante de él, a sus oídos* (Salmo 18:6).**

Resulta natural que una persona sana corra en respuesta a un pedido de auxilio. Conozco muy bien el temor que se apodera de mí cuando escucho a un niño gritar de dolor por haberse golpeado o herido. Dejo lo que estoy haciendo y corro a ayudarlo. Al parecer las avecillas experimentan el mismo impulso.

En tiempos pasa como parte de un trabajo debía atrapar pájaros en trampas y redes para ponerles bandas de identificación en las patas, tras lo cual los dejaba en libertad. Algunos pájaros se ponían a chillar apenas los tomaba.

Hay gente que hace lo mismo. Cuando algo les sale mal vociferan y se quejan amargamente. En cambio hay otros que lo soportan con paciencia. Estoy convencido que hay un tiempo para lamentarse en voz alta y un tiempo cuando se debe guardar silencio. Al parecer, los pájaros lo saben. Los pájaros agresivos que manifiestan una actitud de vigilantes son los que más chillan. Pájaros como el gayo de hermoso plumaje azul, el vireo y el cardenal casi siempre chillan cuando se los saca de la trampa o de la red en que estaban atrapados. Parece que en esa forma procuran inducir a otros pájaros a lanzar un ataque contra los "monstruos" que los aprisionan, con el fin de alejarlos del lugar o de intimidarlos.

Cierta vez alguien atrapó varios azulejos en una red, y éstos de inmediato lanzaron fuertes chillidos que atrajeron a toda una bandada de azulejos, los que lanzaron un feroz ataque contra la persona que había aprisionado a sus hermanos. Estas avecillas, sin preocuparse de su propia seguridad, se unen para alejar a animales que instintivamente podrían considerar peligrosos, como una culebra, una lechuza y hasta un gato. De manera que los chillidos lanzados por algunos pájaros cuando son capturados no son de miedo ni de dolor, sino más bien chillidos de advertencia y pedidos de ayuda. Y esos chillidos producen resultado, porque otros pájaros acuden prontamente para tratar de prestar ayuda, en la misma forma como yo corro hacia la persona que pide auxilio, y tal como Jesús hace cuando le pedimos ayuda al encontrarnos afligidos por algún peligro o una circunstancia negativa.

EL CAMALEON JACKSON

***E hizo Dios animales de la tierra según su género, y ganado según su género, y todo animal que se arrastra sobre la tierra según su especie. Y vio Dios que era bueno* (Génesis 1:25).**

El animal al que deseo referirme hoy se parece a un monstruo prehistórico. Tiene tres grandes cuernos en la cabeza, una serie de protuberancias como de dragón a lo largo del espinazo, y grandes ojos saltones que se mueven independientemente en todos sentidos. Se trata de un animal de aspecto tan chocante que la gente de Africa oriental, donde vive en árboles y matorrales, piensa que tiene poderes sobrenaturales. Es el camaleón de la variedad Jackson, que mide solamente 20 centímetros (8 pulgadas) de largo y es inofensivo.

Lo que más asombra de este camaleón es la lengua, que es algo más larga que el cuerpo del animal. La lengua es una trampa mortal para los insectos, ya que la proyecta sobre la incauta víctima en una fracción de segundo.

Cuando el camaleón siente hambre se ubica en una rama y espera. No mueve nada en su cuerpo, con excepción de los ojos. Puede enfocar los ojos independientemente uno de otro, o bien puede mirar un objeto con ambos. Produce una sensación extraña ver los ojos del animal moviéndose uno hacia un lado y el otro en un sentido diferente.

Cuando el camaleón ve un insecto con un ojo, el otro ojo recibe el mensaje. De inmediato lo enfoca sobre la presa y en esa forma obtiene información exacta acerca de la ubicación y la distancia a que se encuentra el insecto. Aun si pestañeas en el momento en que el camaleón atrapa al insecto no conseguirás verlo, porque la acción es tan rápida que causa la impresión de que el insecto desaparece en el aire.

No sabemos por qué el camaleón, que podemos considerar una maravilla de la creación, tiene un aspecto tan repulsivo. Tampoco sabemos lo que sus antepasados comían en el huerto del Edén. Pero sabemos que este animalito todavía depende del Creador para alimentarse y vivir, lo mismo que nosotros.

Julio 20

PERSEGUIDO POR CINCO TONELADAS DE SANDIAS

***Pues a sus ángeles mandará acerca de ti, que te guarden en todos tus caminos* (Salmo 91:11).**

Son las cuatro de la madrugada cuando Marcos, su padre y tres muchachos salen de la granja con cinco toneladas de sandías. El padre va adelante en un vehículo y Marcos maneja el camión con las sandías. Los tres muchachos duermen. Antes de salir, Marcos y su familia se arrodillaron para pedirle a Dios que los cuidara y protegiera durante el día.

En el camino que deben recorrer hay una larga cuesta en bajada que termina en otro camino. Marcos conduce el camión con prudencia en la cuesta. De pronto ve que se encienden las luces traseras del vehículo de su padre, lo que le hace comprender que ha frenado. También Marcos aplica los frenos, pero se da cuenta que éstos no reponden. En ese momento no tiene tiempo de orar. Sólo puede confiar.

Marcos ve más adelante un montículo de tierra a la izquierda del camino. Hubiera sido peligroso chocar con él llevando el camión vacío, pero con el camión cargado con cinco toneladas de sandías, el muchacho sabe que serán aplastados por ellas si se estrellan contra el montículo. De todos modos decide intentar parar el camión embistiendo el montículo, aunque sabe que la velocidad que lleva es excesiva. Con cuidado vuelve el volante hacia la izquierda, pero el pesado camión no responde y sigue la marcha sin desviarse. De pronto comienza a virar hacia la izquierda, y la presión es tan grande sobre las ruedas de ese lado, que los aros de acero abren dos canales en el cemento del camino. Marcos sabe que el camión se volcará si sigue tratando de virar a la izquierda, con lo que cinco toneladas de sandías caerán encima de él y sus compañeros dormidos. De pronto ve que el montículo de tierra está más adelante de lo que había supuesto. A lo mejor consigue estrellarse contra él para detener el camión. Endereza el volante y el camión embiste el montón de tierra, pasa por encima y aterriza en terreno plano al otro lado del montón.

La conmoción producida despierta a los muchachos, quienes preguntan: "¿Qué ha sucedido?" Marcos continúa sentado frente al volante y el camión todavía sigue su marcha por el campo, hasta que finalmente se detiene. Unas cuantas sandías resultan rotas, y eso es todo el daño que sufren.

Si Marcos hubiera insistido en virar a la izquierda por una fracción más de segundo, habrían caído en un barranco. ¿No crees que los ángeles protectores estuvieron bastante ocupados durante varios segundos? ¡Marcos cree que sí!

RELOJES BIOLOGICOS INTERNOS

***El que guarda el mandamiento no experimentará mal; y el corazón del sabio discierne el tiempo y el juicio* (Eclesiastés 8:5).**

Usamos relojes para saber qué hora es. ¿Pero has notado que a veces sabes la hora sin mirar el reloj? Cuando pones el reloj despertador para que suene a las seis de la mañana, a veces despiertas un momento antes de que suene, ¿verdad? Esto tiene una explicación: tenemos un reloj biológico interno. Por mucho tiempo se suponía que lo teníamos, pero sólo recientemente se ha encontrado su ubicación. Hasta podrías adivinar en qué lugar se encuentra, si es que has estudiado anatomía cerebral.

Tu reloj interno está ubicado en el hipotálamo, que se encuentra en la parte inferior del cerebro, justamente en medio de la cabeza. ¡Sin embargo, no sería buena idea tratar de consultar la hora en el hipotálamo en lugar de hacerlo en el reloj!

Hasta ahora, lo que se sabe acerca de este reloj interno es lo que ha descubierto un grupo de investigadores de la Escuela de Medicina de la Universidad de Harvard. Ese reloj biológico consiste de un núcleo de células cerebrales que, según opinión de los científicos, envía regularmente pulsos eléctricos como el tictac del reloj. Esto es solamente una teoría, porque no ha sido comprobado aún.

Cuando el reloj interno de un animal se daña, también se trastorna su hábito de dormir. En ese caso duerme en horas irregulares a lo largo de todo el día o la noche, y su vida diaria pierde el ritmo.

Los científicos no pueden experimentar con los humanos en la forma como lo hacen con los animales, pero no hay razón para creer que los relojes biológicos internos de los seres humanos no funcionan en la misma forma complicada en que funcionan en los animales. ¿No crees que sería interesante llegar a conocer el mecanismo empleado por nuestros cuerpos para fijar el tiempo debido? Tiene que haber un tiempo estándar para todas las criaturas de Dios, y estamos programados de acuerdo con el tiempo de Dios cuando mantenemos en orden el templo de nuestro cuerpo y respetamos leyes físicas, mentales y espirituales establecidas por el Creador.

Julio 22

LOS HIJOS DEL COCODRILO

***Pero no pudiendo ocultarle más tiempo, tomó una arquilla de juncos y la calafateó con asfalto y brea, y colocó en ella al niño y lo puso en una carrizal a la orilla del río* (Exodo 2:3).**

En las mismas aguas que protegieron al niñito Moisés en su arquilla, los hijitos de los cocodrilos se encuentran protegidos en una forma característica e interesante. Primero, la madre cocodrilo sale a la orilla, hace un hoyo poco profundo y pone sus huevos en él. Luego los cubre cuidadosamente con tierra y permanece en el lugar durante tres meses para protegerlos, tal como la madre de Moisés lo ocultó por tres meses. El sol tropical cuece la tierra que cubre los huevos y ésta se pone muy dura. Es tan dura que los cocodrilos recién nacidos quedarían atrapados en el nido y morirían en él si la madre no estuviera cerca para ayudarles a salir. Los hijitos chillan a todo pulmón, la madre los oye y abre el nido para que salgan.

Pero éste es sólo el comienzo de la extraña historia. Al salir de la tierra cada uno de los pequeños cocodrilos, la madre los toma uno por uno en la boca y los traga. Van a dar a una bolsa especial que tiene en la garganta, donde permanecen vivos y seguros. Cuando todos los hijuelos se encuentran a salvo, la madre regresa al agua. Luego hace salir a sus hijos y los coloca en su madriguera acuática. Resulta interesante comprobar que hasta un animal tan feroz como el cocodrilo cuida tiernamente a sus hijuelos y los protege.

El futuro del niñito Moisés parecía muy incierto, porque Faraón había ordenado que le dieran muerte. Pero Dios tenía una obra que Moisés debía realizar, por lo que indujo a su madre Jocabed a colocarlo en una arquilla en el río Nilo. Allí lo encontraría la hija de Faraón, y lo rescataría. También nosotros tenemos una obra especial que debemos realizar para Dios. Debemos ayudar a conducir a su pueblo a la tierra prometida, para librarlo del diablo, que es el peor de todos los cocodrilos.

UNA COLECCION DE 20.000 MARIPOSAS

***No harán mal ni dañarán en todo mi santo monte; porque la tierra será llena del conocimiento de Jehová, como las aguas cubren el mar* (Isaías 11:9).**

Bernardo D'Abrera, de Australia, posee una de las colecciones de mariposas más grandes del mundo. Tiene más de veinte mil mariposas diferentes. ¿Puedes imaginar tal variedad de hermosos insectos? Pero eso no es todo. Ninguna de sus mariposas fue muerta ni montada en la forma acostumbrada por los coleccionistas de mariposas. Todas las mariposas del Dr. D'Abrera han sido capturadas en películas. Este hombre de ciencia está trabajando en la producción de una serie de películas titulada *Las Mariposas del Mundo.* El cree que las mariposas debieran volar libremente y no estar prendidas con alfileres en cajas con olor a naftalina. ¿Qué te parece?

¿Has hecho alguna vez una colección de insectos o mariposas? Cuando yo era niño pasaba una buena parte de mi tiempo en los veranos persiguiendo mariposas para mi colección. Mis padres me ayudaban a hacer redes para cazar estos insectos y tableros para ponerlos a secar, y hasta me hicieron un estante para exhibir mis mariposas guardadas en cajas. Me entretenía con mi colección. Perseguía mariposas en el día y polillas en la noche. Pero con el tiempo todos los insectos se desintegraron, aunque los había colocado en cajas especiales. Además, las mariposas, y especialmente las polillas de delicados colores se destiñeron. No me parecían nada de lindas. Llegué a preguntarme por qué me había dedicado a coleccionarlas.

Llegué a la conclusión de que lo interesante y entretenido había sido el trabajo de cazarlas, montarlas y exhibirlas, y no el hecho de tener la colección. Por eso estoy de acuerdo con Bernardo D'Abrera. No hay necesidad de cazar las hermosas mariposas creadas para que disfrutemos mirándolas. Es innecesario matarlas y ensartarlas en alfileres en una caja para apreciar su hermosura. Por eso, si deseo tener una colección de mariposas puedo fotografiarlas mientras vuelan libremente por campos y jardines y juguetean con las flores de variados colores. ¿Crees tú que Jesús coleccionó mariposas cuando era niño?

LAS GOLONDRINAS DE LOS ARBOLES

Como las aves que vuelan, así amparará Jehová de los ejércitos a Jerusalén, amparando, librando, preservando y salvando **(Isaías 31:5).**

Una señora que vivía en el Estado de Maine, Estados Unidos, tenía una casita para pájaros en el patio de su casa. Una golondrina de los árboles de brillante plumaje verde azulado se adueñó de ella, y la hembra construyó un hermoso nido con hierbas y plumas. Puso tres huevecillos, de los que nacieron tres golondrinitas. Estas manifestaron un voraz apetito desde el comienzo, por lo que sus padres salieron en busca de insectos para alimentarlas y regresaron repetidamente al nido llevando comida.

Un día llegó a ese lugar otro par de golondrinas que no tenían colores tan brillantes, por que podían ser fácilmente diferenciadas de las otras. La hembra de color pardusco decidió apropiarse de las tres golondrinitas, de modo que se introdujo en el nido mientras los padres buscaban alimento. Cuando éstos regresaron se produjo una violenta batalla entre los intrusos y los dueños de casa. La madre de los pajarillos quedó tan maltrecha que finalmente se posó en el techo de la casa, y allí se quedó con un ala caída. Su compañero se portó como un héroe, pero salió vencido porque estaba cansado debido a tantas idas y venidas para alimentar a los pichones. Los padres se mantuvieron cerca para vigilar, mientras los intrusos se quedaban con el nido. La golondrina de color pardusco permaneció con los pichones mientras el macho volaba solo para buscar alimento.

Transcurrieron varios días. La madre recuperaba las fuerzas al mejorar su ala. Ella y su compañero esperaban pacientemente el día del desquite. La batalla final ocurrió cerca del día cuando las golondrinitas abandonarían el nido para valerse por sí mismas. Los padres atacaron a los intrusos con renovada energía. El macho de color pardusco estaba tan cansado por haber volado solo en busca de insectos para los pichones, que no pudo hacer frente a los padres verdaderos, quienes expulsaron fácilmente a los intrusos. Finalmente, los padres verdaderos despidieron a sus hijos del nido cuando éstos hicieron su primer vuelo.

Este es un buen ejemplo de la forma como Jesús creó el mundo y lo perdió momentáneamente cuando cayó en manos de Satanás. Lo recuperará a su debido tiempo después de una batalla final con el enemigo.

COCO, EL MONO TRAVIESO

***Hágase todo decentemente y con orden* (1 Corintios 14:40).**

Tu habitación debiera ser un lugar agradable, donde puedas entretenerte a gusto, porque es indudable que un cuarto ordenado y limpio te hace sentir mejor cuando estás en él. El caso de Coco ofrece un buen ejemplo de un lugar en lamentable desorden.

Coco es un mono capuchino de los que acompañan a los organilleros. Los esposos Brandt eran dueños de una tienda de animalitos que la gente compra como mascotas. Mantenían el lugar muy limpio y en orden, para que la gente se sintiera a gusto. Los Brandt acababan de comprar a Coco y lo habían colocado en una jaula segura que suponían que el mono sería incapaz de abrir. Al atardecer cerraron la tienda y se fueron pensando regresar más tarde para echar una mirada a Coco.

Volvieron varias horas después y se alarmaron al ver cuatro carros de policía con las luces encendidas, y una cantidad considerable de curiosos que habían sido atraídos por la conmoción que se había producido. ¡Coco se había puesto a hacer travesuras!

—Ahí adentro hay un mono que está destruyendo la tienda —le dijo un policía al Sr. Brandt.

Coco se las había ingeniado para abrir la jaula y salir de ella. Luego había comenzado a abrir frascos, a volcar las jaulas, a romper los vidrios y a hacer toda clase de fechorías. Trepaba por las paredes y daba grandes brincos acrobáticos. Había convertido la tienda en un gimnasio privado.

El Sr. Brandt abrió la puerta y entró. Coco vino tranquilamente a su encuentro como si nada hubiera sucedido. Parecía decirle: "Papá, me gusta mi nuevo lugar y encuentro tantas cosas interesantes con qué jugar". Los esposos Brandt se quedaron toda la noche en la tienda para limpiarla y ordenarla. Repararon la jaula de Coco y la aseguraron con tres candados. El Sr. Brandt recuerda muy bien este caso, pero no quisiera que se volviera a repetir.

Es comprensible que un mono haya causado tanto desorden y confusión, porque carece de juicio y de buenos hábitos. Pero cuando tu habitación se encuentra en desorden, como si Coco hubiera estado haciendo sus travesuras en ella, ¿qué disculpa puedes presentar?

Julio 26

EL PETREL DE LAS TORMENTAS

***Entonces le respondió Pedro, y dijo: Señor, si eres tú, manda que yo vaya a ti sobre las aguas* (Mateo 14:28).**

Los petreles de las tormentas son pequeñas aves marinas que pasan casi tods la vida mar afuera. Ocasionalmente una tempestad los arroja a la playa, donde la gente logra verlos. Por eso se les da el nombre de petrel de las tormentas. El nombre petrel les ha sido dado por la forma como algunos de ellos parecen caminar sobre el agua, tal como Pedro lo hizo. En realidad dan pasos en el agua al golpearla con las patas palmeadas mientras se mantienen en el aire batiendo las alas. Este extraño comportamiento forma parte de sus hábitos de alimentación.

Unas veinte variedades de petreles de las tormentas viven en los océanos del mundo. Su tamño varía de 15 a 25 centímetros (6 a 10 pulgadas). Todos tienen colores más bien oscuros, con matices de café, negro y blanco. Resulta bastante difícil distinguirlos unos de otros, porque son muy parecidos.

Una de las mejores formas de identificar las distintas clases de petreles de las tormentas consiste en observar sus hábitos de alimentación sobre la superficie del agua. Cierto autor describe algunas variedades en la forma que sigue: "Los petreles de las tormentas de las variedades Wilson y Elliot golpetean más el agua que otros". Los petreles de lomo gris "saltan y brincan de uno a otro lado". En cambio el petrel de cara blanca "tiene el hábito de dejar las patas colgando mientras se balancea como un péndulo con intervalos de dos segundos y simultáneamente golpea el agua con ambas patas". El petrel de vientre blanco "salta de un lado a otro en la superficie con las alas extendidas utilizando ambas patas como trampolín". El petrel de garganta blanca "se alza desde una ola, planea aproximadamente durante 20 ó 30 segundos y luego vuelve a alzarse". El petrel de Harcourt "salta, corre y danza a lo largo de la superficie del agua". Después de leer estas descripciones, ¿no te gustaría ver a estas notables aves marinas?

Cuando Pedro descendió de la embarcación, pisó el agua y comenzó a caminar sobre ella en dirección a Jesús, esa acción suya fue muy significativa. Mientras mantuvo los ojos puestos en Jesús estuvo a salvo, pero cuando dirigió la vista hacia otras personas, comenzó a hundirse.

VESTIDO EXTRANJERO

***Y en el día del sacrificio de Jehová castigaré a los príncipes, y a los hijos del rey, y a todos los que visten vestido extranjero* (Sofonías 1:18).**

La expresión *vestido extranjero* probablemente se refería a la gente que se vestía con ropa que los hacía parecidos a los paganos que los rodeaban. Los pecados de la tribu de Judá se habían multiplicado, y como ocurre con frecuencia cuando la gente se aparta de Dios, su incredulidad se manifestaba claramente en la forma como se vestían.

Las carpas doradas constituyen un ejemplo interesante de "vestido extranjero". Todos los antepasados de las carpas doradas actuales eran peces de color gris plateado, sin ningún atractivo, que vivían en las aguas de la costa oriental de la China. Pero en cierto momento del pasado, la gente se interesó en estos peces, comenzó a experimentar con ellos y obtuvo las hermosas variedades doradas hoy conocidas. Pronto también los japoneses se interesaron en ellos, y debido que al comienzo solamente los dirigentes y los ricos de ese país podían adquirirlos, les dieron el nombre de peces reales. Hasta hoy, la crianza y exhibición de las carpas doradas es más popular en el Japón que en cualquier otro país del mundo.

A medida que aumentó el interés en estos peces, la crianza de variedades especiales se convirtió en un pasatiempo favorito. Algunas variedades son hermosas, pero recientemente han aparecido variedades grotescas, desvalidas y hasta incapaces de alimentarse por sí mismas. Por ejemplo, la carpa con "cabeza de león", es un pez grande de cabeza abultada, que es mal nadador y no puede alimentarse por sí mismo. Tienen que alimentarlo durante toda la vida, ¡y los criadores japoneses le dan la comida con palillos chinos!

Otro caso extraño es la carpa de "ojos globosos", que tiene grandes sacos alrededor de los ojos, lo que hace que los ojos sobresalgan de la cabeza en forma grotesca. Los dueños de estos peces deben sacar del acuario todo objeto agudo o cortante para evitar que se dañen los ojos.

No es necesario que nosotros tengamos una apariencia desaliñada y desagradable. Dios desea que nos veamos hermosos y que seamos atractivos. Por eso nuestra vestimenta debe honrar a Jesús en lugar de ser extraña, extravagante o vulgar.

Julio 28

UNA PLANTA LLAMADA CUSCUTA

***Guárdame como la niña de tus ojos; escóndeme bajo la sombra de tus alas, de la vista de los malos que me oprimen, de mis enemigos que buscan mi vida* (Salmo 17:8-9).**

Cuscuta es sólo uno de muchos nombres de esta extraña planta. También la llaman rascalino, enredadera del amor, cabello de ángel y tripas del diablo. Es una planta común que crece en todo el mundo, pero especialmente en las Américas. Es miembro de la familia de la enredadera de campanillas o dondiego de día, pero no tiene ninguna de las agradables características de esta planta, con excepción de que también es una enredadera. Existen numerosas especies de cuscuta, pero todas tienen el mismo rasgo lamentable: son plantas parásitas que absorben su alimento del tronco, las ramas o el tallo de otras plantas.

Los agricultores son perjudicados por la cuscuta, puesto que ataca plantas de cultivo como el trébol, la alfalfa, el trébol de los prados y otras leguminosas. Este parásito ni siquiera puede hacer su propio alimento. La cuscuta se fija en otras plantas mediante pequeños órganos succionadores que extraen los jugos alimenticios de su víctima y los incorporan en su propio sistema. Con frecuencia cubren por completo la planta en que viven con zarcillos anaranjados o amarillentos, y producen florecillas blancas. La enmarañada masa de cuscuta fácilmente puede sofocar y matar la planta huésped.

¿No tienes la impresión de que también hay gente como la cuscuta? Son como parásitos que tratan de sacarle todo lo que pueden a la gente con quien se relacionan. En otros casos, hay personas que no reciben suficiente amor y piensan que nadie las quiere. De modo que se aferran a ti o a otra persona, con la esperanza de que la proximidad con ellos las haga sentirse amadas. No debiéramos rechazarlas, aunque en algunas ocasiones se tornan tediosas. Lo mejor que podemos hacer es presentarles a Jesús y hacerles comprender que hay alguien que las ama. Ayúdales a aferrarse de Jesús en lugar de que se tomen de ti, y recuerda que todos somos como plantas trepadoras que extraen de Jesús hasta el último gramo del vigor y la fuerza que necesitan.

ORACION Y ALABANZA AL AMANECER

***Levantándose muy de mañana, siendo aún muy oscuro, salió y se fue a un lugar desierto, y allí oraba* (Marcos 1:35).**

Resulta emocionante estar levantado al amanecer, cuando el mundo comienza a despertar. Si no has tenido esta experiencia, te invito a que te levantes muy temprano y contemples la naturaleza antes de la salida del sol. Mientras escribo esto, son las 6:30 AM. Los sinsontes acaban de despertar y han iniciado sus trinos para dar la bienvenida al nuevo día. En primavera a veces no pueden esperar el amanecer, de modo que cantan de noche.

El amanecer tiene algo especial. La mayor parte de la gente pierde el espectáculo que ofrece esta parte del día, pero el resto de las criaturas de Dios disfrutan de él, o por lo menos causan la impresión de que disfrutan. Es una hora de intensa actividad. Las criaturas nocturnas se apresuran a completar su trabajo antes de refugiarse en sus madrigueras, y los animales diurnos se preparan para realizar sus actividades a la luz del sol. El papamoscas saluda la mañana con un canto dulce y agradable, diferente del que lanza durante el día.

La mayor parte de los pajarillos comienzan el día con sus trinos. También cantan antes de salir a recorrer los campos en busca de alimento.

Por cierto que los animales y los pajarillos no pueden saber lo que les sucederá durante el día. Pueden encontrar peligros o momentos agradables. Algunos pueden resultar heridos y otros pueden morir. Algún pajarillo tal vez descubra el dispositivo de alimentación para avecillas que tenemos en el patio de nuestra casa, y podrá hartarse de semillas sin que nadie lo estorbe. El día que se inicia traerá toda clase de aventuras, pero al amanecer, cuando la luz comienza a rechazar las tinieblas, siempre hay tiempo par un trino especial.

Nuestros días también son inciertos y cada uno es una nueva aventura. ¿Recordamos cada mañana dedicar tiempo para dirigirnos a Jesús en oración y alabanza?

PROTECCION NATURAL CONTRA EL SOL

***Jehová es tu guardador; Jehová es tu sombra a tu mano derecha. El sol no te fatigará de día, ni la luna de noche* (Salmo 121:5-6).**

La próxima vez que te tiendas al sol para tostarte la piel, recuerda lo que estás por leer. El bronceado de la piel es una protección contra los rayos ultravioletas del sol. Un exceso de sol envejece la piel prematuramente, y la gente que pasa horas al sol para tostarse no le hace ningún favor al cuerpo.

Nuestra piel cuenta con millones de celulitas llamadas melanocitos. Su función consiste en detectar la cantidad de rayos ultravioletas recibidos por la piel y producir una protección natural cuando el nivel de radiación se torna demasiado elevado. Esa protección natural se llama *melanina.* La melanina es un pigmento pardusco que produce el bronceado de la piel.

Todos tenemos aproximadamente la misma cantidad de células productoras de melanina, independientemente de cuál sea el color de nuestra piel. La diferencia existente entre un blanco de Europa o un negro de Africa, no es el número de melanocitos, sino la cantidad de melanina producida por ellos. Los melanocitos del africano producen melanina con bastante rapidez y constancia; en cambio los melanocitos del europeo generan melanina con lentitud y en menos abundancia.

Cada melanocito está encargado de unas cuantas células epidérmicas. Cuando los rayos ultravioletas del sol afectan las células de la piel se transmite un mensaje a los melanocitos, con lo que se forman más granos oscuros de melanina, los que comienzan a avanzar hacia las células cercanas para constituir una cubierta protectora. Los destructivos rayos ultravioletas son absorbidos por la melanina.

Es bueno lucir un hermoso bronceado, pero más deseable es la protección que Jesús proveyó para quienes confían en él a fin de que los escude contra el calor sofocante del mundo. El Señor proporciona una protección física para nuestra piel y también provee seguridad espiritual para el alma.

EL MAGNETO MAS PODEROSO DEL MUNDO

***Y yo, si fuere levantado de la tierra, a todos atraeré a mí mismo* (Juan 12:32).**

Medimos las distancias en unidades como centímetros, pulgadas y kilómetros. El tiempo lo medimos mediante unidades como minutos, horas y años. Pero eso ya lo sabes, ¿verdad? Tal vez no conoces el nombre de la unidad que los científicos emplean para medir la fuerza de atracción de un imán. Se llama gauss, en honor al matemático alemán Karl Gauss. La cantidad de fuerza magnética necesaria para mover la aguja de la brújula es la mitad de un gauss, que es la fuerza del campo magnético de la tierra.

El magneto más poderoso que se ha construido se fabricó recientemente en el Instituto Tecnológico de Massachusetts. Cuando funciona a toda capacidad puede generar un campo magnético de 300.000 gauss. ¡Qué fuerza tan enorme es ésta! Este magneto descomunal consume 4,5 millones de watts de electricidad. Un bombillo o bulbo eléctrico consume únicamente de 60 a 100 watts.

Todos hemos jugado con pequeños imanes, y sabemos que de un lado atraen y del otro repelen. Hay minerales sobre los que el imán no tiene ningún efecto. ¿Has colocado un imán sobre un montoncito de clavos o tachuelas y has visto cómo saltan al encuentro del polo imantado? El campo magnético que rodea el imán atrae poderosamente los materiales que contienen hierro. Y cuando un clavo se pone en contacto con el imán, también se imanta, de modo que puedes atraer otros clavos. Pero cuando separas el clavo del imán pierde casi toda la fuerza magnética. Unicamente cuando el clavo se mantiene unido con el imán conserva su magnetismo.

Cuando Jesús vino a este mundo y murió por ti y por mí, estableció un campo magnético espiritual tan poderoso como todo el universo, ante el cual el magneto del Instituto Tecnológico de Massachusetts aparece como un juguete. Cuando aceptamos a Jesús como nuestro Salvador, su magnetismo comienza a atraernos, y no sólo recibimos sus bendiciones en forma personal, sino que también nos imantamos y podemos atraer a otros hacia Jesús.

Agosto 1

EL PAJARO JESUS

***El cual se dio a sí mismo por nuestros pecados para librarnos del presente siglo malo, conforme a la voluntad de nuestro Dios y Padre, a quien sea la gloria por los siglos de los siglos. Amén* (Gálatas 1:4, 5).**

Si tú me pidieras que escogiera un pájaro para representar a Jesús, yo no escogería ni el águila ni la paloma, sino que preferiría al azulejo norteamericano. Mi preferencia no se basa en el bello color del pájaro ni en su maravilloso canto, aunque estas dos características representarían muy bien a mi Salvador.

La razón para escoger al azulejo para representar al Creador es muy sencilla: este pájaro demuestra tanta devoción a su familia y a las familias de los vecinos, que las defiende aun hasta su muerte.

Uno de los primeros enemigos del azulejo es el gorrión casero. Estos gorriones pueden hacer sus nidos en cualquier parte, pero parece que les gusta mucho invadir la casa del azulejo y echarlo junto con su familia. Si hay huevos, los gorriones los rompen a picotazos; si hay pichones los matan a picotazos en la cabeza, y luego, o los arrojan del nido o construyen el suyo sobre sus restos.

El azulejo papá no se queda quieto mientras los gorriones matan a sus hijos. Sin temor alguno se lanza dentro del nido para pelear contra los intrusos; pero allí está en desventaja, pues los gorriones son más fuertes y pequeños, pueden maniobrar con más facilidad, y el azulejo es vencido a menudo con golpes y picotazos en la cabeza. Los gorriones suelen dejarlo en el lugar donde cae muerto. El famoso ornitólogo Lawrence Zeleny dice que es bastante común encontrar en nidos de azulejos ocupados por los gorriones los restos de sus víctimas que murieron peleando por sus hijos, y que los cráneos de los azulejos casi siempre están rotos por los picotazos de sus enemigos.

Nuestro Salvador decidió venir a este mundo —fortaleza de Satanás— para rescatar a sus hijos. El entregó su vida en esta empresa salvadora, pero, alabado sea su nombre, ¡él se levantó vencedor de la tumba!

EL SAUROLOPUS

***Y se arrepintió Jehová de haber hecho al hombre en la tierra, y le dolió en su corazón. Y dijo Jehová: Raeré de sobre la faz de la tierra a los hombres que he creado, desde el hombre hasta la bestia, y hasta el reptil y las aves del cielo; pues me arrepiento de haberlos hecho* (Génesis 6:6, 7).**

Según los periódicos su nombre era *Saurolopus*, y vivió cerca de lo que es hoy la ciudad de Fresno, Estados Unidos. Era un animal vegetariano pacífico, con más de mil dientes en sus quijadas, y pesaba unos 2.700 kg (6.000 lbs). Se afirma que los rugidos del *Saurolopus* y su familia habrían hecho vibrar tus huesos si te hubieras encontrado cerca de él.

El *Saurolopus* parecía un canguro gigantesco con poderosas patas traseras y una cola larga y fuerte en extremo. Tenía un cuello prolongado en forma de ese, y sobre su cabeza semejante a la de un caballo lucía una cresta que parecía un cuerno. Medía hasta 10 m (34 pies). ¿Entonces era un monstruo? Bueno, no lo sabemos con exactitud; pero si tú lo vieras ahora posiblemente lo llamarías "monstruo".

El *Saurolopus* era un dinosaurio. Sus huesos fueron encontrados en el valle de San Joaquín, en el Estado de California. Vivía con otros miembros de su familia en las orillas de lo que fue un océano; y él y sus compañeros de manada merodeaban en busca de plantas para alimentarse.

No se sabe exactamente en dónde vivió Noé y su familia, ni tampoco si Sem, Cam y Jafet vieron algún *Saurolopus* cuando eran muchachos. Tal vez esos reptiles vivían en donde no había mucha gente. No lo sabemos.

Tampoco sabemos si todas las variedades de dinosaurios fueron destruidas por el diluvio. Pero el hecho es que en la actualidad sólo encontramos los huesos o restos fósiles de esos curiosos animales.

Dios creó la vida, y por eso sintió mucho pesar cuando tuvo que eliminar, mediante el diluvio, a tantos seres humanos y animales.

Pero algún día, en la tierra nueva, podremos preguntarle a Dios, al Creador, el por qué y el cómo de muchas cosas que nuestra mente limitada no puede comprender.

Cuando Jesús regrese a esta tierra, también se sentirá triste por la muerte de los que se perderán debido a su desobediencia.

Agosto 3

UN OIDO EN SU RODILLA

***Escucha, pueblo mío, mi ley; inclinad vuestro oído a las palabras de mi boca* (Salmo 78:1).**

¿Te gustaría tener un oído en tu pierna, exactamente bajo la rodilla? Aquí es donde el grillo tiene el tímpano de su oído. No se sabe por qué el oído del grillo esté situado en un lugar extraño para todos; pero si un grillo tuviera nuestra inteligencia y estuviera escribiendo esto para que otros grillos lo leyeran, él podría preguntarles: "¿Y cuánto les gustaría tener el oído en la cabeza?" Los grillos se sorprenderían al leer acerca de extrañas criaturas como nosotros, porque tenemos los oídos en la cabeza.

Lo importante es lo que somos capaces de hacer con nuestros oídos y no dónde se encuentran situados. El grillo hembra, con sus oídos en las rodillas, escucha sólo una cosa: el llamado de su compañero. El macho es el que canta, y la hembra escucha y lo busca. Si pierde las patas delanteras no podrá escuchar el llamado de su compañero. Pero mientras tenga sus oídos responderá instintivamente, porque no puede ser de otra manera. Ella está poseída y dominada por un sólo propósito.

¿Qué escuchas tú en la vida? ¿Tienes un sólo propósito: prestar atención a las palabras de tu Padre celestial o te dejas encantar por los sonidos de otras influencias extrañas? Jesús se refiere a su iglesia como a su esposa.

La novia del grillo nos enseña, sin duda alguna, a escuchar con oídos atentos las palabras del Rey del cielo, y a buscarlo con todo nuestro corazón. El nos dice: "Inclinad vuestro oído, y venid a mí; oíd, y vivirá vuestra alma" (Isaías 55:3). También tenemos la promesa de que nuestro Dios "es galardonador de los que le buscan" (Hebreos 11:6).

Es interesante notar que cuando el grillo hembra encuentra a su compañero, él le canta una nueva y especial canción. La Biblia nos dice que cuando entremos al cielo con Jesús todos nos uniremos entonando un nuevo canto.

FUENTES TERMICAS Y GUSANOS DE MAR

***¿Has entrado tú hasta las fuentes del mar, y has andado escudriñando el abismo?* (Job 38:16).**

Hace algunos años hubo noticias curiosas del Departamento de Zoología de Invertebrados del Instituto Smithsoniano, en Washington: en el fondo del mar, cerca de las Islas Galápagos, habían descubierto una nueva forma de vida, muy diferente a las ya conocidas. Según las palabras del especialista Meredith Jones, investigador en dicho departamento, estas nuevas criaturas "no tienen precedente en todo el reino animal". ¿Qué clase animal podría ser ese?

Esos extraños seres marinos viven en tubos de 1.40 m (5 pies) de largo, que construyen ellos mismos. No tienen boca, ni ojos, ni intestinos. Su anatomía es tan diferente, que todos los libros de biología en el mundo tendrán que escribirse de nuevo para incluir, en su debido lugar, esta nueva y básica forma de criatura viviente. Los científicos no saben cómo llamar a este extraño ser; pero por ahora lo han clasificado en la amplia categoría general de gusanos marinos. No es un gusano parecido a los que ves en los jardines y huertos. Se parece más bien a esos gusanos cilíndricos que son comunes en el mar; pero estos gusanos comunes comen, y aquéllos no, o por lo menos no tienen aparato digestivo. Parece que usan bacterias simbióticas en sus cuerpos como fuente de alimento.

Estas singulares criaturas fueron descubiertas por la tripulación del *Alvin*, un submarino de exploración de las profundidades marinas. Viven a unos 2.240 metros (8.000 pies) de profundidad en el océano Pacífico, y junto a las grietas volcánicas que calientan las aguas del fondo del mar hasta altas temperaturas, ambiente que alberga muchas formas de vida animal. El hallazgo de esas colonias vivientes submarinas es uno de los descubrimientos científicos más emocionantes de nuestro siglo. Es difícil decir qué más podrá encontrarse allí.

Es casi imposible imaginarse las condiciones de vida que hay a 2.240 metros (8.000 pies) bajo el nivel del mar, en donde la presión es excesivamente grande y nunca ha penetrado la luz del sol. Sin embargo, el poder creador de Dios sostiene la vida allí. ¿Podremos dudar alguna vez de su tierno y constante cuidado por nosotros?

Agosto 5

LA ORQUIDEA ESPEJO

Porque vendrán muchos en mi nombre, diciendo:** Yo soy el Cristo; y* ***engañarán a muchos **(Marcos 13:6).**

Si deseas conseguir una cosa intensamente, pero no sabes exactamente cuál es su naturaleza, podrías ser fácilmente engañado al escoger algo que es falso. Hay ahora muchas cosas falsas en el comercio y en la religión, aunque parecen auténticas. Tienes que saber cómo es realmente lo verdadero, lo que buscas, y luego debes probarlo para estar seguro de que no estás siendo engañado.

En las orillas del Mar Mediterráneo crece una flor delicada llamada orquídea espejo. Las orquídeas a menudo están íntimamente unidas con una clase especial de insecto que las ayuda en el proceso de polinización, y la orquídea espejo no es una excepción a esta regla.

Hay una avispita que tiene el hábito y la habilidad de entrar en la flor y transportar el polen del estambre al estigma de otras orquídeas, con lo cual ayuda en la producción de semillas para que haya más orquídeas. Pero la orquídea espejo induce a la avispa a hacer este trabajo mediante un engaño: en un largo pétalo de la flor se dibuja la figura de la avispa hembra. Pero esto no es todo: la orquídea segrega también una fragancia química que imita el olor que la avispa despide para atraer el macho. *Primero*, el macho es atraído por la fragancia de la orquídea, y, *luego* piensa que ve a la hembra en el dibujo; por esta razón desciende sobre la flor, entra en ella, y queda cubierto del polen de la orquídea. Entonces el macho se da cuenta de que fue engañado y se va. Muy pronto es atraído por la fragancia de otra orquídea, ve otra falsa avispa, desciende para investigar, y en este proceso poliniza la flor. Finalmente encontrará una avispa hembra verdadera, pero mientras tanto la orquídea lo estuvo engañando una y otra vez.

Nosotros debemos tomar tiempo para familiarizarnos con Jesús, para que no nos extraviemos con un engaño u otro de los muchos que hay ahora en el mundo y sigamos tras un falso "mesías".

NUBES DE ENSUEÑO

***Jehová, hasta los cielos llega tu misericordia, y tu fidelidad alcanza hasta las nubes* (Salmo 36:5).**

Cuando yo era muy pequeño, mi familia cultivaba algodón, y después de que era recogido a veces era amontonado frente a la casa de mi abuelo. Recuerdo cuánto me divertía cuando mi padre o mi tío me lanzaban una vez y otra a esos montones de algodón. Me hundía agradablemente en su suavidad, y pedía que me lanzaran otra vez. Supongo que por esto me agradaba acostarme de espaldas y contemplar las nubes vaporosas, y pensar en cuán delicioso sería brincar sobre ellas como si fueran pilas de algodón.

Ahora cuando viajo en avión y veo esas nubes, siento el mismo deseo: lanzarme sobre ellas. ¿No sería algo sumamente emocionante saltar del avión y caer en medio de esos montones esponjosos? Bueno, pero sería una locura que yo lo hiciera, ¿no lo crees así? Escuché la historia de un hombre que lo hizo y sobrevivió para contarlo. Me explico: él no saltó como a mí me gustaría hacerlo... si no fuera algo mortal. Ese hombre era piloto de pruebas de aviones "jets" y tuvo que saltar de su máquina, por defectos mecánicos, cuando volaba a gran altura. Tenía un paracaídas que se abriría automáticamente cuando descendiera a cierta altura. Durante su descenso en caída libre, repentinamente se encontró en una de esas grandes nubes llamadas "nubes de tormenta".

Si no sabes qué son estas nubes, te explico que su centro es sumamente peligroso. Los aviones, si entran en ellas, pueden ser partidos como un juguete. Los pilotos evitan siempre acercárseles. El aire sopla a altas y bajas velocidades incesantemente y se producen relámpagos y truenos en forma constante.

El piloto cayó en medio de esa terrible tempestad, y fue lanzado a gran velocidad a un lado y otro. Finalmente descendió a través de una abertura tempestuosa hasta la altura en que su paracaídas se abrió, y así bajó sano y salvo hasta la tierra. Luego escribió su historia para que todos la leyeran.

Ese hombre se dio cuenta, sin duda alguna, de que la misericordia y la fidelidad del Señor "alcanza hasta las nubes".

Agosto 7

LA PAZ DE LOS GANSOS

***Bienaventurados los pacificadores, porque ellos serán llamados hijos de Dios* (Mateo 5:9).**

Los gansos canadienses se aparean de por vida, y a menudo regresan año tras año al mismo lugar para criar a sus polluelos. Defienden fieramente sus nidos y sus crías contra los intrusos.

Generalmente una pareja de gansos hace su nido y pone sus huevos en un lugar, y luego muda sus hijos a un lugar escogido, en donde permanecerá hasta que los gansitos aprendan a volar. Casi siempre, ya sea mientras nadan o caminan, uno de los padres va adelante y el otro detrás; las crías van en el medio.

Una pareja de gansos canadienses estableció su nido en una islita de una laguna en el Estado de Nueva Jersey, y todos los años regresaba para criar su nidada. Un verano sólo nació un gansito de los siete huevos empollados, pero murió al día siguiente. Los padres se lamentaron por algunos días, y luego tuvieron que enfrentarse a un nuevo problema: del bosque vecino llegó un par de gansos con ocho gansitos.

Por alguna razón no conocida, estos gansos escogieron la misma granja y la misma isla para pasar la temporada. Y apenas llegaron avanzaron dispuestos a pelear por la posesión de la isla. Por supuesto, los gansos dueños de la isla lucharon por conservar los derechos de su territorio, pero no pudieron derrotar a los invasores.

La noche se acercaba, y aunque la pareja residente aún ocupaba la isla, los recién llegados y su familia se posesionaron de un rincón. El granjero y su señora se acostaron pensando cómo sería la batalla al día siguiente. Pero imagínate la sorpresa que se llevaron al amanecer cuando miraron hacia el lago y vieron a los ocho gansitos nadando pacíficamente, y no con dos padres, sino con cuatro: dos adelante y dos detrás.

La paz que concertaron los gansos adultos no sólo dio doble protección a los gansitos sino que proporcionó a los gansos residentes nuevos hijos que cuidar como reemplazo de los que habían perdido.

CANGURO HAWAIANO: "EVOLUCION INSTANTANEA"

***Luego dijo Dios: Produzca la tierra seres vivientes según su género, bestias y serpientes y animales de la tierra según su especie. Y fue así* (Génesis 1:24).**

Hace poco leí un artículo en una revista científica titulado: "Evolución instantánea". Dicho artículo hablaba de una nueva especie de canguros en miniatura que se habían desarrollado en la isla Oahu, en Hawai. Ha sido llamado el pequeño canguro de Kalihi.

Una pareja de canguros australianos se escapó de un zoológico de Hawai en 1916. Actualmente, casi 70 años después, los descendientes suman varios centenares. Pero no se parecen a sus antecesores australianos, lo cual es un misterio que ha confundido a los zoólogos que estudian a esos pequeños canguros.

En menos de 60 generaciones esos marsupiales han llegado a producir un tipo de canguro que es más pequeño, de color más claro, y —lo más extraño de todo— que tiene constitución bioquímica diferente, lo cual le permite comer plantas de Hawai que no podrían haber ingerido sus antepasados australianos. En términos humanos, esto sería como haber producido un tipo completamente diferente de personas en alguna parte de la tierra en el lapso de 1.500 años; personas que no sólo fueran diferentes de las demás, sino que pudieran vivir en un ambiente radicalmente opuesto al de sus antepasados.

Si se tiene en cuenta la cantidad de tiempo que la mayor parte de los evolucionistas creen que es necesaria para que se produzcan los cambios experimentados por estos pequeños canguros en tan corto tiempo, resulta interesante la declaración de James Laxell, el zoólogo que los describió como una nueva especie, dijo: "Evolucionar completamente hasta convertirse en una nueva especie en sólo 60 generaciones... es algo sencillamente espectacular".

¿Es esto espectacular para los que creemos que todos los seres vivientes que pueblan la tierra han alcanzado tanta diversidad en sólo 6.000 años? Yo no creo que sea tan asombroso. Es sencillamente un testimonio de la adaptabilidad de las criaturas que Dios hizo. ¡Después de 6.000 años de pecado, el aliento de vida persiste aún, pleno de salud!

M82

***Así ha dicho Jehová, que da el sol para luz del día, las leyes de la luna y las estrellas para luz de la noche, que parte el mar, y braman sus ondas; Jehová de los ejércitos es su nombre* (Jeremías 31:35).**

Uno de los millones de misterios del universo se llama M82. Pero no dejes que este pequeño nombre te haga pensar que M82 es algo también pequeño, porque nunca podrás imaginarte cuán enorme es. Bueno, tampoco nadie sabe qué es; pero hay algunas teorías o explicaciones. Al principio se pensó que M82 era una galaxia que había explotado. Una galaxia es un conjunto de millones de soles que forman una especie de isla en el espacio; por esto es que las galaxias son llamadas a veces "islas del universo".

Pero M82 no tiene estrellas: se compone primariamente de polvo; y en esto está otra parte del misterio. El polvo se mueve muy lentamente, y debería estarse moviendo a gran velocidad si fuera el resultado de una explosión. Esto significa que si hubo una explosión, no originó polvo; entonces, ¿qué sucedió?

El centro de M82 es un espacio vacío; por lo menos eso piensan los astrónomos. Es posible que haya un agujero negro en su centro, porque M82 transmite muchas de las radiaciones que están asociadas con dichos agujeros. Es casi imposible describir un agujero negro; pero, en palabras sencillas, es un objeto tan denso, que su poderosísima gravedad no dejaría escapar nada, ni aun un rayo de luz. Por esto los agujeros negros son objetos que no podrás ver porque no producen luz.

El centro de M82 emite señales radiales de un agujero negro, pero el resto de la galaxia alrededor de él al parecer no es absorbida hacia el centro, como sería de esperar si allí hubiera un agujero negro. Por esto los astrónomos piensan que el centro está vacío; ¿pero por qué está vacío? Y si hubo una explosión, como parece que sucedió, ¿qué explotó, y dónde están los restos?

Estas son sólo algunas de las preguntas que esperan respuestas, y las recibiremos cuando nos encontremos con Jesús, el supremo Astrónomo y el Creador del M82.

UN VAGON, NADA MAS

El les dijo: Venid vosotros aparte a un lugar desierto, y descansad un poco. Porque eran muchos los que iban y venían, de manera que ni aun tenían tiempo para comer **(Marcos 6:31).**

Muchas veces he sentido agradecimiento por este texto. Cuando uno trabaja para Jesús, algunas veces piensa que no debería tomar tiempo para descansar porque hay mucho que hacer. Pero Jesús, quien nos hizo a ti y a mí, sabe que hay límites para lo que una persona puede hacer, aun cuando esté haciendo cosas buenas. Por esto es completamente necesario apartarse regularmente de las ocupaciones absorbentes, y disfrutar de paz y quietud.

Si vives en el centro de una ciudad quizá pienses que será imposible para ti encontrar un lugar tranquilo, y puede ser que tengas razón. Pero no hace mucho leí que un hombre que vive en la agitada ciudad de Houston, Estado de Texas, encontró una manera de hallar soledad en los alrededores de esa ciudad.

Luciano Smith deseaba salir de Houston, la quinta ciudad en tamaño de los Estados Unidos, llena de ruido, velocidad y contaminación; pero el Sr. Smith no tenía con qué comprar una casa en el campo. ¿Qué crees que hizo? El Sr. Smith compró un terreno en Manvel, cerca de Houston. Luego adquirió un vagón viejo de ferrocarril por mil cien dólares; se lo llevó a su terreno, y allí vive desde entonces. Le gusta mucho su vagón porque no exige mucha limpieza, es abrigado y fácil de calentar.

Pero el Sr. Smith hizo algo más que eso. Sintió preocupación por algunos de los pobres que habían llegado a la ciudad con la esperanza de encontrar trabajo, pero sin poder ganar lo necesario. Por eso puso un anuncio en un periódico para ofrecer espacio para tres familias que quisieran vivir con él en su terreno. Como única condición estableció que le ayudaran y buscaran trabajo.

Si el Sr. Smith pudo encontrar un lugar apartado y tranquilo cerca de Houston, también nosotros podremos hallar la forma de apartarnos para descansar y obedecer el consejo de Jesús.

Agosto 11

TODO EL ORO DEL MUNDO

***Yo te aconsejo que de mí compres oro refinado en fuego, para que seas rico* (Apocalipsis 3:18).**

Si tuvieras todo el oro del mundo, ¿cuán grande sería el edificio que tendrías que construir para guardarlo? Ante todo quiero decirte que el hombre ha estado buscando oro en todas las épocas. Y es muy cierto que más de 99 por ciento del oro que se ha encontrado en los últimos cuatro mil años, poco más o menos, aún existe en una forma u otra, incluyendo el oro del tesoro de los Estados Unidos, que se encuentra en las bóvedas subterráneas en el Fuerte Knox, en el Estado de Kentucky. Varios otros países tienen depósitos parecidos y grandes cantidades de dinero. ¡Así que tendrías que conseguir un edificio suficientemente grande para guardar una gran cantidad de oro!

Hay algo más que debes saber antes de que decidas cuán grande será tu edificio. Sólo la mitad del oro del mundo pertenece a los tesoros nacionales; el resto está en manos de particulares y compañías. Y luego, por supuesto, hay oro en relojes, dientes, anillos, cubiertos, templos, edificios, etc. Ahora, ¿estás listo para calcular la dimensión del edificio para almacenar todo el oro?

¿Sería como el Superdome de Nueva Orleans o el Astrodome de Houston? Sí, cabría en una de estas estructuras; pero no necesitas nada de ese tamaño, porque todo el oro que hay en el mundo, si se fundiera en una sólida pieza de oro, haría un bloque cúbico de 15.3 m (54 pies) por cada lado. Así que si fueras a construir un depósito para guardarlo, y planearas bien todos los detalles, no necesitarías un edificio demasiado grande.

Antes de que comiences a soñar con lo maravilloso que sería tener toda esa riqueza, piensa que si la tuvieras, no por eso vivirías más. La codicia del mundo por el oro es bien conocida. Y en términos de beneficios eternos, aun todo el oro del mundo no tendría ningún valor.

CHI CHI

***Y levantándose, vino a su padre. Y cuando aún estaba lejos, lo vio su padre, y fue movido a misericordia, y corrió, y se echó sobre su cuello, y le besó* (Lucas 15:20).**

Durante 55 días Ethel Woolfenden cuidó un cernícalo o gavilán norteamericano desde sus primeros momentos hasta que fue adulto. Chi Chi estaba sucio y era cojo cuando lo trajeron a Ethel; era el único sobreviviente de una nidada de cernícalos. Los otros fueron muertos cuando su nido fue destruido. Ethel había sido entrenada para cuidar de los pájaros huérfanos, así que le dio la bienvenida a Chi Chi.

Ethel masajeó la patita del pajarito durante casi dos meses. Chi Chi echó nuevas plumas y parecía gustarle la caja que se convirtió en su nido. Le agradaba recostarse en la cabeza de Ethel y piarle suavemente mientras le picoteaba el pelo.

Llegó el día de soltar a Chi Chi. Ya era un cernícalo adulto y debía ser puesto en libertad. Ethel, que ha estado cuidando pájaros y devolviéndolos luego a su medio natural por más de 40 años, dice que a menudo ha llorado cuando los pajaritos sin experiencia dejan su refugio. Es muy difícil verlos partir; pero es mucho mejor que tenerlos en una jaula por el resto de sus vidas.

Chi Chi miró la puerta de atrás, que siempre había estado cerrada para él, y luego voló y se dirigió hacia afuera. Durante dos días Ethel salió y llamaba a Chi Chi; pero no apareció. ¿Cómo estaría? ¿Estaría comiendo? Ella había esperado que el pajarito volviera de vez en cuando hasta que se acostumbrara del todo a la montaña. Pero algunos días después ella sintió una terrible conmoción en el patio. Corrió afuera, y vio a Chi Chi que era atacado de todos lados por otros pájaros. Perdía las plumas de la cola y recibía terribles picotazos. Ethel sacó la jaula y la manta de Chi Chi. Cuando el pajarito vio la jaula voló hacia ella, se metió debajo de la manta, agarró un trozo de carne que se le ofrecía, y comenzó a comer. ¡Chi Chi había regresado a su hogar! Volaría de nuevo; pero hasta que no se acostumbrara definitivamente a las montañas, regresaría a menudo a su hogar.

Agosto 13

¿POR QUE LAS PIÑAS DEL PINO CRECEN INCLINADAS?

***En cuanto a Dios, perfecto es su camino, y acrisolada la palabra de Jehová. Escudo es a todos los que en él esperan* (2 Samuel 22:31).**

¿Quién pensaría que la manera en que crecen las piñas del pino, que contienen las semillas, es importante? Karl Niklas, de la Universidad Cornell, se maravillaba por esto, y cuando te maravillas aprendes cosas sorprendentes.

El Dr. Niklas aprendió que las piñas cónicas del pino tienen un diseño que está de acuerdo con principios aerodinámicos exactos, lo cual le asegura que el mayor número de granos de polen caerá dentro de las piñas para polinizar los óvulos, y así producir las semillas que más tarde se convertirán en pinos.

El polen del pino se produce en las piñas cónicas masculinas, y es transportado por el viento hasta las piñas cónicas femeninas. Pero el viento no sabe dónde están las piñas cónicas femeninas, de modo que lleva el polen en diferentes direcciones. Por eso las piñas femeninas deben estar diseñadas en tal forma que puedan recibir el polen.

El Dr. Niklas descubrió que el diseño cónico de las piñas obliga al viento a entrar y moverse en tres formas, cada una de las cuales dirige el polen hacia los elementos femeninos, que esperan. Las tres formas son: (1) en espiral, (2) en tirabuzón y (3) en forma de remolino.

El Dr. Niklas también descubrió que cada variedad de pino tiene su diseño particular de piña cónica; por lo tanto, cada una recibe más de su propio polen que de el de otros pinos, que no necesita. Pero eso no es todo.

Las piñas generalmente se mantienen derechas en las ramas cuando están en la etapa de recibir polen, pero el Dr. Niklas descubrió en su laboratorio que el ángulo más apropiado para recibir el polen es cuando tiene una inclinación de 45°. Regresó inmediatamente al bosque, y observó y midió nuevamente los árboles. ¿Y qué piensas que encontró? Sí, estás en lo cierto: las piñas se mantienen en posición vertical cuando el viento no sopla; pero cuando sopla —y es cuando el polen está circulando—, la piña se inclina hasta que llega a un ángulo de 45°. ¿Qué te parece?

AGUA DURA

***Mas el que bebiere del agua que yo le daré, no tendrá sed jamás; sino que el agua que yo le daré será en él una fuente de agua que salte para vida eterna* (Juan 4:14).**

Quizá hayas oído hablar de agua dura o de agua blanda. Generalmente el agua de pozo es llamada agua dura porque contiene minerales disueltos de la tierra. El agua de lluvia es llamada agua blanda porque no contiene tantos minerales. Hay muchas teorías en cuanto a cuál de las dos es más saludable, si la dura o la blanda.

Un científico de la Universidad de Texas ha estado estudiando este asunto por varios años, y ha encontrado que en las áreas del mundo donde la gente bebe agua dura hay menos ataques de corazón. En uno de sus estudios el Dr. Dawson halló que los que beben agua dura sufren 25 por ciento menos de muertes por ataques de corazón. El Dr. Dawson aún no ha encontrado ningún ingrediente especial que ayude a los bebedores de agua dura; pero su teoría es que el cuerpo hace jabón con el agua dura, un proceso que limpia definitivamente las grasas que de otra manera se depositarían en el organismo y aumentarían los riesgos de ataques de corazón.

El calcio y el magnesio son minerales que se encuentran en el agua dura. Estos minerales se combinan fácilmente con la grasa para hacer jabón, y el Dr. Dawson cree que esto es exactamente lo que sucede dentro de la persona que toma agua dura. El agua provee los minerales, y los alimentos ingeridos, las grasas; y el resultado es el jabón. Como el jabón no puede ser digerido ni usado por el cuerpo, es eliminado, llevándose las grasas indeseables. Si la teoría del Dr. Dawson es correcta, beber el agua dura sería como poner un jabón especial en tu cuerpo para ayudar a limpiar el organismo de materiales dañinos.

Nuestros cuerpos son templos del Espíritu Santo, y Jesús utilizó el agua en varias ocasiones como un símbolo de su maravilloso poder dentro de nosotros. Algunas de las cosas que Jesús nos ordena hacer o cumplir son "duras" (Juan 6:60), pero, como el jabón en el agua dura, ellas nos hacen cristianos saludables. Escuchemos a Jesús y bebamos del agua que nos ofrece.

Agosto 15

LAS PACIENTES GARRAPATAS

***Por tanto, id, y haced discípulos a todas las naciones, bautizándolos en el nombre del Padre, y del Hijo y del Espíritu Santo* (Mateo 28:19).**

Cuando leí por primera vez cuánto tiene que esperar la garrapata que pase un animal de sangre caliente, pensé: ¿Qué lección podría enseñarnos en cuanto al amor de Dios? La garrapata de los bosques esperará largos meses hasta que sienta que se acerca un animal de sangre caliente, y entonces —en el momento preciso— se dejará caer para conseguir su alimento. Bueno, podría decirte que este ácaro parásito de los animales nos enseña una lección de paciencia; pero no me gustaría decirle a los demás que deben ser como él, porque son pequeños monstruos que causan muchas incomodidades a la gente.

Entonces pensé en cuánto tiene que esperar la gente para sentir la tibieza del amor de Jesús, algo que puede venir únicamente de sus seguidores, de los que viven con él y esparcen su tibieza por dondequiera. Antes de que Jesús llegue a nuestras vidas no somos mucho mejores que las garrapatas de nuestra historia. La Biblia nos dice que nuestra propia justicia es "como trapo de inmundicia". Así que no tenemos nada de qué estar orgullosos, ¿verdad?

¿Qué espera la garrapata y cómo sabe cuándo llega? Se ubica en la rama de un árbol o arbusto y espera hasta que siente que se acerca un animal de sangre caliente. ¡El calor es la señal para saltar encima! El blanco es, por supuesto, caer sobre la presa, la cual casi siempre es un mamífero. Pero, como precaución, la garrapata busca en la piel del animal la existencia de ácido butírico, sustancia que emiten los mamíferos; y si lo encuentra, se pega a su víctima, comienza a absorber sangre y en pocos momentos sacia su apetito.

Este ácaro es un visitante indeseable, y yo no he querido decir que debemos llegar a ser como él cuando experimentamos la tibieza del amor de Jesús. Pero lo que sí creo es que hay millones de personas en el mundo que están sedientas, que han estado esperando largo tiempo sentir el calor de Jesús a través de mí y de ti.

LOS ARBOLES Y SU SISTEMA DE RIEGO

***Yo soy la vid, vosotros los pámpanos; el que permanece en mí, y yo en él, éste lleva mucho fruto; porque separados de mí nada podéis hacer* (Juan 15:5).**

En las plantas y los árboles hay vasos leñosos pequeños que transportan el agua desde las raíces hasta las ramas, aun a las más altas, y algunos árboles tienen varias decenas de metros de altura. Hay ciertas fuerzas físicas que hacen subir el agua, o mejor dicho, la savia; pero hay algo especialmente interesante en la irrigación interna de las plantas.

Como el agua es impulsada desde el suelo, pensarás que quizá las ramas bajas recibirán más agua que las ramas más altas; pero no es así. Muchas veces las ramas superiores, en donde ocurre el crecimiento, reciben mayor cantidad de agua. Esto acontece más a menudo en tiempo de sequía. ¿Y cómo sucede esto?

Hay miles de vasos leñosos llamados xilemas. Estos pequeños vasos, que transportan el agua desde las raíces hasta todas partes del árbol, no están diseñados para llevar el agua en forma directa; no. Forman un complicado sistema de irrigación: algunos vasos o conductos llevan el agua o savia a las partes más elevadas; otros la transportan a las ramas más bajas, y algunos la llevan a las ramas intermedias. Y hay más aún: ninguna sección de las raíces suple las necesidades de parte alguna del árbol; esto es: los vasos se intercomunican a medida que suben por el tronco hasta que forman una red de vasos que llevan el agua desde las raíces hasta todas las ramas del árbol. Con este sistema, aunque haya escasez de agua en una parte del terreno bajo el árbol, todas las partes recibirán igual cantidad de líquido. Y si el tronco o tallo del árbol o planta es herido en un lado, aunque sea severamente, ninguna parte del árbol sufrirá más que otra.

¡Qué maravillosa ilustración de la manera como Jesús nos provee con su Espíritu: el agua viva que él ha prometido a todos los que se la piden! Y él da medidas especiales de su Espíritu a aquellos nuevos cristianos que comienzan a desarrollarse en la vida espiritual.

Agosto 17

UN ANIMALITO PODEROSO

***Pero ningún hombre puede dominar la lengua, que es un mal que no puede ser refrenado, llena de veneno mortal* (Santiago 3:8).**

Hay un animalito silvestre que es probablemente el más feroz de todos cuantos existen en la tierra. No vacila en atacar, matar y devorar animales muchas veces más grandes que él. Muy pocas veces puede vérsele de día, y aunque es mucho más activo por la noche, también es muy difícil verlo, excepto en raras ocasiones.

Existen unas 20 variedades de este pequeño mamífero. Los miembros de una de ellas pueden respirar más de 800 veces en un minuto, y cuando se ponen furiosos, su corazón puede palpitar mil doscientas veces por minuto. El animalito es tan nervioso, que un ruido intempestivo podría literalmente trastornarlo y matarlo. ¿Sabes ya qué animalito es?

En caso de que no sepas aún de qué estoy hablando, te voy a dar algunas pistas adicionales para que lo identifiques: este monstruo es un mamífero muy pequeñito, y pesa sólo unos cuantos gramos. Seguramente ya sabrás ahora que he estado describiendo a la *musaraña.* La musaraña es el mamífero más pequeño que existe, pero también es el más feroz.

Las musarañas para poder sobrevivir ingieren cada día una cantidad de insectos que equivale a su propio peso. Se ha sabido que algunas comen diariamente hasta tres veces su propio peso. Atacan pájaros y mamíferos de tamaño mayor, y los devoran. Algunas variedades de musarañas tienen saliva venenosa, lo cual les ayuda para matar presas mucho más grandes en pocos segundos. En resumen, esta pequeña bestia conseguirá su alimento atacando y matando cualquier animal que se cruce en su camino, si es que no es demasiado grande.

La musaraña no puede evitar ser como es; pero nosotros sí podemos dominarnos y no actuar como ella. No tenemos por qué morder a nuestros semejantes, o ser impacientes o malhumorados. Quizá las personas que actúan como las musarañas sientan que son inferiores, que son pasadas por alto, y quieran que otros se fijen en ellas; y entonces tratan de llamar la atención con fanfarronadas y bravuconadas. El problema es que esta conducta aleja la gente. Cuando alguien se comporta como la musaraña, los demás se apartan de él o de ella. Lo mismo le sucede a la musaraña: ¡siempre está sola!

ARRECIFES DEL MAR ROJO

***Este los sacó, habiendo hecho prodigios y señales en tierra de Egipto, y en el Mar Rojo, y en el desierto por cuarenta años* (Hechos 7:36).**

Todos conocemos las maravillas que sucedieron cuando Moisés y los hijos de Israel cruzaron ese mar; pero hay algunas otras maravillas en el Mar Rojo que debes conocer.

Los arrecifes de colores del Mar Rojo se cuentan entre los más hermosos del mundo. Esos arrecifes se han estado formando en los acantilados de ese mar por miles de años, quizá ya cuando Moisés lo cruzó. El Mar Rojo tiene 1.960 metros (7.000 pies) de profundidad en algunos lugares; por esto no es probable que Moisés lo cruzara por esa profundidad. Pero es interesante imaginarse que algunos amigos de Moisés, o acaso él mismo, nadaron en esos parajes.

Quizá vieron el extraño pez-cocodrilo con sus gruesos labios; o posiblemente admiraron el pez mariposa amarillo, que siempre nada en pareja; o el pez escorpión venenoso, con apariencia de coral y la alga marina roja. Pudieron haber visto el pez ardilla de color rojo encendido, el pez león o el pez ballesta, que cambia de colores y diseño durante la noche.

En las selvas de arrecifes de corales de esas aguas transparentes hay cardúmenes de peces dorados que poseen una habilidad tan rara como interesante. Cada cardumen es dirigido por un capitán: un macho dominante. A su lado va una hembra capitán. Cuando el pez capitán muere, la hembra capitán sencillamente se convierte en macho y toma su lugar. Además, cambia su color amarillo claro y toma el color del macho muerto: naranja brillante.

Todas estas maravillas y esplendor se encuentran en una de las zonas del mundo más azotadas por la guerra: la costa de la península del Sinaí. Si la gente egoísta tomara tiempo para apreciar las hermosas criaturas que habitan el mundo y han aprendido a vivir en paz, quizá también aprendieran a tolerar las diferencias entre los individuos, las razas y las creencias, en vez de hacerse la guerra uno a otros; pero esto sucederá únicamente en el cielo, ¿verdad?

EL CHORLITO ESQUIMAL

***Habéis vivido en deleites sobre la tierra, y sido disolutos; habéis engordado vuestros corazones como en día de matanza* (Santiago 5:5).**

Jesús debe tener un lugar especial en su corazón para el chorlito esquimal. Este hermoso pajarito voló una vez en tan grandes cantidades, que se decía que parecían nubes. Enormes bandadas de chorlitos descendían de su vuelo migratorio para alimentarse en los sembrados, y cubrían espacios de 20 a 25 hectáreas (40 a 50 acres). Las bandadas en vuelo a menudo tenían una longitud de más de 800 metros y una anchura de 90 metros. Hoy no podrás encontrar un solo chorlito esquimal vivo. A veces alguien dice haberlos visto; pero no ha habido una información cierta desde hace 20 años.

Los chorlitos esquimales anidaban a lo largo de la costa ártica de Norteamérica e invernaban en la Argentina. Para viajar del Artico a Sudamérica seguían una ruta por el este del Labrador, Canadá, continuaban hacia el sur a través de Newfoundland y Nova Scotia; luego volaban 3.320 kilómetros (2.000 millas) sobre el océano hasta las Indias Occidentales, y seguían a Sudamérica. El viaje de regreso en la primavera lo hacían por la costa occidental de Sudamérica, pasaban sobre el Golfo de México, y continuaban al norte sobre las praderas del Estado de Texas, y luego a su casa en el Artico.

Pero los chorlitos esquimales fueron condenados a muerte porque su carne era sabrosa. Los pagaban bien en el mercado, y los cazadores los mataban. En el Labrador, antes de 1870, grupos de cazadores mataban miles de chorlitos. Los cazadores de los Estados de Kansas y Nebraska llenaban vagones de ferrocarril con los chorlitos muertos, y luego los vendían en las ciudades de Omaha, Kansas City y San Luis. Algunos los mataban por deporte, y los dejaban apilados en la pradera como bultos de heno.

En 1900 los chorlitos esquimales casi se habían extinguido. Ese año se hallaron sólo doce chorlitos en el Labrador. En 1912 fueron vistos ocho, nada más, y siete fueron muertos.

El egoísmo y la voracidad del hombre no conoce límites cuando su corazón no es enternecido con la ternura de Jesús.

SE REIAN DEL DDT

No te sobrevendrá mal, ni plaga tocará tu morada **(Salmo 91:10).**

Hace pocos años el DDT era el insecticida más conocido y eficaz. Se usaba en todas partes, y por un tiempo los insectos parecieron estar controlados. Pero no pasó mucho antes de que los insectos comenzaran a inmunizarse contra este veneno. Hoy el DDT ya no es el insecticida mortífero de otros días. Además, el veneno causó una matanza continua de muchos insectos, pájaros y aves pescadoras, ya que el efecto tóxico se concentra en el cuerpo a medida que se esparcen más y más cantidades. El DDT fue, pues, suprimido como insecticida.

Pero el DDT es efectivo aún. Por ejemplo, se necesita sólo seis microgramos para matar una abeja. Si recordamos esto, la siguiente historia es curiosa e intrigante.

Hace algunos años las casas del Estado Amazonas, en Brasil, fueron fumigadas con DDT para erradicar los mosquitos. Casi inmediatamente enjambres de abejas polinizadoras invadieron las casas, pero, por una razón aún desconocida, sólo llegaron los machos. Miles de abejas zumbaban en las casas, volaban directamente hacia las paredes fumigadas con DDT, lo juntaban en los saquitos que tienen en sus patas, y se lo llevaban. Casi todas las casas perdieron el DDT, y la gente estaba disgustada por perder el efecto del insecticida; pero lo estaban aún más por el zumbido continuo que hacían las abejas en sus numerosos viajes dentro de sus casas. No hay ninguna explicación para este incidente raro. Cada abeja se llevó unos dos mil microgramos de DDT, y no sufrieron, aparentemente, ningún daño.

No hay duda alguna de que en este mundo hay suficiente pecado para matarnos a todos. El pecado es el "humanicida" más mortífero en todo el universo. Pero, ¡maravilla de maravillas!, Jesús vendrá pronto y lo erradicará completamente, y hará posible que nosotros vivamos sin sentir nunca más sus efectos mortales, ni aun siquiera los de nuestros propios pecados.

Agosto 21

LA PRECISION DEL SAPO

***Abre mis ojos, y miraré las maravillas de tu ley* (Salmo 119:18).**

Seguro que habrás estado oyendo mucho estos días en cuanto a las computadoras. Las primeras computadoras eran muy grandes. Se necesitaban amplios edificios para guardar todos sus cables, tubos electrónicos y otros componentes. Alguien escribió una vez que una computadora que tuviera la capacidad del cerebro humano necesitaría más cables y circuitos que todas las estaciones de radio y televisión del mundo; que sería necesario construir un edificio tan grande como el Empire State, de Nueva York, para guardarla, y que se necesitaría toda el agua del río Niágara para enfriarla; y que finalmente sólo podría decidir si desayunar con tostadas o con panqueques.

Los científicos trabajan sin cesar para producir el cerebro electrónico perfecto. Uno de sus más grandes descubrimientos ha sido la minicomputadora: una unidad muy pequeña, no más grande que una máquina de escribir. Una minicomputadora puede trabajar sola, o puede estar conectada al terminal de una computadora para operar como parte de un sistema gigante de computación.

Los científicos han aprendido mucho de los animales para la fabricación de sus computadoras. Piensa, por ejemplo, que el ojo del sapo es una minicomputadora que puede operar independientemente de la computadora central en el cerebro del sapo. Si el ojo del sapo ve un insecto volando demasiado lejos de su alcance, la minicomputadora del ojo sencillamente recoge la información. Esta minicomputadora calcula el tamaño y la distancia de todos los insectos que vuelan alrededor, y envía un mensaje a la computadora del cerebro sólo cuando el insecto está dentro del alcance de la lengua pegajosa del sapo. Entonces el cerebro avisa a la lengua que hay un insecto, y le dice la distancia y la velocidad de vuelo. La lengua es proyectada en el acto, atrapa al insecto y el sapo tiene su comida. Todo este proceso dura sólo una fracción de segundo.

Nosotros también estamos hechos con sistemas similares a los del sapo; pero los nuestros son mucho más complicados. No sólo tenemos microcomputadoras que detectan cuanto vemos y oímos, sino además tenemos sistemas que nos ayudan a comprender la Palabra de Dios para poder captar las maravillosas verdades de su santa ley.

UN ALIMENTO SALVADOR

En mi corazón he guardado tus dichos, para no pecar contra ti **(Salmo 119:11).**

Toda mariposa, cuando aún es oruga, se alimenta de una planta específica; y sin este alimento particular, la oruga moriría. En la mayor parte de los casos no sabemos por qué cada variedad de mariposa se alimenta de una sola clase de planta; pero en un caso, al menos, se ha descubierto el secreto.

La mariposa llamada heliconia es una de las numerosas mariposas emparentadas que habitan en los trópicos de Sudamérica. Un entomólogo, científico que estudia los insectos, de la Universidad de Texas, ha observado detenidamente la relación que hay entre la oruga de la mencionada mariposa y una planta tropical denominada pasionaria, pues esta planta es su único alimento. La oruga no come de otra planta, pues si lo hace, moriría. ¿Te gustaría comer siempre un solo alimento, digamos espinaca? Por supuesto que no; pero dicha oruga lo hace, y con mucho gusto. Y hay una razón especial para esto.

Los jugos de la pasionaria son venenosos para todos los insectos, excepto para nuestra oruga. Pero esto no bastaría para explicar por qué esta oruga singular se alimenta exclusivamente de la pasionaria. Hay otra razón: los jugos de la planta contienen componentes químicos que le dan un sabor tan desagradable a la oruga, que ningún pájaro o depredador se atreve a comérsela. Como puedes ver, la oruga depende de la pasionaria no sólo para su alimento, sino también para ingerir compuestos químicos que le salvan la vida ahuyentando a todos sus enemigos.

¡Qué maravillosa ilustración de nuestra dependencia de Jesús! La Biblia nos dice que Jesús es "la vid verdadera" (Juan 15:1). Nuestro alimento espiritual diario deben ser las palabras de Jesús. En su Palabra encontramos no sólo la sustancia que nos hará crecer y madurar como cristianos, sino que además obtendremos los ingredientes especiales que nos guardarán de la tentación y la destrucción.

Agosto 23

ARAÑAS QUE ALIMENTAN PAJAROS

***Plantarán viñas, y comerán el fruto de ellas... No... plantarán para que otro coma* (Isaías 65:21, 22).**

¿Has trabajado alguna vez para conseguir o hacer algo, y luego has descubierto que lo que deseabas se esfumó o se lo robaron? Trabajar mucho y duro, ver que los frutos de nuestros esfuerzos los aprovecha otro, es algo que desanima. Hace poco se hizo un descubrimiento relacionado con las arañas que nos puede enseñar una buena lección.

Todos sabemos que los pájaros se alimentan, entre otras cosas, de arañas; pero se ha descubierto que muchos pájaros devoran también el fruto del trabajo de las laboriosas arañas: los insectos que atrapan en sus telarañas. Los colibríes, debido a su habilidad de mantenerse estacionados en el aire, cogen los insectos de las telarañas; sin embargo, como esas trampas son a la vez la casa de la araña, se piensa que esta alimentación fácil y gratuita podría considerarse accidental y no deliberada.

Los ornitólogos, científicos que estudian las aves, han notado que otros pájaros, además de los colibríes, sacan insectos de las telarañas con la misma facilidad que tú tomas frutos de un árbol bajo. Por ejemplo, se han visto pájaros que se posan en un lugar inmediato a la telaraña y sacan su comida. Algo que hacen casi todos esos pájaros después de que se alimentan es limpiarse completamente el pico para quitarse la telaraña que se les ha pegado.

Una cosa, de todo esto, parece muy cierta: que las arañas atrapan más insectos de los que necesitan como alimento, y que por esta razón muchos pájaros han aprovechado el sistema de la araña para hacerlo más útil y eficiente.

Yo no sé si hay arañas en el cielo, pero si las hubiera no atraparían insectos desprevenidos en sus trampas para comérselos, ni causarían mal alguno. Quizá extenderían sus telarañas para atrapar semillas y pequeños frutos que se desprendieran de los árboles. Una cosa sí sabemos: que las arañas y las personas disfrutarán del fruto de sus labores.

CAMINANDO SOBRE EL FUEGO

Cuando pases por el fuego no te quemarás, ni la llama arderá en ti **(Isaías 43:2).**

Dios nunca autorizó al hombre a que desafiara las leyes de la naturaleza. Creer que Dios lo autorizó a hacerlo es creer la mentira de Satanás, quien le dijo a Eva en el jardín del Edén que no moriría aunque comiera del fruto prohibido. En el texto de hoy el Señor promete a sus hijos que los vigilará y los cuidará en peligro de fuego; pero él no quiso decir que pueden encender fuego y desafiarlo para probar que son su pueblo. Semejante presunción es idéntica a la tentación que Satanás le presentó a Jesús en lo más alto del templo. En esa oportunidad Jesús respondió: "No tentarás al Señor tu Dios" (Mateo 4:7). El diablo continúa engañando a la gente con tales mentiras.

Hay cultos religiosos —y algunos afirman que son cristianos— que practican ritos paganos, como caminar sobre el fuego. El texto de hoy no debe usarse para justificar esta práctica pagana. No hay en toda la Palabra de Dios una sola línea que autorice caminar sobre el fuego.

Durante la filmación de una película un científico midió la temperatura de las piedras sobre las cuales caminan algunos nativos de las islas Fidji, y era de 280°C (600°F). Uno de esos hombres caminó sobre ellas durante siete segundos, pero no sufrió daño alguno. El director de la película pensó que se trataba de un engaño, y tomó un trocito de piel callosa del pie de ese nativo y la tiró sobre las piedras: ¡se quemó en pocos segundos!

Un turista se atrevió a caminar sobre esas piedras, e inmediatamente gritó de dolor: se quemó severamente. Sin embargo, un doctor norteamericano creyente, caminó sobre fuego junto con otros, y escribió de su experiencia en la revista *Saturday Review* (Revista del sábado): "Mis piernas y mis pies los sentí frescos... No veía a nadie. Me pareció que me despertaba de dormir". Y luego pronunció una declaración blasfema: "¡Tráiganme agua, y la convertiré en vino!"

No debemos tener ninguna duda en cuanto al poder que está detrás de todas esas prácticas paganas, que es el poder de Satanás.

Agosto 25

DIOS ACTUA A VELOCIDADES ASOMBROSAS

***Entonces nacerá tu luz como el alba, y tu salvación se dejará ver pronto; e irá tu justicia delante de ti, y la gloria de Jehová será tu retaguardia* (Isaías 58:8).**

Isaías presenta aquí una hermosa promesa a los seguidores del Señor. Para ayudarnos a tener una mejor idea de cuán pronto Dios entra en nuestras vidas y comienza a obrar, observemos algunos procesos de la naturaleza que nos parecen comunes. Por ejemplo, ¿has pensado alguna vez en el milagro que ocurre en cada hoja verde de las plantas? El color verde se debe a la presencia de una sustancia llamada clorofila, la cual ayuda a la planta a transformar la luz del sol en energía para ella y para los animales que se comen las hojas, incluyendo al hombre. Y la manera como las plantas hacen esa transformación es asombrosa; pero déjame decirte cuán rápidamente sucede este milagro.

Para poder describir ese proceso apropiadamente, primero tengo que hablarte de una millonésima de una millonésima de segundo. O sea, dividir un segundo en un millón de partes, y cada millonésima dividirla en un millón de partes ¿Puedes imaginarte cuánto tiempo es? ¡Asombroso! ¡Casi increíble!

Bueno, no importa cómo lo midas o lo veas, lo cierto es que es algo menos que pequeñísimo, algo que casi no podemos ni pensar. No puedo imaginarme algo que pueda suceder en una fracción tan diminuta de tiempo. Pero éste es el tiempo o la velocidad con que la planta procesa la luz solar que recibe, y la transforma en alimento para ti, para mí y para todos. Pero aunque te cueste imaginártelo, tendrás que creerlo.

A medida que la luz llega a la planta, el fotón, que es una cantidad pequeñísima de energía luminosa, pasa de una molécula a otra hasta que es recibido en el laboratorio interno, donde la clorofila se encuentra y donde es transformada en combustible químico. Con el uso de pulsos de rayos láser, que duran seis millonésimas de millonésima de segundo, se ha descubierto que la transferencia de una molécula a otra dura menos de 34 millonésimas de millonésima de segundo.

Finalmente los científicos han medido todo el proceso desde la absorción de la luz hasta la producción de energía, y todo ha sido hecho en tiempo infinitesimal. No hay ninguna duda de que Dios trabaja a velocidades asombrosas. ¿Lo crees tú también?

EL ARBOL QUE SE COMIO A ROGELIO WILLIAMS

***Toda carne perecería juntamente, y el hombre volvería al polvo* (Job 34:15).**

Rogelio Williams es una prueba irrefutable de este texto. Este famoso campeón de la libertad religiosa, que fundó el Estado norteamericano de Rhode Island, murió en 1683, y fue enterrado en el patio de su casa. Casi 200 años más tarde, Esteban Rusell, uno de los descendientes de Rogelio Williams, decidió llevar sus restos a un lugar que fuera más apropiado para un hombre de tanta significación histórica.

Cuando los trabajadores excavaron para sacar los huesos de Rogelio Williams, todo lo que encontraron fue algunos clavos oxidados y los restos de una urna de madera. No había huesos. ¿Los ladrones se habrían robado los restos? No, pues algo que encontraron les hizo saber que nadie había robado los huesos.

Cerca de la tumba crecía un manzano, y al cavar alrededor de donde habían estado los huesos, descubrieron que una raíz del árbol parecía haber crecido moldeada en torno de algo; pero una investigación reveló que sólo había polvo. Sin embargo, en un examen posterior se vio que la forma alrededor de la cual había crecido la raíz era la exacta figura de un hombre, de pies a cabeza. La raíz, según podía verse, había crecido a lo largo, alrededor y sobre el cadáver de Rogelio Williams; y lo había absorbido en forma de minerales disueltos para alimentar el árbol y producir manzanas.

La raíz de ese manzano, con la forma de Rogelio Williams, era algo tan raro e interesante, que la sacaron para conservarla. Si quieres asegurarte de esta historia, puedes verla en el museo de la Sociedad Histórica de Rhode Island, en Providence.

Cuando Jesús venga y resucite a los suyos, ¿en dónde piensas que encontrará a Rogelio Williams? ¿Tendrá acaso que reconstruirlo sacándolo de la raíz? ¡No! Si Dios pudo dar vida a Rogelio Williams por primera vez, y si él poseía un carácter como el de Jesús cuando murió, entonces su nombre se encuentra en el libro de Dios, y allí se hallan todas las especificaciones para recrearlo, y para revivirlo tal como él fue.

Agosto 27

PEZ CON LENTES DE SOL

Ahora vemos por espejo, claramente; mas entonces veremos cara a cara. Ahora conozco en parte; pero entonces conoceré como fui conocido **(1 Corintios 13:12).**

No hay duda de que conoces ese tipo de lentes que cambian de acuerdo a la cantidad de luz que reciben. Si los usas en la sombra, se aclaran; pero si sales a la luz del sol, se ponen oscuros. Esto, que parece mágico, se debe a un proceso que es controlado por las reacciones químicas que ocurren en el vidrio, el cual es hecho especialmente para estos lentes.

Nuestros ojos son extremadamente sensibles a la luz del sol, y demasiada luz puede perjudicarlos, y aun enceguecernos, si no somos cuidadosos. Afortunadamente el Creador nos dio defensas naturales que nos protegen por largo tiempo cuando la luz es excesivamente brillante.

No tenemos lentes naturales que modifiquen automáticamente la luz cuando llega a los ojos; pero un pez que vive en el sudeste de Asia sí los tiene desde mucho antes que los inventaran los científicos.

Dicho pez es más bien pequeño, y pertenece a la familia de peces que tienen la habilidad de aumentar de tamaño absorbiendo aire. Alrededor de la córnea de los ojos del pez hay unas pequeñas células llamadas cromatóforas (que tienen color). Cuando aumenta la intensidad de la luz, como cuando el sol está detrás de una nube y de pronto aparece, o como cuando el sol está en lo más alto del cielo, las células cromatóforas liberan una cantidad mínima de un pigmento de color amarillo. Este pigmento cubre el ojo del pez con una fina película, con lo que se gradúa la entrada de la luz. Cuando la luz disminuye, el pigmento desaparece y se aclara la visión del pez.

Debido a nuestra condición pecaminosa Dios no puede, por ahora, darnos una visión completa e instantánea de las cosas celestiales, porque, sencillamente, no podríamos soportar semejante brillantez: es como si él nos hubiera dado unos lentes opacos. Pero cuando Jesús venga y nuestros ojos sean abiertos, lo veremos a él y sus maravillas en toda su gloria.

INTRIGA DE LUCIERNAGAS

Porque esos son falsos apóstoles, obreros fraudulentos, que se disfrazan como apóstoles de Cristo. Y no es maravilla, porque el mismo Satanás se disfraza como ángel de luz. Así que, no es extraño si también sus ministros se disfrazan como ministros de justicia; cuyo fin será de acuerdo a sus obras **(2 Corintios 11:13-15).**

Las diferentes clases de luciérnagas tienen cada una su señal distintiva de luz. En primavera y verano, cuando las luciérnagas aparecen, y es el tiempo de su apareamiento, las hembras, que son más grandes, se posan en una planta, cerca del suelo para esperar alimento o compañero, o ambas cosas. Los machos, que son más pequeños, vuelan por encima, y pueden convertirse en uno de los dos, depende de cómo utilicen su juego de luces. La hembra comúnmente está más interesada en alimentarse que en aparearse, porque emite la señal brillante de apareamiento de otra clase de luciérnagas, con el propósito de atraer un macho de esa especie, ¡para devorarlo!

El macho busca solamente una compañera, y emite su señal brillante con la esperanza de que una hembra le responda. Pero no está seguro si la hembra que le responde abajo es de su especie o de otra que está tratando de engañarlo para hacerlo morir; entonces, ¿qué puede hacer? Te sorprenderás de lo que sucede luego.

El macho imita las señales de otras especies. Esto atrae la atención de la hembra que le responde para decirle: ¡baja! Como no sabe aún qué especie es la que lo está invitando a bajar, pero supone que es una hembra que piensa que él es una presa de otra especie, emite su señal. Y ahora que ha encontrado la hembra, tiene que asegurarse rápidamente si es amiga o enemiga; así que comienza a emitir su propia señal para seducir a la hembra a que se acerque a él para unirse. Bueno, parece que este oficio de la luciérnaga macho es muy arriesgado.

El comportamiento de las luciérnagas o cocuyos es un buen ejemplo de la conducta de los mentirosos. Una mentira conduce a otra mentira hasta que, antes de mucho tiempo, nadie sabe si el que habla o actúa está diciendo la verdad o no.

Agosto 29

DESPEREZAMIENTO Y ESTORNUDO

***Reconoced que Jehová es Dios; él nos hizo, y no nosotros a nosotros mismos; pueblo suyo somos, y ovejas de su prado* (Salmo 100:3).**

Si no estás interesado en la siguiente información, podrías desperezarte o estirarte, pero no estornudarías, pues sería algo extraño en estas circunstancias. ¿Que no sabes de qué estoy hablando? Me extrañaría que dijeras esto, ya que estornudar y desperezarse son dos cosas que hacemos casi cada día.

Desperezarse o estirar los miembros de nuestro cuerpo es una reacción natural del organismo humano para relajarse y descansar y sentirse más cómodo. Este estiramiento del cuerpo generalmente va acompañado de un bostezo, necesario para llevar más oxígeno a los pulmones y sentirse más liviano y despierto. No tiene nada que ver con el aburrimiento que podamos sentir, excepto que cuando estamos aburridos estamos más propensos a dar señales de cansancio. Cuando nos interesamos en algo que vemos u oímos, la adrenalina hace que nuestro corazón palpite más rápidamente, y la sangre fluya con más celeridad y lleve más oxígeno al cerebro; y por esta razón hay menos necesidad de desperezarnos o estirarnos.

El estornudo es causado por una irritación en las fosas nasales, y consiste en una violenta expulsión del aire a través de la boca o la nariz. El propósito del estornudo es librarse de cosas extrañas que irritan la nariz, como polvo u otras materias que se hayan acumulado en ella. También puedes estornudar cuando tu nariz está cerrada o bloqueada por el catarro o un resfrío. Mirar directamente una luz brillante también puede hacerte estornudar.

Bueno, y quizá te hayas dado cuenta que las personas suelen estornudar cierto número de veces. Yo, por ejemplo, estornudo dos veces seguidas. Si estornudo una sola vez, y no repito el estornudo, siento como si algo me faltara. Mi cuerpo necesita el segundo estornudo para sentirse bien de nuevo. Pero esto no es nada, porque yo tengo un amigo que necesita estornudar tres veces seguidas.

Estos son únicamente dos sencillos ejemplos del maravilloso sistema con que nos ha dotado el Creador para ayudarnos a conservar nuestra salud.

UNA PLANTA MORTAL

Hay camino que parece derecho al hombre, pero su fin es camino de muerte **(Proverbios 16:25).**

Hay una planta que devora insectos, y que algunas veces la llaman atrapa-insectos de ventana. Y así es, pues es una planta que obtiene el alimento necesario atrapando insectos y comiéndoselos. Esta planta captura sus víctimas mediante el engaño.

Las plantas que comen insectos se llaman insectívoras. Estas plantas crecen en terrenos muy ácidos, por lo que les faltan elementos necesarios como el nitrógeno. Para obtener el nitrógeno utilizan el engaño para capturar los insectos. Hay varias clases de plantas insectívoras. Algunas son pegajosas como el papel atrapamoscas, y los insectos se quedan pegados a ellas. Otras son acuáticas y tienen puertas-trampas que son muy sensibles y funcionan cuando el insecto toca el picaporte; la puerta se abre y da paso hacia una cámara que literalmente arrastra a los insectos dentro de la trampa con una descarga de agua. Hay plantas que tienen paredes resbaladizas y espinosas, que permiten la entrada fácil a los insectos, pero les impide salir. La famosa atrapamoscas Venus tiene un mecanismo disparador muy pequeño que activa dos mitades cóncavas y las cierra de golpe, y los insectos quedan condenados a muerte.

La atrapa-insectos de ventana segrega un delicioso néctar que atrae mucho a sus víctimas. Pero el néctar está cubierto con una trampa, cuya entrada tiene que trasponer el insecto; pero una vez que se ha llenado de néctar y quiere salir, no puede hacerlo, ¿por qué? El insecto se pierde al tratar de salir, porque sigue una luz que proviene de una ventana que está en el fondo de la cámara. El insecto finalmente cae en un hoyo acuoso, y termina siendo alimento para la planta.

Algunas veces pensamos que estamos en lo cierto, pero cuando la verdad no es presentada o revelada nos damos cuenta que estamos equivocados. Oremos para que podamos conocer la verdad tal cual es, y permanezcamos en ella siempre.

Agosto 31

LA ANTIMATERIA

El que no es conmigo, contra mí es; y el que conmigo no recoge, desparrama **(Mateo 12:30).**

La materia es el elemento básico con el cual está hecho el universo, con el cual están formadas todas las cosas, inclusive tú y yo. Cuando Dios dijo, sea esto o aquello, lo que apareció fue la materia. Pero hay dos clases de materia.

Examinemos lo que pensamos en cuanto a la materia. La materia se compone de átomos, los cuales están hechos de protones, neutrones, electrones y otros. Los protones tienen una carga positiva y los electrones una negativa. Como estas dos partículas tienen cargas opuestas, se atraen mutuamente para mantener junta la materia. Los electrones libres son "electricidad", y cuando son canalizados a través de un conductor apropiado hacen funcionar todos los artefactos eléctricos que usamos. Pero cuando los electrones están con los protones en los átomos de la materia, son llamados "estables". Esta es una sencilla descripción de la materia.

En 1932 un joven investigador del Estado de California descubrió una partícula atómica, y la llamó positrón, porque se comportaba como un electrón, pero tenía la carga eléctrica opuesta. Esta forma de materia no se había conocido antes; pero el más asombroso descubrimiento estaba aún por hacerse. Cuando un positrón fue introducido en un electrón normal, en lugar de ser atraído como un protón, hubo una explosión microscópica en la cual ambos —positrón y electrón— desaparecieron, dejando detrás toda su energía conjunta en la forma de rayos X. Esto hizo que el positrón fuera llamado "antimateria", y nació una nueva etapa en la ciencia. Los científicos aún están tratando de saber qué sucede exactamente en la materia.

Jesús es una fuerza positiva. Somos atraídos hacia él como los electrones hacia los protones, y permaneceremos inconmovibles mientras estemos con él. Pero está Satanás, quien ha creado una antifuerza que quiere destruirnos a todos, ya que sabe muy bien que finalmente será destruido cuando las dos fuerzas choquen definitivamente. Sin embargo, en Jesús está el poder y la energía que producirán "cielos nuevos y tierra nueva, en los cuales mora la justicia" (2 Pedro 3:13).

EL PATO VIGILANTE

¡Cuán preciosa, oh Dios, es tu misericordia! Por eso los hijos de los hombres se amparan bajo la sombra de tus alas **(Salmo 36:7).**

Cierto día un pato doméstico adoptó a una criatura —no a un patito sino a una bebecita— para protegerla. Cada día la niñita era colocada en un cochecito en el patio de atrás de la casa, y el pato nunca se alejaba del cochecito. Por alguna razón sólo conocida por el amante Creador, el pato llegó a la conclusión de que su misión divinamente asignada era cuidar a esa criaturita. Ninguna persona, perro o gato podía trasponer la puerta del patio sin que el pato se lo hiciera lamentar. La bebecita estaba perfectamente segura bajo el cuidado fiel del pato vigilante.

Cierto día soleado la bebita estaba disfrutando del clima agradable en su cochecito, mientras su madre la vigilaba desde el interior de la casa, a la par que atendía sus quehaceres domésticos. Sonó el teléfono. Una vecina estaba llamando para decir que un perro rabioso había tomado el camino que conducía al patio donde estaba la criatura. La madre soltó el teléfono y corrió a la puerta. Aun antes de que llegase al lugar pudo oír una conmoción, porque el perro rabioso ya estaba en el patio. A la carrera la madre traspuso la puerta que llevaba al patio. Allí, a pocos pies del cochecito, estaba un enorme perro con ojos inyectados de sangre y la boca chorreando baba. Pero entre el perro y la bebita estaba el pato, graznando, agitando las alas, y atacando al animal con todas sus fuerzas. La madre arrebató a la niña, corrió a la casa y llamó a la policía.

La pelea entre el perro y el pato continuó. Se había acercado un grupo de vecinos y curiosos. El pato tenía al perro a la defensiva, pero éste no atinó a escapar, y la dedicación del pato a su deber no le permitió captar el peligro. Hizo retroceder al perro hasta la puerta, y con su último aliento colocó su cuerpo manchado de sangre a través de la entrada y murió. La policía mató al perro, pero declaró posteriormente que ése había sido una especie de anticlímax, ya que el pato había hecho la hazaña de derrotar al intruso. El pato había protegido al bebé del peligro que lo amenazaba, pero al hacerlo había dado su propia vida.

Aunque sólo es una pálida ilustración, este incidente nos recuerda que Jesús hizo lo mismo por ti y por mí.

POLILLAS CON EQUIPO DETECTOR DE RADARES

***Pero él, volviéndose, dijo a Pedro: ¡Quítate de delante de mí, Satanás!; me eres tropiezo, porque no pones la mira en las cosas de Dios, sino en las de los hombres* (Mateo 16:23).**

Sin duda habrás visto u oído acerca de unos pequeños instrumentos que algunas personas tienen en el tablero de su vehículo para detectar con anticipación la presencia del radar de la policía. El propósito, por supuesto, es impedir que se los detenga cuando corren a más velocidad que la reglamentaria. En algunos lugares está prohibido usar estos detectores de radares. Hoy hablaremos de unas polillas que están equipadas con un dispositivo que en la práctica funciona en forma semejante.

Este tipo de polilla tiene un "oído" especial localizado debajo de cada ala, a los lados de su cuerpo. Como un detector de radar, este oído especial está equipado sólo para detectar ciertos sonidos de muy alta frecuencia, emitidos por un murciélago que usa sonar para localizar a su presa. También a semejanza del radar, el oído especial no capta nada hasta que aparezca en los alrededores un murciélago emitiendo las señales ultrasónicas en busca de un objeto volador, tal como una polilla, a fin de apresarlo y comerlo.

Cuando la polilla registra el sonar de un murciélago en su receptor especial, inmediatamente comienza una serie de acrobacias aéreas que llenarían de envidia al más notable as de la aviación. De repente se ve a la polilla volando en todo tipo de trayectorias erráticas y evasivas. Sería necesario un murciélago *muy* ágil para apresar a este tipo de polilla. Naturalmente, lo importante para la polilla es reconocer las señales y actuar de inmediato. No debe perder ni una fracción de segundo.

Cierto día el diablo usó a Simón Pedro para tentar a Jesús. El Maestro amaba a Pedro, y es muy probable que el diablo haya pensado que Jesús no tendría activos sus sensores especiales al dialogar con uno de sus amados discípulos. Pero podemos sentirnos muy agradecidos por el hecho de que Jesús nunca dejó de estar en guardia. Reconocía las señales del diablo en cualquier forma que asumiesen, e inmediatamente hacía frente a las tentaciones.

¿Cuán vigilantes somos nosotros? ¿Acudimos con presteza a Jesús en busca de ayuda, a fin de ser victoriosos?

EL TAMARINDO MEXICANO

***Porque si el árbol fuere cortado, aún queda de él esperanza; retoñará aún, y sus renuevos no faltarán* (Job 14:7).**

Hay un árbol pequeño que crece en Texas, Nuevo México y en ciertas zonas de México, que es muy resistente. Cuando la temperatura sube bastante más de los 38°C (100,4° F), el tamarindo mexicano florece. En invierno, cuando la temperatura desciende bajo cero, la mayor parte del árbol se hiela, pero en primavera reverdece con vigor. Uno de los árboles más hermosos en su tamaño cuando está en flor, el tamarindo mantiene mucho cerros en su lugar al impedir que las lluvias torrenciales laven y arrastren la tierra fértil. Crece en profusión en muchas zonas, y sus capullos primaverales transforman las barrancas de los arroyos y las laderas de los cerros en una nube rosada que puede durar tres o cuatro semanas.

El árbol es muy conocido por su semilla, la cual es redonda, muy oscura y tan resplandeciente como el vidrio, lo que le da la apariencia del ojo de un ciervo. Tiene el tamaño de una canica y puede servir de munición maravillosa para lanzamientos con la honda. Debido a una broma favorita por parte de los niños, las semillas también son llamadas "frijoles calientes". Cuando se las frota rápidamente en la ropa o en el piso, se calientan mucho. El "frijol" es entonces lanzado a alguien que acaba de llegar al vecindario y que desconoce la broma; la persona lo toma, e inmediatamente grita de dolor. Sin embargo, no se produce ningún daño duradero, y la víctima de la broma generalmente procura hacer lo mismo con otra persona.

Debido a sus muchas cualidades favorables y a que es una planta favorita de los niños, un botánico de Texas ha calificado al tamarindo mexicano como un árbol "divertido", "alegre". Puede sufrir todos los extremos del clima, sólo para retornar sano y hermoso, listo para proveer entretenimiento y diversión a todos.

Los cristianos se parecen al tamarindo mexicano. No importa lo que Satanás y este mundo les hagan, tratando de abrumarlos con adversidades, los cristianos retoñan vigorosos como personas encantadoras con quienes da gusto estar.

Septiembre 4

¿QUE HACES DE NOCHE?

***Y vio Dios que la luz era buena; y separó Dios la luz de las tinieblas. Y llamó Dios a la luz Día, y a las tinieblas llamó Noche. Y fue la tarde y la mañana un día* (Génesis 1:4-5).**

Nuestro sistema nervioso tiene por lo menos dos "relojes" en el interior del organismo, de acuerdo con el Dr. Martín Moore-Ede, de la Escuela de Medicina de Harvard. Estamos biológicamente hechos como para ir a dormir cuando oscurece y despertarnos cuando comienza a aclarar. Esto no resulta muy divertido cuando pensamos en todos los esfuerzos que se hacen para mantenernos levantados hasta tan tarde, lo que determina que por la mañana estemos medio dormidos.

El Dr. Moore-Ede dice que cuando vamos contra los relojes naturales de nuestro cuerpo, pagamos un precio en deterioro de la salud. Para respaldar esta declaración, menciona una investigación que se hizo con ratones a quienes cada pocos días se les alteró su ciclo de día-noche. Como resultado, la vida de los ratones se abrevió en un 20 por ciento. Por supuesto, no se ha efectuado un experimento tal con seres humanos, pero hay evidencias de que el esfuerzo resultante de tratar de alterar o ignorar los relojes naturales del cuerpo, produce tensiones, lo que nos hace más susceptibles a las enfermedades y menos tratables.

Uno de estos relojes consiste en un par de centros nerviosos diminutos de menos de un milímetro de diámetro, pero cada uno de ellos contiene por lo menos diez mil células nerviosas. Estos diminutos marcapasos están localizados en el hipotálamo del cerebro y operan en un ciclo de 24 horas diarias; cada día se vuelve a poner en marcha este ciclo y se regula durante una hora, dependiendo de cuándo sale el sol y cuándo se pone. El regulador día-noche no es un reloj, pero es el mecanismo que lo pone en marcha, y está formado de un manojo especializado de nervios que conectan el ojo con el hipotálamo. El reloj restante regula las funciones internas del cuerpo en armonía con el ciclo diario. No se sabe mucho respecto a este reloj, pero sí se sabe que existe.

Debemos ser cuidadosos en la forma que usamos nuestras horas nocturnas. El Creador nos dio cuerpos maravillosos que hay que cuidar para que funcionen debidamente.

JUGANDO CON UNA PITON DE CINCO METROS

***Y Jehová Dios dijo a la serpiente:...Pondré enemistad entre ti y la mujer, y entre tu simiente y la simiente suya; ésta te herirá en la cabeza, y tú le herirás en el calcañar* (Génesis 3:14, 15).**

Nuestro texto de hoy a menudo ha sido calificado como la primera promesa de un Salvador. Después que Adán y Eva pecaron, Dios les habló a ellos y a la serpiente, que representaba al diablo y que había tentado a Eva a pecar en primer lugar. Dios dijo que habría una lucha entre la serpiente, o el diablo, y la mujer. Pero la promesa de Dios fue que mientras el diablo heriría el talón del Salvador, éste heriría la cabeza de Satanás. Esto significaba que aunque habría problemas para el pueblo de Dios, finalmente esa antigua serpiente llamada el diablo (Apocalipsis 20:2) sería vencida y destruida.

Comprendí mejor esta verdad a través de una historia impresionante que leí hace algunos años. Cierto hombre que vivía en Gainesville, Florida, tenía un animal doméstico fuera de lo común —una pitón de casi cinco metros de largo. La serpiente parecía una mascota inofensiva.

Cierto día el dueño de la pitón estaba durmiendo la siesta en la sala. Fue despertado rudamente cuando la serpiente comenzó a golpearlo en la cabeza. Antes de que el hombre pudiera recapacitar y escapar, el reptil se enrolló rápidamente en torno a su cuerpo, abrió desmesuradamente las mandíbulas, y comenzó a tragarlo por la cabeza.

El hombre lanzó un terrible grito, y un amigo que estaba en el cuarto contiguo vino corriendo a ver qué pasaba. Otro amigo estaba cerca y también se apresuró a ayudar. Fue necesario el esfuerzo de ambos —uno sujetando las mandíbulas de la serpiente y el otro pinchando al animal en los ojos y en la boca— para que la pitón soltara su presa. Realmente fue muy afortunado el hecho de que estos dos amigos estuvieran cerca.

Esa antigua serpiente, el diablo, tiene las mismas intenciones destructivas contra cada uno de nosotros, pero afortunadamente tenemos un amigo en Jesús, quien desde el comienzo de este mundo ha prometido que nos libraría del diablo. Con Cristo a nuestro lado, la liberación y la victoria son seguras.

Septiembre 6

LA PASIONARIA DEVUELVE EL GOLPE

***¡Oh Jehová, cuánto se han multiplicado mis adversarios! Muchos son los que se levantan contra mí... Mas tú, Jehová, eres escudo alrededor de mí; mi gloria, y el que levanta mi cabeza... La salvación es de Jehová; sobre tu pueblo sea tu bendición* (Salmo 3:1, 3, 8).**

En la zona tropical del continente americano hay un grupo muy grande de mariposas conocidas como helicónidos. Existen muchas variedades diferentes de este tipo de mariposas, las cuales son muy coloridas. Algunos helicónidos se alimentan exclusivamente de pasionarias, y hay una lucha constante entre la pasionaria y los helicónidos.

Si los helicónidos saliesen con la suya, depositarían huevos en todas las hojas de las pasionarias, y las orugas pronto las consumirían por completo. Estas plantas necesitan evitar tal suerte fatal, y el Creador las ha equipado con un medio para disuadir a los helicónidos de colocar siquiera un huevo en muchas de sus hojas.

Pero antes de decirte qué hace la pasionaria, digamos que el helicónido hembra, cuando está buscando el mejor lugar donde depositar sus huevos, coloca en cada hoja tan pocos como sea posible. Si colocase demasiados huevecillos en una hoja, no habría suficiente alimento para todas las pequeñas orugas que surgirían. De modo que el helicónido hembra examina la pasionaria muy cuidadosamente. Cuando ve que ya varios huevos han sido depositados en una hoja, pasa a la siguiente. Y es en relación con esto que la pasionaria lanza su golpe.

¡La pasionaria fabrica huevos falsos sobre sus hojas! Y a menudo estos huevecitos están espaciados en forma variada, tal como estarían los huevos de los helicónidos. La mariposa tiene que buscar un largo rato hasta que encuentre una hoja donde pueda depositar sus huevos. Por supuesto, esto limita la población de los helicónidos, y en consecuencia no hay tantas orugas como para que devoren todas las plantas de pasionaria.

El Señor es nuestra salvación, y él ha prometido protegernos para que sobrevivamos en nuestra batalla cristiana contra el pecado. Ha prometido que no tendremos que sufrir una tentación mayor de lo que podamos soportar con su ayuda.

LA VISITA DEL JABIRU

Varones galileos, ¿por qué estáis mirando al cielo? Este mismo Jesús, que ha sido tomado de vosotros al cielo, así vendrá como le habéis visto ir al cielo **(Hech. 1:11).**

Temprano en la mañana del 7 de septiembre de 1981, sonó nuestro teléfono. Era nuestro amigo Benton que llamaba desde Tennessee.

"¡Hay un jabirú en Corpus Christi!", dijo.

Estábamos muy entusiasmados. El jabirú no sólo es un ave de Centroamérica sumamente rara, sino que también es el pájaro más alto que hay en los Estados Unidos. Y ninguno de nosotros había visto jamás uno de ellos. De modo que hicimos los planes de viaje. Recogeríamos a Benton en el aeropuerto y viajaríamos en automóvil hasta Corpus Christi. Teníamos la esperanza de que al llegar el jabirú todavía estuviera allí.

Los aficionados a las aves tienen una red nacional de personas que siguen la huella de las aves muy raras, y cuando se localiza un pájaro raro como el jabirú, la noticia corre rápidamente. Hacia el fin de ese día había ornitólogos que viajaban en avión hacia el lugar desde todas partes del continente.

Cuando llegamos a la bahía del Oso, donde el pájaro había sido visto por última vez, observamos la bahía con profundo interés. Allí estaba —¡un jabirú! ¡Qué pájaro! Es como una cigüeña, blanco y negro con una franja en el pecho de color rojo oscuro. El pico de un jabirú tiene 30 centímetros de largo (un pie), lo que es realmente notable en un ave de un metro y medio de alto (5 pies). Era un espectáculo magnífico.

Pocos días más tarde, mientras un grupo pequeño de ornitólogos estaba observando, el pájaro desplegó sus grandes alas, levantó vuelo y comenzó a ascender aprovechando corrientes de aire favorables. Pronto fue apenas un punto en el horizonte, y luego se perdió de vista. Los aficionados se quedaron observando esa región del cielo, con la esperanza de que regresase, pero no volvió.

El jabirú estuvo en ese lugar por un corto tiempo, y hubo muchos que no lo pudieron ver. Cómo hubiéramos querido que quedase más tiempo. De alguna manera la visita del jabirú nos hizo pensar en la primera venida de Jesús. También se quedó poco tiempo. No sabemos si el jabirú regresará, pero sí sabemos que Jesús volverá. Y entonces "todo ojo le verá" (Apoc. 1:7). ¡Pasen la voz! ¡Cristo viene otra vez!

Septiembre 8

FOSILES VIVIENTES

Todo lo que tenía aliento de espíritu de vida en sus narices, todo lo que había en la tierra, murió **(Génesis 7:22).**

Todo ser viviente que había en la tierra antes del Diluvio murió en esa catástrofe, excepto aquellas criaturas que estaban en el arca. Sin embargo, la Biblia no indica que toda criatura del mar murió. La Biblia nos enseña que Dios creó toda clase de seres vivientes en los siete días de la creación, y que estos continuaron reproduciéndose según su especie desde ese día en adelante, con una dramática interrupción durante el Diluvio. Aquellos que creen en largos períodos de evolución sostienen que aun los animales marinos pasaron por cambios interminables, yendo de células simples a criaturas complejas, y que todos los animales terrestres evolucionaron de los animales marinos, en un momento u otro y en una forma u otra. Hay diagramas detallados que muestran las supuestas relaciones entre las diferentes formas de vida, desde las plantas y animales simples, unicelulares, hasta el hombre.

Una idea importante para los evolucionistas es la que se refiere a la sucesión de formas vivientes tal como se encuentran en las diversas capas de tierra y roca, en forma de fósiles. Sin embargo, para creer en esta teoría uno debe descartar el Diluvio, y los evolucionistas lo hacen. Por ello, resultó muy sorprendente que un paleobiólogo, llamado Eduardo Petuch, encontró recientemente zonas del mar tropical donde todavía viven especies de moluscos que se pensaba que se habían extinguido hace millones de años. Petuch dijo: "Es casi como encontrar un dinosaurio viviente". Hay comunidades enteras de fósiles vivientes, que llegan a más de 200 especies, y que previamente se pensaba que se habían extinguido. Petuch llama a estas áreas del mar, "bolsas de residuos". Estas bolsas no son muy profundas; oscilan de unos cuatro o cinco metros (10 a 15 pies) a quizás unos treinta metros (100 pies). Hasta el momento todas estas bolsas de residuos se han encontrado en el Mar Caribe. Parece que estas criaturas han estado viviendo en el mismo ambiente desde el Diluvio. Esta catástrofe fue tan devastadora que la mayoría de ellas fueron aplastadas y enterradas bajo tierra, pero en esas bolsas aisladas permanecen algunas como testimonios vivientes en favor del Creador y su Palabra.

MOSQUITOS MONSTRUOS

***Hay hombres cuyas palabras son como golpes de espada; mas la lengua de los sabios es medicina* (Proverbios 12:18).**

Quizás el mayor dolor de esta tierra se produce cuando se hablan palabras que hieren profundamente los sentimientos de una persona. Por lo general, herimos a las personas con lo que decimos porque somos egoístas. Queremos conseguir algo y no nos importa el daño que causamos con nuestras palabras. Para ilustrar esto veamos qué ocurre con el mosquito.

Un mosquito está increíblemente bien equipado para lastimar a su víctima. No estoy hablando de las enfermedades transmitidas por el mosquito. Sólo me estoy refiriendo al formidable equipo quirúrgico que el mosquito hembra lleva consigo en todo momento en su búsqueda de sangre. Los mosquitos machos se alimentan básicamente de jugos de plantas, y no todos los mosquitos hembras pican a los seres humanos; pero los que lo hacen, causan todo tipo de dolor y picazón, porque este diminuto monstruo sediento de sangre a menudo consigue su objetivo y escapa antes de que uno se dé cuenta de lo que ha ocurrido.

En la trompa del mosquito hembra hay seis instrumentos quirúrgicos: dos tubos, dos lancetas y dos cuchillos aserrados. Primeramente el mosquito frota la piel con un anestésico que insensibiliza los nervios de la zona. Luego comienza a trabajar con las lancetas y los cuchillos, literalmente aserrando y cortando su camino en la piel. Pero uno no siente nada. Con uno de los tubos, el mosquito baña la herida con un anticoagulante —su saliva— para permitir que la sangre corra libremente. Con el otro tubo, la dama mosquito extrae la sangre y la coloca en sus depósitos tan rápidamente como puede. Le lleva sólo un minuto, si tiene la suerte de dar con un vaso capilar.

Una vez que el estómago del mosquito está lleno, se va, pero se lleva consigo el anestésico, y en el cuerpo de la víctima comienza una violenta reacción contra la saliva del mosquito. Muy pronto aparece una roncha, y la persona que ha sido picada comienza a rascarse.

Alguien que tiene una lengua hiriente puede conseguir lo que quiera, y actuar en forma desafiante, pero cuando se va deja dolor detrás de sí. Es mucho mejor cuando las personas usan sus palabras para ayudar y promover felicidad.

Septiembre 10

LA GUERRA DEL PELICANO

Os digo que así habrá más gozo en el cielo por un pecador que se arrepiente **(Lucas 15:7).**

Un día de septiembre de 1955, un pelícano —exhausto por su largo viaje migratorio— hizo una escala no prevista en la isla de Mykonos, en el Mar Egeo. La visita cambió la historia reciente de esa islita.

El gran pájaro blanco era incapaz de cazar peces por sí mismo, de modo que los pescadores locales, compadecidos del pelícano, lo llevaron a Teodoro. Este hombre era un héroe de la Segunda Guerra Mundial, de altura gigantesca, que amaba a los animales silvestres de todo tipo. El pelícano fue agregado a la colección de Teodoro, que incluía varios otros pájaros y una foca. Teodoro escogió el nombre de Pedro para el pelícano, considerando que había otro héroe de la guerra también oriundo de Mykonos que tenía ese nombre. (Creo que Pedro es un buen nombre para un pelícano pescador, ¿no te parece?)

Pronto Pedro se convirtió en la mascota de la isla. Todos lo mimaban, le daban pescado, o abrían la llave para que tomase agua. Los mykonianos comenzaron a decir que tal vez Pedro era un buen augurio de prosperidad. El pelícano creció vigoroso y era querido por todos en la isla.

Cierto día de primavera, Pedro desapareció. Los isleños estaban de duelo. En esas circunstancias llegó la noticia de que Pedro había sido encontrado en la cercana isla de Tenos. Todos se pusieron muy contentos, pero los habitantes de Tenos no quisieron devolver a Pedro. Esto produjo una tremenda indignación.

"¿Cómo se atreven a retener nuestro pelícano?", protestaron airadamente los mykonianos.

"Pedro abandonó Mykonos y escogió nuestra isla", repusieron los hombres de Tenos.

El litigio fue llamado "la guerra del pelícano". Finalmente el gobernador regional solucionó el problema ordenando que Pedro fuese devuelto a Mykonos. Los 36.000 mykonianos fueron al puerto a recibir al pelícano. Mientras Pedro descendía solemnemente por la planchada del barco, las campanas de la iglesia repicaban alegremente.

Cuando entregamos nuestros corazones a Jesús, todo el cielo se regocija. ¿Puedes imaginarte la celebración gozosa que se hace?

DINOSAURIOS CON PICO DE PATO

***Y he aquí que yo traigo un diluvio de aguas sobre la tierra, para destruir toda carne en que haya espíritu de vida debajo del cielo; todo lo que hay en la tierra morirá* (Génesis 6:17).**

La Biblia dice que el arca contenía animales de todas las especies que Dios había creado. Si bien existían muchos tipos de dinosaurios, parece que ninguno fue introducido al arca; el único registro que tenemos de ellos son sus restos fósiles enterrados bajo rocas y tierra amontonadas por el Diluvio. Ha habido rumores de monstruos o dinosaurios extintos, que viven en lagos profundos o en fosas marinas, pero hasta el momento hay poca evidencia de que existan. Y en el caso de que existieran, probablemente serían descendientes de criaturas marinas que sobrevivieron al Diluvio.

Los primeros fósiles de dinosaurio descubiertos en Norteamérica fueron los del dinosaurio con boca en forma de pico de pato. Se han encontrado tantos huesos fósiles de estos dinosaurios, que pareciera que eran muy comunes antes del Diluvio. En 1858, cuando se desenterraron los restos fósiles del primero, se creía que estos dinosaurios habían vivido en pantanos, comiendo plantas acuáticas. Hallazgos recientes indican que era diferente. Se encontró un fósil con agujas de pino fosilizadas en su interior, lo que de ningún modo indica una dieta de plantas acuáticas. Las distintas variedades de estos dinosaurios tenían una cresta córnea llena de grandes cavidades de aire. Nadie sabe cuál era el propósito de estas cavidades. Se ha sugerido que eran un tipo de esnórquel, lo que sólo tendría sentido si hubiesen sido criaturas que vivían en el agua. Quizás hayan sido anfibios.

Hay muchos enigmas en los restos terrestres de ese gran Diluvio, pero una cosa es segura: Dios lo produjo, y él colocó el arco iris en lo alto como una promesa de que nunca volvería a destruir la tierra por la acción del agua. Y aunque hay muchos aspectos de la naturaleza que no entendemos, una cosa sí podemos entender: cuando Dios tiene que destruir un mundo malvado da muchas advertencias previas, y todos los que siguen sus instrucciones no se perderán.

Septiembre 12

HORMIGAS PARASOL

Vé a la hormiga, oh perezoso, mira sus caminos, y sé sabio; la cual no teniendo capitán, ni gobernador, ni señor, prepara en el verano su comida, y recoge en el tiempo de la siega su mantenimiento **(Proverbios 6:6-8).**

Es bien sabido que las hormigas trabajan duramente. Sin duda fue por ello que Salomón aconsejó al haragán, al perezoso, que las observase. Si quieres cansarte sólo de pensar en algo, encuentra un hormiguero y obsérvalo; piensa cómo te sentirías trabajando de ese modo, sin descanso, sin recreos, nada sino trabajo interminable. ¿Te gustaría eso?

Considera, por ejemplo, las hormigas que cortan las hojas. Estas diminutas criaturas, que abundan en los climas más cálidos del mundo, fabrican su propia comida en el interior de sus túneles subterráneos. Quizás no te guste la dieta que tienen, pero sin duda las hormigas piensan que nada tiene mejor sabor que cierto tipo de hongo, cuyo nombre científico es *Rhozites gongylophora*. Y para fabricarlo necesitan hojas frescas. De modo que pasan horas interminables del día y de la noche viajando entre su hogar subterráneo y la copa de varios árboles cercanos, donde cuidadosamente cortan con sus pinzas secciones de las hojas. Luego llevan su precioso trozo de hoja desde el árbol hasta su túnel. A veces los trozos de hoja son mucho más grandes que la hormiga, y tienen el aspecto de sombrillas verdes. Es por esto que a menudo se las llama hormigas parasol.

Pensemos un poco cuán largo es ese viaje para la hormiga. Supongamos que la hormiga tiene medio centímetro (un quinto de pulgada) de longitud y que el viaje hasta el árbol es de unos siete metros (21 pies). Esto significa que cada hormiga viaja una distancia equivalente a 1.440 veces su propio cuerpo. Si pensamos en el viaje considerando la altura de un muchacho o una chica corrientes, estamos hablando de una caminata de más de una milla (1,6 km), sólo en una dirección. Entonces tendrías que cortar y cargar una gran sombrilla verde, y llevarla hasta el túnel para fabricar el hongo a fin de que tú y tu familia tengan para comer; y tan pronto como hubieses llevado un trozo de hoja, te darías la vuelta y regresarías para buscar otro. Ese sería tu trabajo desde la mañana hasta la noche, cada día.

Si alguna vez sientes pereza y no quieres hacer las tareas que tus padres te han encomendado, tan sólo recuerda a la hormiga que corta hojas ... y sé agradecido por la suerte que te ha tocado.

HECTOR, EL PERRO PRODIGO

Porque este mi hijo muerto era, y ha revivido; se había perdido, y es hallado. Y comenzaron a regocijarse **(Lucas 15:24).**

Héctor era un perro terrier que pertenecía a un oficial de un barco que viajaba en el Pacífico. Cierto día de 1922, antes de que el barco zarpase de Vancouver, Columbia Británica, Canadá, con un cargamento de madera fletado para Yokohama, Japón, Héctor se fue a dar una última vuelta. Pero en vez de regresar enseguida, el animal se demoró en diferentes exploraciones.

Cuando Héctor finalmente decidió regresar a los muelles, el barco ya se había ido. ¿Qué iba a hacer Héctor? Había cinco barcos en el muelle. Héctor subió por la planchada de cada barco y olió el cargamento. Un oficial de uno de los barcos, que también llevaba madera a Yokohama, observó al perro, pero no tenía idea de quién era su dueño. El perro olió la carga de madera. Luego fue al próximo barco y olió la carga de fruta, harina y maderas de abeto que irían a Inglaterra. Luego subió al tercer barco, que estaba cargando pulpa y que cruzaría el Océano Atlántico, y husmeó su cargamento. También revisó la carga de los restantes dos barcos.

Haciendo su elección, Héctor regresó al barco fletado para Yokohama. ¿Cómo supo qué barco debía elegir? ¿El olor de la madera le ayudó a decidirse, o hubo otro factor? Nadie lo sabrá jamás, pero Héctor se metió en la bodega y no emergió hasta que el barco estaba bien en alta mar.

Durante 18 días Héctor exploró el barco, deteniéndose aquí y allá para husmear el aire. Cuando el barco llegó a Yokohama ocurrió que atracó junto al barco original de Héctor. Repentinamente Héctor olió el aire, ladró y comenzó a saltar desesperadamente. Varios tripulantes del otro barco vieron a Héctor y llamaron a su amo, quien vino hasta la baranda del barco. Héctor se alteró tanto que saltó al agua y comenzó a nadar hacia el barco de su dueño. Fue recogido a bordo, donde tuvo lugar un encuentro muy feliz.

¿Alguna vez te has sentido como quien ha perdido el barco? A todos nos ha pasado. Hay muchos barcos, pero sólo uno nos llevará a Jesús. Si estamos en el barco correcto, nosotros también nos reuniremos con nuestro Maestro. Ese día se efectuará un encuentro inmensamente feliz.

Septiembre 14

EL GUACO EN SU REGAZO

No temas, porque yo estoy contigo; no desmayes, porque yo soy tu Dios que te esfuerzo; siempre te ayudaré, siempre te sustentaré con la diestra de mi justicia **(Isaías 41:10).**

De vez en cuando me entero de incidentes en los que animales salvajes olvidan o vencen el temor natural que sienten hacia los seres humanos. Quizás el Señor provee tales experiencias para que entendamos cómo será la tierra nueva en ese sentido.

Cierto día a mediados de septiembre, Belia fue a caminar por el bosque que hay detrás de su casa, en Minnesota. De pronto observó a un guaco que estaba a no más de sesenta centímetros de distancia (dos pies). Después de unos instantes, Belia decidió sentarse. Muy pronto el guaco comenzó a caminar junto a un arbusto, pero en ningún momento apartó su vista de Belia. A medida que pasaban los minutos, el guaco parecía acostumbrarse a la presencia de este ser humano.

Finalmente el guaco comenzó a cloquear con suavidad, a lo que Belia respondió con sus propios "cloqueos". Al oír estos sonidos, el guaco pareció entrar en confianza y se acercó más. Se puso a caminar alrededor de la jovencita hasta que pasó debajo del brazo sobre el cual ella se había apoyado. Y luego, en una de esas vueltas, saltó al regazo de la niña, quedó allí unos instantes, saltó al suelo, y luego siguió girando en torno a ella. Luego volvió a saltar a su regazo y a descender al suelo, y continuó con esta especie de juego durante un largo rato. Cuando Belia se puso de pie para irse, el guaco comenzó a seguirla, de modo que la jovencita volvió a sentarse y el guaco trepó nuevamente a su regazo. La niña decidió finalmente partir cuando el guaco le picoteó la mano y la sobresaltó. Al retirarse Belia, el animal trepó a un tronco y la observaba como diciendo: "Pasé un rato entretenido. Por favor vuelve".

¿No será maravilloso cuando desaparezca el temor natural que los animales le tienen al hombre, y podamos disfrutar su compañía como amigos —tal como lo hicieron Adán y Eva en el principio en el jardín del Edén?

AÑOS DE LUZ CUBICOS

¡Oh profundidad de las riquezas de la sabiduría y de la ciencia de Dios! ¡Cuán insondables son sus juicios, e inescrutables sus caminos! **(Romanos 11:33).**

Al tratar de explicar la vastedad del universo, los astrónomos tienen que usar medidas diferentes de las que empleamos en la vida diaria. En vez de utilizar una regla con centímetros o pulgadas, los hombres de ciencia miden la distancia en años-luz, y el volumen del espacio, en años-luz cúbicos.

Un año-luz es la cantidad de kilómetros que la luz viaja en un año. Algunos de ustedes ya saben que la luz viaja a una velocidad de 300.000 kilómetros por segundo. Para descubrir cuánto viaja la luz en un minuto, tendrías que multiplicar 300.000 por 60, esto es, 18.000.000 de kilómetros. Si quieres saber cuánto viaja la luz en una hora, multiplica 18.000.000 nuevamente por 60, y tendrás 1.080.000.000 kilómetros. ¿Quisieras saber cuánto viaja la luz en un día? Multiplica la última cantidad por 24, y la respuesta es nada menos que 25.920.000.000 de kilómetros.

Pero esto es apenas un "día-luz", y las distancias en el espacio son demasiado grandes como para usar una medida tan corta, y una "semana-luz" o un "mes-luz" también serían muy cortos. De modo que los astrónomos usan el "año-luz" como su regla, la que tiene 9.460.800 millones de kilómetros de longitud, o sea, 9 billones, 460.800 millones de kilómetros. Ahora te das cuenta por qué los astrónomos no usan kilómetros, ¡estarían perdidos entre tantos ceros! Pero ésta es únicamente la longitud de su regla, lo que todavía no nos dice mucho en cuanto al universo. En consecuencia han tenido que idearse medidas adicionales, tales como un "año-luz cuadrado" e incluso un "año-luz cúbico".

¿Quisieras saber cuántos metros cúbicos hay en un año-luz cúbico? Sería una cantidad absurda, pero si quieres calcularla, multiplica por sí mismo el número de kilómetros que hay en un año-luz; luego multiplica el resultado nuevamente por el número de kilómetros de un año-luz, y esa cifra multiplícala por 1.609 al cubo. El número es tan grande que no podemos comprenderlo. Recuerda, sin embargo, que el número de años-luz cúbicos que hay en el universo es todavía mucho mayor. ¡Nuestro Dios es realmente un Dios grande!

Septiembre 16

POLVO VIVIENTE

Y tomaron ceniza del horno, y se pusieron delante de Faraón, y la esparció Moisés hacia el cielo; y hubo sarpullido que produjo úlceras tanto en los hombres como en las bestias **(Exodo 9:10).**

Quizás has notado que algunos boletines meteorológicos que se transmiten por televisión, incluyen a menudo un "cómputo de polen" para ayudar a los que sufren de alergias tales como fiebre del heno y asma, a fin de que sepan cuándo es seguro salir al aire libre. Este cómputo nos dice el número de granos de polen y otras partículas que hay en 30 centímetros cúbicos de aire (un pie cúbico). Estos diminutos granitos de polen, llevados por el viento, son apenas una parte de las partículas de "polvo viviente que están presentes por millones incontables en el aire que nos rodea. Sin la ayuda de una poderosa lupa parecen como polvo, pero lo cierto es que además del polen hay esporas de plantas tales como algas y hongos, e incluso hay algunos animales unicelulares.

Al hacer estos cómputos examinando el aire ubicado a unos 25 metros de altura (82 pies) en Texas, en un día de abril o mayo —en plena primavera—, botánicos de la Universidad de Texas encontraron que las esporas de algas excedían en número a los granos de polen, pero que las esporas de hongos eran mucho más numerosas que los otros dos tipos combinados. Cuando los hombres de ciencia estudiaron las esporas de algas en base a esas muestras de "polvo" viviente, encontraron que había 52 diferentes clases de algas.

Cuanto mayor sea la elevación en donde se toman las muestras de aire, tanto menor es la cantidad de formas de polvo viviente. A 3.300 metros de altura (11.000 pies) sólo pueden encontrarse 5 ó 6 microbios, y entre 10.000 y 12.000 metros (30 a 40 mil pies) el número se reduce a un microbio por 133 metros cúbicos de aire. Pero se han encontrado esporas a alturas aún mayores.

El aire está lleno de diminutos elementos vivientes, y las corrientes de aire constantemente están llevando estas partículas de polvo viviente a todas partes del planeta. Si no fuera por todos los sistemas y mecanismos que el Creador también ha provisto para conservar la salud, nadie podría sobrevivir ante el efecto de los agentes dañinos que el viento lleva por todas partes.

"FRIJOLSOL"

***Por lo cual, este es el pacto que haré con la casa de Israel después de aquellos días, dice el Señor: pondré mis leyes en la mente de ellos, y sobre su corazón las escribiré; y seré a ellos por Dios, y ellos me serán a mí por pueblo* (Hebreos 8:10).**

En la actualidad hay hombres de ciencia que están aprendiendo a tomar el rasgo deseable de una planta y a agregarlo a los rasgos o características de otra planta, creando una planta más fuerte. Esto presenta algunos serios desafíos. Por ejemplo, una planta es de cierto tipo (una rosa, una vid, o un roble) debido a un código microscópico llamado ADN. El código ADN está hecho a su vez de unos 10.000 elementos de información codificada, aún más pequeños, llamados genes, y nadie sabe qué tipo de código está encerrado dentro de los genes.

Pero supongamos que uno de los genes de un diente de león hace que la planta sea inmune a cierta mortífera enfermedad que también ataca a una valiosa planta alimenticia como la soja. Sería extraordinario si pudiéramos darle a la soja una inyección que la inmunizase contra ese mal, como hacemos con los seres humanos, pero no podemos. Además, sería difícil tratar a todas las semillas de soja. De modo que lo que quieren los investigadores es de alguna manera obtener ese gene del diente de león, transferirlo a la soja, y hacer crecer una cantidad de plantas de soja que tengan el nuevo rasgo.

Sorprendentemente, los hombres de ciencia están experimentando para ver cómo transferir los rasgos deseables de una planta a otra. Por ejemplo, en forma plenamente satisfactoria se ha efectuado un experimento entre el girasol y un tipo de frijol. El resultado, un "frijolsol", tiene las características positivas del girasol y del frijol.

A semejanza de las plantas, necesitamos ser fortalecidos con rasgos deseables. Y el supremo Científico, Jesús, ha prometido darnos sus rasgos de carácter para que podamos vernos protegidos de la enfermedad llamada pecado. "El Sol de justicia ... en sus alas traerá salvación" (Mal. 4:2), y por un medio aún más maravilloso que el de los genes —también creados por Jesús— escribirá el lenguaje codificado del cielo en nuestros corazones y en nuestras mentes. Sí, mediante el Espíritu Santo y a través de su Palabra grabará en nuestras vidas la virtud celestial del amor.

Septiembre 18

PEPTIDOS

***Mas el Consolador, el Espíritu Santo, a quien el Padre enviará en mi nombre, él os enseñará todas las cosas, y os recordará todo lo que yo os he dicho* (Juan 14:26).**

Este versículo es uno de los más tranquilizadores de la Biblia. No hay manera como yo puedo recordar todas las cosas que necesito saber a fin de representar a Jesús en esta tierra. Pero tenemos esta promesa, que si estudiamos las palabras de Jesús y las atesoramos en nuestros corazones, entonces su Espíritu las traerá a nuestra memoria cuando las necesitemos. ¡Qué maravilloso!

Por supuesto, no sé de qué modo el Espíritu Santo nos recuerda experiencias del pasado, pero creo que Dios obra sus maravillas mediante las leyes naturales que él estableció. Para él nada es imposible, y pienso que hoy puedo entender un poco mejor cómo recordamos lo que hicimos ayer, porque hoy leí en cuanto a los péptidos.

Los péptidos representan una familia de sustancias químicas que están en nuestro cuerpo. Recientemente se los ha encontrado en gran abundancia en el cerebro. ¿Por qué? Bien, aparentemente los péptidos son mensajeros entre los millones de células nerviosas del cerebro. Los péptidos son combinaciones de aminoácidos, que son los elementos constituyentes de las proteínas. Puedes comparar a los aminoácidos con las letras del alfabeto, que se las junta para formar palabras, oraciones y aun párrafos que tienen significado y transmiten información. De alguna manera tu cerebro almacena vastas cantidades de información que tú has aprendido, y tú puedes recordar sólo una pequeña porción de lo que realmente has almacenado allí. La teoría es que quizás la información que has acumulado en tu cerebro está almacenada en forma de códigos químicos, y estos códigos son los péptidos hechos de aminoácidos.

De modo que lo que el Espíritu Santo tiene que hacer es estimular los péptidos correctos, y entonces tú recuerdas lo que necesitas saber para enfrentar una tentación o para explicar lo que tú crees en cuanto a lo que enseña la Biblia. Pero recuerda, el Espíritu Santo no puede estimular péptidos que tú no has almacenado con información.

LA CUCARACHA MARINA

***Porque en su mano están las profundidades de la tierra, y las alturas de los montes son suyas. Suyo también el mar, pues él lo hizo; y sus manos formaron la tierra seca* (Salmo 95:4-5).**

La cucaracha marina no es realmente una cucaracha, pero se le ha dado ese nombre debido a que tiene cierto parecido. Puedes alegrarte de que esta criatura viviente no es una cucaracha que vive en tu casa o cerca de ella, porque crece hasta tener una longitud de 35 centímetros (14 pulgadas), y realmente te impresionaría si la encontrases arrastrándose en el subsuelo o en algún otro cuarto de la casa. Pero no existe la menor posibilidad de que pase eso, porque la cucaracha marina vive en las profundidades del mar, a unos 1.350 metros (4000 pies) debajo de la superficie.

La cucaracha marina está emparentada con el cangrejo y otros crustáceos, pero probablemente la relación es muy distante. Está cubierta por un caparazón duro y tiene sangre con gran porcentaje de cobre, lo que hace que su sangre tenga color azul cuando está expuesta al oxígeno. Este animal aparentemente tiene dos ojos triangulares, con lo que la cabeza de la cucaracha marina ofrece el aspecto de un vehículo espacial. Pero pareciera que sus ojos no sirven, ya que no reaccionan para nada a la luz. Preguntamos, sin embargo, ¿para qué serviría la vista a los 1.300 metros de profundidad, donde no hay luz en absoluto, excepto la que generan unas pocas criaturas productoras de luz?

Durante casi cien años este animal ha sido conocido sólo en base a especímenes muertos extraídos de las profundidades oceánicas. Recientemente, sin embargo, varios ejemplares fueron traídos vivos, y viven en el acuario de Nueva York, donde por primera vez están siendo estudiados ávidamente como seres vivientes. Este habitante de las profundidades tiene cinco secciones en su sistema digestivo, lo cual es sumamente raro. Los científicos que lo están estudiando no saben cuál podría ser su comida habitual, aunque sus poderosas mandíbulas son capaces de desgarrar carne.

La cucaracha marina es una criatura misteriosa sobre la que se sabe tan poco que hay más preguntas que respuestas. Me pregunto qué piensa Jesús en cuanto a las cucarachas marinas. Son descendientes de un animal que él creó, y su poder creador sigue sosteniéndolas al igual que a nosotros.

Septiembre 20

HORMIGAS DE FUEGO

***Líbrame de mis enemigos, oh Dios mío; ponme a salvo de los que se levantan contra mí* (Salmo 59:1).**

La hormiga de fuego, conocida también como hormiga brava, llegó al continente norteamericano en 1918 como un polizonte en un barco carguero de Sudamérica que hizo escala en Alabama. Desde entonces este insecto dañino ha estado ganando terreno constantemente, hasta el punto de que ahora ha infestado más de 80 millones de hectáreas (200 millones de acres) en nueve de los estados del sur del gran país del norte. Se ha convertido en una de las pestes más dañinas de América del Norte, básicamente porque no hay otros animales que lo mantengan bajo control. Algo han ayudado los insecticidas, pero su éxito ha sido relativo cuando tú tienes en cuenta que hay millones y millones de hormigas de fuego.

La mordedura de esta hormiga importada es extremadamente severa. Si da la casualidad de que pisas sobre su nido o te acercas mucho, la hormiga primero muerde la piel de su víctima a fin de afirmarse; luego la pincha, inyectando una sustancia venenosa que causa gran dolor. La picadura puede ser extremadamente peligrosa si la persona es alérgica a este tipo de veneno; incluso puede causarle la muerte, del mismo modo que la picadura de una abeja resulta fatal para quienes son alérgicos a ella.

Quizás el aspecto más interesante de los hábitos de la hormiga de fuego, es su capacidad de transmitir información a sus compañeros de colonia respecto a un ataque que se está haciendo al hormiguero. Si una o más hormigas te muerden en defensa de su colonia, emiten en el aire un mensaje químico que es transmitido por el aire casi inmediatamente a los demás miembros de la colonia. Cada miembro de la misma que capta este mensaje químico, abandona lo que está haciendo y se lanza al ataque. Antes de que te des cuenta, no son una o dos hormigas sino un cuarto de millón las que te están atacando. Es tiempo de actuar.

A veces, cuando me parece que todo va mal, tengo la impresión de que el viejo diablo ha lanzado todos sus secuaces para que me ataquen de todos lados, como hormigas de fuego. Pero en ese momento elevo mi corazón a Jesús, como lo hizo David cuando enfrentó a sus enemigos, y Jesús me libra. ¡Qué Salvador maravilloso tenemos!

LOS LIQUENES NO SON LO QUE PENSAMOS

Y a Aquel que es poderoso para hacer todas las cosas mucho más abundantemente de lo que pedimos o entendemos, según el poder que actúa en nosotros **(Efesios 3:20).**

Todos habremos visto líquenes. Crecen prácticamente en todas partes, y hasta se los ha visto crecer sobre rocas en el clima frío de la Antártida.

Un liquen es la combinación de un hongo y un alga, y ambos son tipos de plantas. Hasta hace poco se creía que el alga le proveía alimento al hongo mediante la fotosíntesis, y que el hongo le facilitaba un "hogar" al alga. En un tiempo se creía que esta relación era uno de los mejores ejemplos de simbiosis, en la que dos organismos crecen juntos, cooperando entre sí para el beneficio mutuo.

Sin embargo, estudios científicos recientes muestran que cada liquen es un ejemplo de parasitismo controlado. En otras palabras, las diferentes clases de hongos que forman los líquenes en realidad están invadiendo las plantas de alga, y están tratando de destruirlas como lo hacen con otros tipos de plantas, tanto vivas como en descomposición. De modo que en vez de ser parte de una sociedad cooperativa, el hongo que forma parte de un liquen constituye un buen ejemplo de superegoísmo.

En algunos casos, sin embargo, las algas tienen defensas internas que impiden que los hongos las maten. Aunque no pueden sacarse de encima a los hongos, pueden controlar su crecimiento. En estas condiciones tenemos lo que podría llamarse un empate, en el que ningún lado puede ganar. Cada especie de liquen es un ejemplo de un empate tal. Tanto el alga como el hongo invasor siguen viviendo, pero su situación cambia grandemente, produciendo lo que llamamos líquenes.

Satanás, como un hongo, se ha metido en nuestro mundo en un intento por destruir a sus habitantes, y tiene éxito con todos menos con los que tienen en su vida un ingrediente especial: Jesús. Quizás no podremos expulsar a Satanás de nuestro mundo, pero con Jesús no hay un empate, sino una victoria, porque el poder del tentador es deshecho.

Septiembre 22

HALCONES URBANOS

***Abram acampó en la tierra de Canaán, en tanto que Lot habitó en las ciudades de la llanura, y fue poniendo sus tiendas hasta Sodoma* (Génesis 13:12).**

En años recientes el halcón peregrino ha declinado marcadamente en número hasta el punto que los ornitólogos temen que, a menos que se haga algo drástico, este tipo de halcón llegará a extinguirse. La razón básica de la declinación del halcón peregrino ha sido la interferencia del hombre en sus habitats naturales, que son los picos de las montañas y los peñascos del mar. Una de las medidas drásticas que se han tomado para restaurar la población mundial de los halcones peregrinos, es colocar a estas aves en las grandes ciudades donde se espera que verán la similitud entre los rascacielos y los picos, cañones y peñascos de su habitat natural.

Tom Cade, de la Universidad Cornell, y David Bird, de la Universidad McGill, han soltado casi cien de estas notables aves de presa en varias de las ciudades grandes del noreste de los Estados Unidos y el Canadá. Para los halcones peregrinos adultos, este plan parece funcionar satisfactoriamente. Hay abundancia de gorriones, estorninos y palomas para comer, y el enemigo mortal de este tipo de halcón, la lechuza gigante, está virtualmente ausente en las grandes ciudades. Pero hay algunos problemas serios. Si bien los halcones adultos pueden enfrentar los problemas de la ciudad, no sucede lo mismo con sus crías.

En el ambiente salvaje, natural, cuando un pichoncito de halcón peregrino abandona el nido, generalmente pasa unos pocos días en los alrededores; pero en la ciudad, cuando un pichón va a dar una vuelta por la acera, puede ser muerto a golpes por un peatón asustado o comido por un perro. A pesar de los problemas que hay con los hijuelos de estas aves, los doctores Cade y Bird creen que este programa es todavía el mejor a fin de evitar la extinción del halcón peregrino. Sólo la Universidad de Cornell ha gastado más de dos millones y medio de dólares en el proyecto.

Desde los días de la antigüedad, las ciudades no han sido lugares seguros para vivir. Ciertamente no son el mejor lugar para dar los primeros pasos como jóvenes cristianos.

RANAS CANTORAS Y MURCIELAGOS ASESINOS

***Sed sobrios, y velad; porque vuestro adversario el diablo, como león rugiente, anda alrededor buscando a quien devorar* (1 Pedro 5:8).**

¿Me permitirías parafrasear el texto que acabas de leer, de modo que haga referencia a las ranas de América Central, sobre las que deseo contarte algo? Rezaría así: "Sed sobrios, y velad; porque vuestro adversario el diablo, como murciélago silencioso, vuela por encima buscando a quien devorar".

Merlin Tuttle es una de las principales autoridades del mundo en el tema de los murciélagos. Cuando era un muchacho, Merlin, ayudado por su padre, comenzó a estudiar a estos mamíferos que vuelan de noche; y a la edad cuando los jóvenes universitarios estudian biología, él ya era conocido y respetado por los expertos en murciélagos de todo el mundo. El Dr. Tuttle trabaja ahora en el Museo Público de Milwaukee. No hace mucho Merlin, junto con un colega que estudia ranas, pasó muchas noches en una laguna en Panamá observando a murciélagos de labios festoneados descender raudamente y arrebatar ranas machos cantoras.

Las ranas machos escogen un lugar prominente en medio de la laguna y comienzan a "cantar" para atraer a su pareja. Mientras tanto, las hembras están fuera de la vista en la orilla, esperando los cantos que más les gustan. Los murciélagos de labios festoneados,que vuelan silenciosamente en la oscuridad, también están escuchando los cantos para ver cuál les gusta más. Basándose en el tono, la sonoridad y la velocidad de las notas que corresponden al chillido o canto de las ranas, los murciélagos pueden determinar exactamente qué ranas tienen el tamaño adecuado para constituir una buena comida. Luego lo único que tienen que hacer es bajar en picada y apresar la rana.

En esa zona también hay ranas venenosas que cantan para atraer a su compañera, pero de algún modo los murciélagos saben que son venenosas y rara vez las molestan. ¿Cómo establecen la diferencia? Tuttle lo ignora.

A veces nos dejamos absorber tanto por las cosas que están a nuestro alrededor que nos olvidamos de velar y estar atentos a las asechanzas del diablo, y el enemigo nos ataca antes de que nos demos cuenta. Pero tenemos un Salvador que ya ha derrotado al diablo, y él puede librarnos y salvarnos.

Septiembre 24

TERMITES EQUIPADOS CON BAZUKAS

Porque las armas de nuestra milicia no son carnales, sino poderosas en Dios para la destrucción de fortalezas **(2 Corintios 10:4).**

El mundo parece estar obsesionado con la guerra. Por todas partes oímos en cuanto a los preparativos para un conflicto armado. Pablo les dice a los corintios que como cristianos también debemos estar equipados con armas, pero que nuestra lucha no es de este mundo, sino contra el príncipe de la potestad de las tinieblas. A veces el diablo trata de hacernos pensar que somos impotentes y que no tenemos defensa contra sus armas.

Consideremos al humilde termite o comején, un insecto aparentemente indefenso, pero mucho mejor equipado para cuidarse de sí mismo que lo que pareciera.

Varias especies de termites tienen una casta especial de soldados, llamada "nasuti". Como la mayoría de los termites, este grupo come madera y la digiere usando los servicios de microbios que viven en su estómago.

A veces un árbol se cae o se desgarra, abriéndose, exponiendo los termites a los peligrosos ataques de insectos y aves a quienes les encantaría darse un banquete con carne de termite. Pero en la colonia de termites hay soldados que tienen "bazukas" en la cabeza, a saber, una diminuta aunque poderosa jeringuilla que está en el centro del rostro. Los soldados nasuti se alinean en defensa de su colonia. Cuando llega el enemigo, generalmente hormigas, se enfrenta con disparos de una goma de largo efecto, con un fuerte olor y muy pegajosa, que se adhiere aun a superficies aceitosas. Cualquier hormiga que es alcanzada por esta sustancia, se olvida completamente del plan de atacar y comer termites; durante un largo rato estará totalmente ocupada en la enfadosa tarea de librarse de esta sustancia pegajosa.

Debido a que no peleamos contra sangre y carne sino contra las potencias que controlan las maldades espirituales de este mundo (Efesios 6:12), necesitaremos un arma tan efectiva contra Satanás como la que Dios le dio a los termites nasuti. Nuestra arma básica es la Palabra de Dios, la cual, de acuerdo con la Biblia, es más filosa y efectiva que cualquier espada (Hebreos 4:12).

CRICKET

***Mas él herido fue por nuestras rebeliones, molido por nuestros pecados; el castigo de nuestra paz fue sobre él, y por su llaga fuimos nosotros curados* (Isaías 53:5).**

Cricket era un caballo, y Esteban, un muchacho de campo. Un viejo indio había escogido a Cricket para Esteban, pero nadie entendía por qué, ya que los dueños anteriores de Cricket lo habían maltratado, y el animal sentía terror sólo al ver un lazo. Por otro lado, Esteban se había caído de un caballo y se había quebrado una pierna. Ahora le tenía miedo a los caballos. Esta pareja realmente no parecía que podría armonizar bien. Esteban le daba plantitas de trébol y terrones de azúcar a Cricket, pero la cerca siempre estaba entre los dos. Su temor mutuo era muy vivo en ambos.

Cierto día el padre de Esteban y un ayudante estaban tratando de agarrar a Cricket para recortarle los cascos. El animal corrió hacia la cerca y trató de saltarla, pero sus patas quedaron apresadas en el alambre de púas, y cayó pesadamente al suelo, con sus patas traseras y sus cascos cruelmente enredados en el alambre. Cricket se levantó y procuró librarse, sacando uno de los postes y desprendiendo otro sector del alambre de púas, el cual se enredó en torno del animal y le cortó los flancos y el anca.

"¡Traigan el cortaalambres!", gritó el padre de Esteban, mientras corría hacia el caballo, temiendo por su vida.

Pero repentinamente Esteban se encontró junto a ellos; había corrido con dificultad hacia el aterrorizado animal. Colocó la mano sobre la cara de Cricket, y comenzó a hablarle suavemente mientras lo acariciaba. El animal se quedó rígido durante un instante desesperado, y luego lentamente emitió un gran quejido y se recostó con calma en el piso.

Acercándose desde atrás, Esteban pidió una soga y la deslizó por encima de la cabeza de Cricket, sin encontrar la menor resistencia. Lentamente tironeó, y el animal se fue incorporando hasta ponerse de pie. Después de librarlo del alambre de púas, el muchacho y el caballo, los dos rengueando, salieron del corral y fueron a un lugar donde Esteban pudo curarle las heridas, darle agua y comida, y restregarlo. Muy poco después Esteban había montado al animal, e iban juntos de un lado al otro. El temor los había abandonado cuando en ese terrible instante habían aprendido a confiar mutuamente.

Jesús comprende tus tristezas. Déjale que te guíe en la vida.

Septiembre 26

MAREA TERRESTRE

***Ninguno puede venir a mí, si el Padre que me envió no le trajere; y yo le resucitaré en el día postrero* (Juan 6:44).**

¿Sabías tú que dos veces por día eres bastante más alto que el resto del día? Bueno, no es exactamente así, pero sería así si midieras tu altura en centímetros o pulgadas por encima del nivel del mar. Por ejemplo, el edificio Empire State, en la ciudad de Nueva York, en esos dos momentos del día está hasta 50 centímetros (20 pulgadas) más alto sobre el nivel del mar que el resto del día. No es que el edificio crece y se achica, ni que a ti te pasa algo semejante. En realidad, toda la ciudad de Nueva York, incluyendo al edificio Empire State, se eleva unos 50 centímetros más sobre el nivel del mar y luego cae nuevamente, dos veces cada 24 horas. Este fenómeno causado por la atracción de la luna es llamado "marea terrestre".

La marea terrestre es un fenómeno mundial. El momento cuando la superficie de la tierra llega a su mayor elevación, es precisamente el instante cuando la luna alcanza su punto más alto en su recorrido en el cielo.

La marea terrestre no es exactamente la misma que la marea del mar, aunque la luna es responsable de ambas. La marea alta se produce en el mar *después* que la luna pasa por su lugar más alto en el cielo, y su altura es bastante mayor que la que alcanza la marea terrestre.

Ambos tipos de marea son causadas por la atracción que la luna ejerce sobre la tierra. La luna está atada a la tierra por la fuerza de la gravedad, como si fuese una cuerda invisible. Si atas un extremo de una cuerda a un pequeño peso y el otro extremo a tu dedo, y luego haces girar la cuerda, el peso tendería a alejarse hacia afuera por un poder llamado fuerza centrífuga. También sentirías un tirón en tu dedo mientras el peso continuase girando. Este tirón es similar a la atracción que la luna ejerce sobre la tierra, y que es la que produce las mareas.

A semejanza de la luna, Dios contempla esta oscura tierra, y nos ama a todos con un amor que nos atrae hacia él. Nos amó tanto que nos dio a su único Hijo. Nuestra respuesta a Dios puede ser una ola de alabanza y agradecimiento.

INVESTIGACION SOBRE LA SONRISA

***El corazón alegre constituye buen remedio; mas el espíritu triste seca los huesos* (Proverbios 17:22).**

¿Quieres cambiar tu mundo hoy? Lo lograrás con una simple acción, sonriendo. Quizás pienses que una sonrisa no es realmente tan importante, pero permíteme contarte acerca de unos sencillos experimentos realizados por una psicóloga en la ciudad de Nueva York, lo cual puede cambiar tu modo de pensar.

Una joven que estaba haciendo una investigación en cuanto a la sonrisa, decidió colocarse junto a un ascensor en un negocio. Cuando llegaba alguna otra mujer para tomar el ascensor, la investigadora simplemente le sonreía, sin decir nada. Una vez que ambas estaban en el ascensor, la investigadora le pedía ciertas informaciones a la otra mujer. El hallazgo interesante fue que la otra persona, cuando la investigadora le sonreía, proveía la información pedida mucho más a menudo que si no se le hubiese sonreído antes de entrar en el ascensor. Puede haber una cantidad de explicaciones respecto a la razón por la cual el experimento daba ese resultado, pero la única diferencia planeada en las dos situaciones era si se usaba una sonrisa o no.

Es fácil sonreír. Todos sabemos cómo hacerlo. En realidad, los bebés sonríen naturalmente, y no porque ven sonreír a otras personas, sino porque vienen "programados" para sonreír: los bebés que son ciegos de nacimiento sonríen a la misma edad que aquellos que pueden ver. La gente puede fabricar sonrisas repulsivas, pero esas son muecas o burlas. Cuando tú les das a los demás esa sonrisa con la que has nacido, haces que ellos se sientan mejor; y como es difícil que gruñas o te quejes cuando estás sonriendo, ¡tú también te sentirás mejor!

Con todos los motivos de gratitud que tenemos como cristianos, nunca deberíamos dejar de sonreír en nuestros corazones. Y esas sonrisas del corazón a menudo se reflejarán en nuestros rostros, dándonos una belleza especial como resultado del gozo de Jesús que sentimos en lo íntimo de nuestras vidas. ¿Conoces el canto "Cantad, sonreíd y orad"? Estas tres cosas van juntas. Cuando has hablado con Jesús, él te mantiene cantando; y cuando tienes un canto en tu corazón, tu rostro seguramente lo mostrará.

Septiembre 28

ORACION FRESCA

***Orad sin cesar* (1 Tesalonicenses 5:17).**

Si piensas en la oración como algo que repites varias veces por día antes de comer y antes de ir a dormir, no podrás comprender en absoluto el versículo de hoy. Una de las citas más famosas de Elena de White es ésta: "La oración es el aliento del alma" (*Mensajes para los jóvenes*, p. 247). Si piensas en la oración de esta manera, entonces sabes que tienes que orar sin cesar, así como sabes que no puedes dejar de respirar y continuar viviendo.

En estos tiempos oímos hablar mucho en cuanto a la contaminación ambiental. Se dice que el aire que respiramos se está contaminando cada vez más; resulta cada vez más difícil encontrar aire fresco para respirar. Me pregunto si podría decirse lo mismo en cuanto a la oración que nuestras almas respiran.

Un área de preocupación especial respecto al aire fresco, es el aire que hay en nuestros hogares. En los viejos tiempos, antes de toda esta preocupación por la conservación de la energía, siempre había suficiente cantidad de rajaduras en las paredes y alrededor de la ventanas y puertas, como para que entrase aire fresco en la casa. Y antes del aire acondicionado, las casas estaban abiertas día y noche, excepto durante los fríos días de invierno. Pero ahora, tanto en verano como en invierno, la mayoría de las casas no sólo están bien cerradas sino selladas como para hacerlas tan herméticas como sea posible. Esta práctica puede ahorrar energía, pero también produce aire contaminado en nuestros hogares. Sin una libre circulación de aire en la casa, contaminantes tales como los óxidos de nitrógeno, el dióxido de carbono y hasta el monóxido de carbono, pueden aumentar a un nivel que si bien no es visto inmediatamente como mortal, puede causar un aumento apreciable en enfermedades y desórdenes respiratorios. Este problema es un motivo de creciente preocupación para agencias gubernamentales que se ocupan de la energía y el ambiente, y para agencias de salud. Día y noche debemos tener aire fresco en nuestras casas. Para citar una frase bien conocida: "Es un asunto de vida y respiración".

Me pregunto si a veces no impedimos que el aire fresco del Espíritu de Dios circule en nuestras vidas y en nuestros hogares, al descuidar el aliento del alma, la oración.

"HE MATADO UN LEON EN SU HONOR"

Estas cosas os he hablado para que en mí tengáis paz. En el mundo tendréis aflicción; pero confiad, yo he vencido al mundo **(Juan 16:33).**

Hace varios años oí una historia emocionante acerca de un periodista norteamericano y un guerrero africano masai. El periodista estaba en Marruecos en su función profesional, y dio la casualidad que se hallaba en la estación de policía cuando el guerrero masai fue traído en calidad de detenido. El guerrero había salido de su aldea, situada a unos 6.500 kilómetros de distancia (4.000 millas) al sudeste, para "medir el cielo" y "contar a los hijos de Dios". Su largo viaje lo había llevado a través de grandes selvas, caudalosos ríos, y de un vasto desierto donde no vivía absolutamente nadie. Y lo había hecho casi enteramente a pie, una hazaña digna de un orgulloso masai.

Pero en la ciudad de Casablanca, Marruecos, el jefe masai no conocía las costumbres ni sabía cómo proceder en ese ambiente. Cuando alguien lesionó su honor, el reaccionó como lo habría hecho en su hogar en Tanzania: desafió al otro hombre a pelear. Fue arrestado y llevado a la estación policial. Allí se le ordenó pagar 400 francos de multa o pasar cierto tiempo en la cárcel. No tenía dinero, y lo llevaban a la celda cuando intervino el periodista nortemericano. Este pagó la multa, y el guerrero masai fue puesto en libertad. El periodista ofreció pagarle el viaje de regreso, pero el nativo masai declinó el ofrecimiento, diciendo que debía regresar de la misma manera como había venido. Antes de partir, sin embargo, el guerrero le pidió al periodista su nombre y dirección, y con la lanza levantada le dijo: "Señor, honraré tu nombre en esta época de cada año de vida que me quede", y desapareció.

Cada año el periodista recibía un mensaje con este simple texto: "Señor, he matado un león en tu honor". Al principio el periodista no estaba muy impresionado, sabiendo cuánto abundan los leones y cuán fácil es matarlos con armas de fuego. Luego cambió su opinión cuando a través de un amigo se enteró de que el guerrero masai salía cada año sólo con su cuchillo en mano, y mataba un león para honrar a ese hombre generoso que lo había salvado del deshonor de la prisión.

¿De qué modo honramos cada día de nuestra vida a Cristo, nuestro Amigo y Redentor, que nos ha salvado del pecado y de la muerte a través de su gran sacrificio?

Septiembre 30

¡LAS ABEJAS NO SON TONTAS!

***Y estas cosas les acontecieron como ejemplo, y están escritas para amonestarnos a nosotros, a quienes han alcanzado los fines de los siglos* (1 Corintios 10:11).**

Las personas inteligentes aprenden de la experiencia. Si cometen errores una vez o dos, generalmente no los vuelven a cometer. También aprenden a prever lo que va a ocurrir en base a lo que han experimentado o lo que se les ha dicho en el pasado. Sabemos, por ejemplo, lo que ocurre con las personas cuando quebrantan las leyes de la buena salud, porque hemos visto los resultados en nuestras propias vidas, y en las de nuestros seres queridos, amigos y conocidos.

Se nos ha dado la Biblia como un libro guía para mostrarnos qué podemos esperar en todo tipo de situaciones que son importantes para nuestra salvación. Si prestamos atención a las lecciones que nos enseña la Biblia, somos sabios. Si las ignoramos, somos necios.

Todo hombre de ciencia que estudia a las abejas, sabe que tienen una inteligencia que parece trascender los meros logros de los hábitos instintivos. Quizás el mejor ejemplo es lo que ocurre cuando observamos la capacidad de las abejas para localizar fuentes de alimento variadas y movibles. Para probar esta capacidad, los experimentadores colocaron primero un plato de agua azucarada cerca de la boca de la colmena. Una vez que las abejas habían descubierto la comida y comenzaron a dirigirse al plato, éste fue movido, al principio sólo una corta distancia, pero cada vez un poco más lejos. Antes de mucho, cada traslado era de cien metros o más. A esta altura del experimento podrías pensar que un animal simple como una abeja comenzaría a tener problemas para localizar el nuevo lugar, pero nada podría ser menos cierto.

Para entonces las abejas parecieron comprender el "juego", y empezaron a prever adónde sería trasladada la comida. Cuando el plato era movido, ¡ya había abejas en el nuevo lugar, esperando para recoger lo que había quedado!

Ojalá que en ese sentido fuéramos tan inteligentes como las abejas. Entonces comprenderíamos lo que Dios nos ha estado diciendo respecto al futuro; consiguientemente, estaríamos esperando cada nuevo acontecimiento, listos para hacer nuestra parte en la terminación de la obra del Señor en la tierra.

Octubre 1

GORRIONES QUE CANTAN COMO CANARIOS

***Y cantaban un cántico nuevo delante del trono, y delante de los cuatro seres vivientes, y de los ancianos; y nadie podía aprender el cántico sino aquellos ciento cuarenta y cuatro mil que fueron redimidos de entre los de la tierra* (Apocalipsis 14:3).**

Tal vez yo les tenga poca simpatía a los gorriones, pero el hecho es que estos pájaros no tienen muchas cualidades atractivas. Son dañinos, no resultan simpáticos, y casi el único sonido que producen es un canto disonante, que me hace mal a los nervios. Construyen nidos muy desprolijos en cualquier lugar donde pueden meter un poco de paja. Los gorriones echan a otros pájaros de sus nidos; quitan la vida no solamente a los pichones y a los padres de otras especies, sino que a veces atacan y matan a los de su propio género. No parece que haya mucho de bueno que uno pueda decir de los gorriones. Son una peste por la forma en que se alimentan, pues se tragan el alimento de cualquier manera y dejan lo sobrante esparcido por todas partes, a menudo llenando el aire con sus molestos cantos.

Tú ves que mi descripción de los gorriones se parece mucho a la descripción de algunas personas, ¿no es así? Cuando tú lo piensas un poco, cierta clase de seres humanos son terribles. La Biblia dice que aun nuestras justicias son como trapos de inmundicia. Y si lees los periódicos y sigues las noticias en la televisión, ves que los seres humanos, de entre todos los seres creados que pueblan la tierra, son los peores y los más tercos. Me pregunto por qué Dios no está tan irritado con nosotros como yo lo estoy con los gorriones. Probablemente porque él nos ama y ve lo que podemos llegar a ser cuando lo amamos.

En varias ocasiones se colocaron huevos de gorriones en nidos de canarios. Cuando eso ha ocurrido, los pichones de gorrión, al nacer, creyeron que eran canarios, de manera, que aprendieron a "cantar" en forma parecida a los canarios. Esto me parece un milagro, y tal vez lo sea, pero no es un milagro mayor que el que Jesús prometió obrar en mí cuando lo acepté. El me cobija en su nido como si fuera de la misma clase que él. Su Espíritu me empieza a enseñar a vivir como él. Mi vida se hace hermosa como el canto de un canario en lugar de parecerse al canto monótono y desagradable de un gorrión.

Octubre 2

SOBREVIVEN LOS QUE RESISTEN AL LOBO

Someteos, pues, a Dios; resistid al diablo, y huirá de vosotros **(Santiago 4:7).**

Más de una vez imaginamos ver una manada de lobos atacando a un animal indefenso que no tiene esperanzas de sobrevivir. Lo que tal vez no sepas es que antes del ataque se revelan maneras de proceder muy peculiares, tanto entre los lobos como entre los animales perseguidos.

Para empezar, los lobos tienden a atacar a los animales débiles, enfermos y viejos de un rebaño. Esta práctica hay que agradecérsela a los lobos, por supuesto, porque sirve para mantener el rebaño fuerte y saludable, pues así se seleccionan y se eliminan los débiles y los viejos. Pero existe una práctica sutil de parte de los animales atacados que ayuda a los lobos en la matanza, práctica que si es cambiada, a menudo hace que los lobos ignoren la presa y vayan a otra parte.

Una vez se vio a una manada de lobos que perseguían a tres búfalos en Alberta, Canadá. Dos de los búfalos estaban bien sanos, y el tercero estaba enfermo. Los tres estaban echados pacíficamente sobre el pasto, rumiando. Cuando sintieron la presencia de los lobos, los dos sanos permanecieron donde estaban, ignorando la jauría de lobos, pero el enfermo se puso nervioso, se paró e hizo frente a su suerte. Los dos sanos no fueron molestados.

Otra señal que la presa da es la de correr. Por ejemplo, si una manada de lobos se acerca a un alce, el mejor procedimiento para que el alce sobreviva es que éste se mantenga donde está, rehúse correr, y tal vez camine hacia los lobos. Esto es, aparentemente, una señal de que la posible presa está muy fuerte para atacarla. También, parece que los lobos prefieren atacar cuando su presa corre. Si el alce corre, casi seguramente será atacado y muerto.

Satanás tiene mucho interés en inducirnos a pensar que no tenemos ninguna posibilidad de triunfar frente a él. Y si nuestra relación con Jesús no es tan saludable como podría ser, llegamos a ser blancos perfectos para sus ataques. Pero cuando dependemos de Jesús y mantenemos nuestra relación con él segura, podemos mirar al diablo a los ojos y observar cómo huye temeroso de Jesús.

Octubre 3

LA RED DE BURBUJAS

Respondiendo Simón, le dijo: Maestro, toda la noche hemos estado trabajando, y nada hemos pescado; mas en tu palabra echaré la red **(Lucas 5:5).**

Aunque parezca increíble, Simón Pedro estaba listo para hacer lo que Jesús le dijo. ¡Qué fe! Hay un animal marino que usa un método increíble para alimentarse, pues emplea un tipo de red llamada red de burbujas. Nosotros sabemos que una red para pescar está hecha de firmes hilos entrelazados, de manera que los pescados no puedan atravesarla nadando. La red de burbujas tiene el mismo propósito, pero está hecha completamente de burbujas.

Los animales que producen este tipo de redes son las ballenas jorobadas, que alcanzan a tener hasta 16 metros (50 pies) de largo, pero que por lo general tienen 13 metros cuando son adultas. Estas ballenas jorobadas viven en grupos y usan diversos métodos para obtener la gran cantidad de alimento que necesitan para mantenerse. La red de burbujas es uno de estos métodos. El uso de este procedimiento es difícil de describir, pero trataremos de hacerlo.

Cuando las ballenas localizan un cardumen de pequeños peces éstas se zambullen hasta cierta profundidad para ubicarse debajo de los peces, Una o dos ballenas nadan en círculos debajo de los peces. Al hacerlo, comienzan a soplar y a producir una corriente constante de burbujas: burbujas pequeñas para los peces pequeños y burbujas mayores para los más grandes. Se producen tantas burbujas que van ascendiendo, que forman una cortina, la cual se eleva hacia la superficie. Las ballenas continúan nadando en círculos cada vez menores y cada vez más cerca de los peces. Los peces, por instinto, huyen de toda cosa que brilla en el agua, de manera que nadan para alejarse de la red de burbujas y se concentran en el centro de la red; las ballenas no tienen más que subir a la superficie y llenarse la boca de alimento.

El mismo Jesús que les dijo a los discípulos que echaran la red al otro lado del bote, ha dado a las ballenas jorobadas una red que nunca se gasta y que no necesita remiendos.

Octubre 4

LOS FRIJOLES ALADOS

***El hace producir el heno para las bestias, y la hierba para el servicio del hombre* (Salmo 104:14).**

—Dime, mamá, ¿qué vamos a tener para la cena?

—Frijoles alados.

—¡Frijoles alados! ¿Qué es eso?

Se trata de una planta promisoria que crece solamente en Papua, Nueva Guinea, y en el sureste del Asia, donde los nativos la cultivan como una fuente de alimento. Puesto que estas zonas son típicamente tropicales, se espera que los frijoles alados puedan servir como alimento en las regiones tropicales donde hay mucha deficiencia de proteína.

Los frijoles alados tienen cualidades similares al frijol soya, pero a diferencia de la soya, toda la planta de este frijol puede comerse: las semillas, las hojas, las flores, los brotes y las raíces. Las vainas tiernas, comidas como vainas de frijoles, son muy sabrosas y pueden ser consumidas crudas. Las semillas proporcionan aceite de la clase polinosaturada, que es esencial para la salud.

Las raíces se parecen a las batatas o boniatos, pero contienen diez veces más proteína. Como todos los frijoles, los frijoles alados tienen la capacidad de absorber el nitrógeno del aire, de manera que pueden prosperar en suelos pobres en este elemento esencial. La planta también puede usarse para aumentar la cantidad de nitrógeno del suelo. ¿No es notable que esta planta, con todas sus valiosas propiedades, haya existido por siglos en los trópicos del Pacífico sur, desconocida para el resto del mundo?

El Señor nos ha dado mucho por lo cual estarle agradecidos. Hay muchas plantas naturales que tienen propiedades medicinales que nos hacen bien, y evidentemente hay muchas más que están esperando que las descubramos. Estas contienen no solamente propiedades medicinales sino valor alimenticio. Aun cuando el pecado ha eliminado algunos de los valores originales de las plantas, todavía podemos agradecer al Señor por darnos "toda planta que da semilla, que está sobre toda la tierra... [la cual] os será para comer" (Génesis 1:29).

UNA FABRICA DE SANGRE

***No os ha sobrevenido ninguna tentación que no sea humana; pero fiel es Dios, que no os dejará ser tentados más de lo que podéis resistir, sino que dará juntamente con la tentación la salida, para que podáis soportar* (1 Corintios 10:13).**

Ahora mismo tu cuerpo está produciendo sangre a un ritmo increíble. ¡Mañana, a esta misma hora, tu fábrica de sangre habrá hecho quince millones de nuevos glóbulos rojos! Y además, tu fábrica producirá millones y millones de glóbulos blancos, plaquetas, y otros elementos necesarios para mantener tu organismo funcionando debidamente.

La principal línea de producción está en el centro de tus huesos, en lo que se llama la médula. Pero la médula no produce glóbulos sanguíneos sin recibir instrucciones. Hay un guardián en tus riñones —donde la sangre de tu cuerpo es colada— que vigila el nivel de impurezas, la cantidad de oxígeno y otras propiedades. Cuando el guardián nota un descenso en el nivel de oxígeno de la sangre, manda un aviso a la médula de los huesos, donde la producción de sangre se activa inmediatamente.

Otros guardianes se ponen en contacto con la médula para pedirle que produzca glóbulos blancos a fin de combatir la enfermedad. Aun hay otros guardianes que dan el mensaje para hacer las plaquetas que contribuyen a la coagulación de la sangre. Se mantiene una fuerza de reserva de glóbulos blancos y plaquetas en la médula para el caso de que tu cuerpo necesite más de lo que pueda producirse de inmediato.

Cada glóbulo sanguíneo que produces puede durar hasta cuatro meses. Los glóbulos sangíneos gastados son eliminados de la circulación por la vía del bazo, que es el recipiente de los desperdicios de la fábrica de tu cuerpo. Tú tienes una fábrica muy eficiente que está lista para cualquier emergencia.

Tu cuerpo fue creado con la capacidad de hacer frente a las fuerzas invasoras y de resistirlas y eliminarlas. Debemos estar igualmente listos en nuestra vida espiritual para desalojar las fuerzas invasoras de Satanás. ¡Jesús ha prometido su ayuda!

Octubre 6

¿BRILLO DE UNA BOMBA O BRILLO DEL SOL?

***Para que seáis irreprensibles y sencillos, hijos de Dios sin mancha en medio de una generación maligna y perversa, en medio de la cual resplandecéis como luminares en el mundo* (Filipenses 2:15).**

Hay un himno evangélico que dice: "Yo brillaré para Cristo". También has oído el dicho: "Deja brillar tu luz". Todo verdadero cristiano brilla reflejando la luz del Sol de justicia, Jesús, y no puede hacer otra cosa que dejar brillar esa luz. Ella se refleja en todo lo que haces.

A veces, en nuestro celo por hacer saber a la gente pecadora cuánto la ama Jesús, nos volvemos excesivamente entusiastas y hacemos brillar demasiada cantidad de luz. Pero la luz excesiva es perjudicial. Por ejemplo, excesiva cantidad de sol puede marchitar el pasto y las cosechas en los campos. Así también, una luz excesiva no es lo que necesitamos para compartir con la gente; anhelamos que Jesús, la luz del mundo, brille a través de nosotros de la debida manera.

Probablemente habrás leído con respecto a las explosiones atómicas que virtualmente eliminaron la ciudad de Hiroshima al final de la Segunda Guerra Mundial. Yo era muy joven en ese tiempo, de manera que no lo recuerdo, pero lo que sí recuerdo son las pruebas atómicas que se hicieron posteriormente. He visto fotografías impresionantes de esas gigantescas explosiones y de la terrible devastación que produjeron.

Ahora, permíteme que te sorprenda: la misma cantidad de energía que se desplegó en la detonación de esas bombas la recibe diariamente cada kilómetro y medio cuadrado de superficie de la tierra. Cuando esa energía es liberada en una fracción de segundo, envía una onda mortífera, pero cuando es recibida en forma lenta en un período equivalente a un día, puede obrar maravillas.

A veces necesitamos preguntarnos si la luz que deseamos compartir con alguien será semejante a la suave luz del sol o al estallido de una bomba atómica. "Así alumbre vuestra luz delante de los hombres, para que vean vuestras buenas obras, y glorifiquen a vuestro Padre que está en los cielos" (Mateo 5:16).

UN APARATO INGENIOSO

El volverá a tener misericordia de nosotros; sepultará nuestras iniquidades, y echará en lo profundo del mar todos nuestros pecados **(Miqueas 7:19).**

Los últimos lugares que han quedado en la tierra sin explorar por parte del hombre son las profundidades del mar. Para ilustrar cuán difícil es llegar hasta allí y quedar con vida para relatar lo que se ha visto, permíteme informarte acerca de un aparato muy ingenioso, que es un submarino de exploración.

Un ingeniero especializado en los mares profundos que se llama Graham Hawkes ha ideado y está construyendo un artefacto con capacidad para una persona destinado a explorar las profundidades marinas. Ese aparato se llama *Deep Hawk*. Fue ideado para operar inicialmente a una profundidad de 1.500 metros (5.000 pies). A ese nivel la presión es de aproximadamente mil kilos por pulgada cuadrada. La presión de la superficie entera del *Deep Hawk* es de 2.750.000 kilos (5.5 millones de libras).

Más tarde, Hawkes espera perfeccionar este artefacto para descender a las partes más profundas del océano, el foso de las islas Marianas, que tiene más de 12.000 metros de profundidad (36.198 pies) por debajo de la superficie del Océano Pacífico, al sur de Guam. Los problemas para operar en esas profundidades son increíbles. El *Deep Hawk* no puede tener ninguna fisura ni tampoco ningún cable que penetre en el casco de fibra de vidrio. Toda su acción mecánica debe ser dirigida desde dentro por control remoto, mediante señales que pasen por el grueso casco hasta los motores y los aparatos electrónicos que mueven el vehículo en el agua.

Pequeñas aletas a ambos lados del submarino, el cual tiene forma de burbuja, ayudarán en el descenso del *Deep Hawk,* permitiéndole operar en cierto ángulo o asentarse lentamente en el fondo. Tendrá almacenado dentro suficiente oxígeno para cien horas, pero si algo se descompone, el *Deep Hawk* automáticamente puede elevarse en forma rápida a la superficie.

Cristo no usó por casualidad las profundidades del mar como un ejemplo del lugar donde él colocará nuestros pecados cuando le pedimos que los perdone. Una vez que hemos entregado nuestros pecados a Jesús, él ha prometido no solamente arrojarlos a las profundidades del mar, sino no recordarlos más. ¿No es cierto que Jesús es admirable?

Octubre 8

CUANDO YA NO EXISTAN LAS MUELAS

***Cuando temblarán los guardas de la casa, y se encorvarán los hombres fuertes, y cesarán las muelas por que han disminuido, y se oscurecerán los que miran por las ventanas* (Eclesiastés 12:3).**

Generalmente se cree que el autor del Eclesiastés escribía acerca de la vejez cuando formuló las palabras del capítulo 12. Los "hombres fuertes" son los músculos. Las "muelas" son los dientes que resultan escasos porque muchos se han perdido con la edad. "Los que miran por las ventanas" son los ojos. Tú puedes leer otros versículos del mismo capítulo e imaginar qué significan las otras frases.

Consideremos las muelas. Tú sabes que necesitas cepillarte los dientes todos los días. Sabes que no debes consumir muchos dulces o mascar chicle, porque tales cosas perjudican tus dientes. Pero por lo general no queremos recordar estas cosas hasta que empezamos a perder los dientes. De repente quisiéramos haber prestado atención a nuestras madres cuando nos aconsejaban cepillarlos a menudo.

Los elefantes, por otro lado, tienen otro problema. Ellos comen pequeñas ramas de árboles, una dieta que es dura para los dientes, y antes de mucho se les caen los dientes. Pero estos animales tienen la capacidad de generar otros dientes de repuesto, a diferencia del hombre y de los animales en general. Tú podrías pensar que esto sería una gran cosa, pero en el caso del elefante esto tiene un límite. Este animal puede producir solamente siete juegos de muelas. Una vez que el paquidermo ha usado la última, morirá de hambre. Este es el fin normal que tiene el noble elefante: cesan las muelas.

Además de nuestro alimento físico y la necesidad de dientes para ayudarnos a comer y permanecer sanos, también necesitamos alimento espiritual. Es interesante morder una idea difícil, y masticarla hasta que está lista para ser digerida. Esto es lo que "el predicador" hacía cuando escribió el libro de Eclesiastés. Y cuando todo su trabajo de moler y masticar había terminado, llegó a una conclusión final, que se encuentra unos versículos más adelante: "El fin de todo el discurso oído es éste: teme a Dios y guarda sus mandamientos; porque esto es el todo del hombre".

TODA OBRA A JUICIO

***Porque Dios traerá toda obra a juicio, juntamente con toda cosa encubierta, sea buena o sea mala* (Eclesiastés 12:14).**

A veces estoy completamente sorprendido por lo que los hombres de ciencia han hecho. Cuando pienso en las maravillas que la ciencia ha podido realizar, no tengo dificultad de creer que Dios puede hacer lo que él dice. Tomemos por ejemplo la tarea de guardar registro de todo lo que ho hago. Yo solía pensar que eso era una tarea muy pesada, aun para Dios, pero con la invención de las computadoras ahora parece casi una tarea fácil. ¡Y piensa en cuán pequeñas son nuestras mejores computadoras comparadas con la capacidad de Dios!

Un hombre de ciencia de Arizona conectó cables a plantas de algodón que crecían a 50 kilómetros (35 millas) de su oficina equipada con aire acondicionado. Con la ayuda de equipos auditivos muy sensitivos, el científico pudo escuchar las plantas durante la etapa de crecimiento y maduración. Se producen impulsos eléctricos en una planta cuando el agua, los minerales y el oxígeno se combinan con la luz del sol en la presencia de la clorofila para producir azúcar. Este proceso se llama fotosíntesis, y abarca energía eléctrica, la cual produce sonidos muy diminutos en las plantas.

Registrando y vigilando estos sonidos que produce la fotosíntesis, este hombre de ciencia ha logrado percibir la reacción de la planta cuando es regada, y él dice que pronto podrá indicarle al agricultor cuándo el algodón está listo para ser cosechado. Cuando el sistema se haya perfeccionado, será posible que una oficina central, establecida, digamos en San Luis, "llame" a una huerta de manzanas de Washington para descubrir cómo se están desarrollando las frutas; podrá llamar a una granja de tomates que esté al sur de Florida y preguntarle a las plantas si han podido recibir suficientes vitaminas y minerales; podrá llamar a los campos de cultivo de Manitoba, o a las bananas de Honduras, o a las avellanas que se cultivan en Hawai, y preguntarles cómo se están desarrollando. En una computadora central será posible vigilar todas las cosechas del mundo para determinar dónde se producirán las cosechas pobres y hacer provisión para suplementar las mismas.

¿Te das cuenta de lo que quiero decir? ¡Es maravilloso! Y nos preguntamos cómo Dios puede registrar todos los hechos de nuestra vida. El es mucho más admirable que nuestra más sofisticada computadora.

Octubre 10

LA ALABANZA DEL SOL

***¿Dónde estabas tú cuando yo fundaba la tierra?... ¿Cuando alababan todas las estrellas del alba, y se regocijaban todos los hijos de Dios?* (Job 38:4-7).**

El sol es una estrella. Es la estrella más cercana a nuestro planeta. Dependemos del sol para la luz y el calor que necesita la vida en la tierra. No es de admirar que a través de todos los tiempos las tribus paganas del mundo hayan adorado al sol. Puesto que no conocieron al Creador del sol, adoraban a esta bola de fuego que sostiene la vida.

Es notable cuán poco sabemos acerca del sol. Sabemos que está a 158 millones de kilómetros de distancia (93 millones de millas); sabemos que el sol está constantemente produciendo explosiones de bombas de hidrógeno, y sabemos que hay manchas en el sol que parecen tener algún efecto sobre la tierra, pero no sabemos mucho acerca de por qué ocurren estas cosas o cómo actúa el sol.

Las manchas del sol, por ejemplo, comienzan su acción a mitad de distancia entre el ecuador solar y los polos del sol, y luego emigran lentamente hacia el ecuador. Necesitan once años para completar el viaje. ¿Por qué?

Nuestra tierra rota sobre su eje cada 24 horas, y toda la tierra rota a esta misma velocidad. Pero diferentes partes del sol rotan a diferentes velocidades. Por ejemplo, si vivieras en el ecuador del sur, harías una revolución total cada 25 días de los nuestros, pero si vivieras en los polos se necesitarían 33 de nuestros días para recorrer todo el camino. Parece haber también bandas alternadas alrededor del sol: algunas de movimiento rápido y otras de movimiento lento entremedio. Cada once años emerge una nueva banda, que primero es una banda lenta y luego se hace rápida. Este fenómeno es muy difícil de describir.

Ahora bien, algunos astrónomos han detectado vibraciones gigantescas en el sol. Pareciera que toda la estrella está vibrando como una campana enorme en el cielo, a razón de 20 campanadas por hora. Esta es una verdadera nota de bajo. Este descubrimiento ha inducido a los hombres de ciencia que estudian el sol a hablar de ese astro diciendo que el "sol canta". Hay mucho más que aprender con respecto al universo que lo que imaginamos.

UN PEQUEÑO CAIMAN

***Pero si os mordéis y os coméis unos a otros, mirad que también no os consumáis unos a otros* (Gálatas 5:15).**

Un médico que conozco y que vive en el sur de Texas mantiene un caimán en su patio. El animal ha vivido allí por muchos años y ahora es bien grande. Una vez pasamos una noche en la casa de este médico, pero él no nos dijo nada acerca del caimán que había del otro lado de la ventana de nuestro dormitorio. (¡Y nos alegramos mucho de que no nos lo hubiera dicho!) El caimán no dañará a nadie mientras lo mantengan en el patio cerrado de atrás y mientras el médico sea cuidadoso; pero nos parece que está jugando con el peligro.

El caimán come carne, por supuesto, y para completar su dieta regular, el médico recoge animales muertos en la carretera y se los lleva a su caimán. Un amigo nuestro llevaba a este médico en un paseo en auto cierto día, cuando el médico gritó de repente: "¡Espere!"

Nuestro amigo aplicó los frenos, preguntándose qué pasaba.

"Retroceda", pidió el médico.

De nuevo, nuestro amigo obedeció, retrocediendo hasta que el auto llegó al lugar donde había un gran perro muerto a un costado del camino. El médico abrió la puerta, saltó afuera, y corrió a recoger el cadáver. Lo trajo al auto, abrió la puerta trasera, y lo colocó en el asiento de atrás. Entonces se sacudió el polvo, sin acordarse de que ese cadáver despedía mal olor; saltó al auto y se sentó en el asiento delantero, y exclamó, como si nada hubiera sucedido: "¡Esto va a ser un gran banquete para mi caimán!"

Como puedes ver, el médico ha llegado a acostumbrarse tanto a vivir con su caimán en el patio de la casa, y se ha acostumbrado a recoger animales muertos en estado de putrefacción que encuentra por el camino, que ya no se da cuenta de que eso se ha convertido en una forma de proceder extraña.

La gente a quien le gusta chismear llega a un punto en que ya no se da cuenta de que su comportamiento es pésimo; su hábito —a semejanza del caimán— debe ser alimentado con materia en putrefacción.

Octubre 12

LA TORTOLA CANTORA

***Clama a mí, y yo te responderé, y te enseñaré cosas grandes y ocultas que tú no conoces* (Jeremías 33:3).**

¿Te has preguntado alguna vez si Dios escucha tus oraciones? Después de todo, hay muchos millones de personas en el mundo, y él está a incontables millones de kilómetros de distancia.

En Alabama se proveyó de un transmisor a todos los pichones de un nido de tórtola. Cada uno emitía una señal especial, de manera que cuando las avecitas abandonaran el nido, se conociera el paradero de cada una.

Una noche, uno de los investigadores que controlaba las señales emitidas por los transmisores, notó que uno de los pichones no había regresado al árbol en que estaba el nido. Una tormenta le impidió al observador buscar al ave hasta la mañana siguiente. Cuando regresó, pudo oír la transmisión especial de la tórtola que venía desde una arboleda. Pero el ave no podía ser localizada. Más tarde la señal parecía venir de un montón de desechos que estaba cerca de la arboleda. Esto era por cierto muy extraño, porque habría sido inusitado para la tórtola estar en tal lugar. Cuando se removió cuidadosamente ese montón de restos, se encontró una víbora de cascabel que tenía como dos metros de largo (6 pies). La víbora tenía un bulto en el cuerpo que era muy notable, y desde ese lugar llegaba la señal del transmisor que había sido colocado sobre el pichón de tórtola.

Quisiera poder decirte que la serpiente fue obligada a devolver la tórtola, y que se la recuperó viva. Por desgracia no fue así. La tórtola se había convertido en la comida de la serpiente y ésta la necesitaba para mantenerse viva.

Pero de todas maneras yo aprendí una lección: si un hombre puede descubrir el paradero de un animalito aun cuando haya sido comido por una serpiente, no me cabe duda de que el gran Dios del cielo puede saber en todo momento dónde estoy yo. El puede escucharme cuando lo llamo, y puede salvarme de la serpiente antigua, que es el diablo, aun cuando haya sido capturado por él. El escuchó a Jonás cuando estaba en el vientre de la ballena, y ha prometido oírme cuando lo llamo.

GERRY, EL ELEFANTE QUE USO SU TROMPA

***Entonces nos habrían inundado las aguas; sobre nuestra alma hubiera pasado el torrente; hubieran entonces pasado sobre nuestra alma las aguas impetuosas. Bendito sea Jehová, que no nos dio por presa a los dientes de ellos* (Salmo 124:4-6).**

Era un martes 13 y un día de poca suerte para muchos de los animales del zoológico Frank Buck, de la ciudad de Gainesville, Texas. En la noche del 13 de octubre de 1981 se desencadenó una lluvia torrencial. El agua caía a torrentes, y los arroyos y ríos crecieron demasiado rápido para permitirle al personal del zoológico retirar a los animales de la zona. En algunos lugares se acumularon diez metros (30 pies) de agua sobre las jaulas. Muchos animales se ahogaron, aparentemente incluyendo a Gerry, el único elefante del zoológico, el favorito de todos los niños.

Los funcionarios del parque y muchos voluntarios trabajaron hasta tarde en la noche para rescatar a los animales dispersos. Cerca de la una de la mañana alguien avistó el cuerpo flotante de Gerry. A la luz de varias linternas podían ver que el lomo de Gerry y la parte superior de la cabeza estaban flotando por encima del agua; sus ojos también estaban por encima de la línea de flotación y todavía brillaba en ellos la lumbre de la vida; la punta de su trompa estaba alzada en el aire. Todavía el animal respiraba bien. Pero tenía la boca debajo del agua. Estaba atrapado en una arboleda. Pasaron cuatro horas antes de que los empleados pudieran llegar hasta donde estaba Gerry. Mientras tanto el agua había bajado un poco, de manera que el elefante pudo librarse del obstáculo de las copas de los árboles, y finalmente pararse sobre sus patas en el suelo. Solamente un animal se perdió en esa inundación. Todos los demás fueron encontrados y rescatados, gracias a la acción rápida de los guardianes del zoológico, quienes cortaron los cercos a tiempo para liberar a los animales antes de que pudieran ser dominados por las aguas.

Pero Gerry había quedado sumergido debajo de las aguas por más de cuatro horas. Gracias a su trompa, que él pudo mantener fuera del agua, no tuvo problemas para sobrevivir. ¿Mantendrías tú la misma calma y confianza como Gerry si estuvieras en la misma situación? Nuestro Dios ha prometido hacerse cargo de ti.

Octubre 14

EL INMENSO VACIO

***Y la tierra estaba desordenada y vacía, y las tinieblas estaban sobre la faz del abismo, y el Espíritu de Dios se movía sobre la faz de las aguas* (Génesis 1:2).**

Muchos han argumentado acerca de la palabra "vacío" y su significado en este texto. El diccionario la define como "sin contenido; que no contiene nada". De acuerdo con esta definición, y a lo que siempre se me ha enseñado, no había aquí absolutamente nada antes de la semana de la creación. Otros creen que la tierra en sí misma, o sea básicamente el planeta, fue creado antes como una bola rocosa cubierta de agua, desprovista de toda vida, hasta que Jesús llegó y dijo: "Sea la luz" (Génesis 1:3). Tal vez la duda no será resuelta antes que Jesús regrese, y entonces podremos preguntarle.

Los astrónomos han descubierto recientemente una sección del universo que ha sido denominada "el inmenso vacío", donde no existe absolutamente nada: no hay sol, no hay luna ni tampoco estrellas. Nada. En un sentido el inmenso vacío tiene de un extremo al otro trescientos millones de años luz. ¿Cuánto significa esto? Son 10 cuatrillones, 759.000 trillones, 708.000 billones y 800 millones de millas. Expresado de otra manera, 10.760 billones de millones de millas, o sea 16.140 billones de millones de kilómetros. En otras palabras, 16.140 seguido de 15 ceros. Esa es una inmensidad de vacío, un largo camino que recorrer por el espacio desierto sin encontrar una sola cosa, ni siquiera un pequeño planeta.

El descubrimiento de este inmenso vacío significa que las teorías acerca del universo han de ser revisadas. Los astrónomos tienen teorías para explicar el universo prescindiendo del relato del Génesis. Una de esas teorías, la teoría de la "explosión prodigiosa", sostiene que el universo entero se originó como resultado de una gigantesca explosión, en la que millones de millones de trozos fueron arrojados al espacio para llegar a formar las estrellas y otros cuerpos celestes que ahora vemos. Pero el hallazgo del "inmenso vacío" ha producido un gigantesco agujero en esta teoría, pues si hubiera habido una explosión semejante, todas las estrellas estarían distribuidas en forma más o menos pareja a través del universo, y no habría un enorme espacio vacío en ninguna parte.

Tenemos un Creador maravilloso que "cuelga la tierra sobre nada" (Job 26:7).

EL ROSADO DE LA SALUD

***Amado, yo deseo que tú seas prosperado en todas las cosas, y que tengas salud, así como prospera tu alma* (3 Juan 2).**

Por lo común hay muchas expresiones comunes que no sabemos de dónde han venido a significar lo quieren decir. Tomemos, por ejemplo, la expresión "rosado" que se usa para describir a un hombre blanco que parece lleno de salud. Decimos también de una mujer: "Ella es el retrato de la salud", y "Tiene hermosas mejillas de un rosado natural".

Una interesante investigación que se ha hecho con los colores ha revelado que el color rosado no solamente es el reflejo de buena salud sino que también puede ayudarte a ser sano. Tal vez tú no sepas que tu cuerpo en realidad reacciona en forma diferente a distintos colores. Tus mecanismos químicos internos cambian cuando miras diferentes colores.

Dios nos ha dado la más perfecta combinación de colores que exista en la naturaleza; los diferentes colores están arreglados y ordenados precisamente en la debida combinación para promover la buena salud. Una de las razones por las cuales algunos tienen una salud pobre es el uso inadecuado de los colores. Tu cuerpo se ve obligado a trabajar duramente, como si estuviera bajo presión, simplemente porque los colores que observan tus ojos están enviando determinados mensajes a tu organismo.

Tal vez no es ningún accidente que la fuente más común del color rosado en la naturaleza sea la piel del llamado hombre "blanco". Algunos experimentos han demostrado que ciertas tonalidades de rosado, por sí mismas, pueden calmar a una persona enojada. El observar algo rosado hace que el hipotálamo ordene a las glándulas suprarrenales, productoras de la adrenalina, que disminuyan la producción de ciertos compuestos químicos; el maravilloso proceso disminuye la actividad del corazón y calma a la persona. De manera que se está ensayando un tipo de tratamiento para las personas que se enojan con facilidad. Este consiste en ponerlos en un cuarto rosado.

Pero antes de que pintes todos tus cuartos de color rosado, debes saber que si pasas demasiado tiempo mirando ese color, los procesos químicos de tu cuerpo se desequilibran y puedes llegar a sufrir de un mal causado por la iluminación inadecuada.

Dios ha prometido mantenernos en plena salud si confiamos en él y seguimos el modelo que él nos ha enseñado de lo que es la vida sana.

Octubre 16

LA TENSION DE LOS DELFINES

***Estamos atribulados en todo, mas no angustiados; en apuros, mas no desesperados* (2 Corintios 4:8).**

Se nos dice que los delfines se hallan entre los animales más intelingentes, y que aun tienen un lenguaje que usan para comunicarse bajo el agua. Parecen expresar una clase de afecto que puede ser similar al de los seres humanos. Pero a pesar de toda su inteligencia y habilidad padecen de un problema que también afecta a los seres humanos: sufren de úlceras causadas por la tensión.

Mimí, Kiby y Afrodita eran tres delfines del Acuario Nacional de Baltimore, Maryland, Estados Unidos. Vivían en un tanque muy ruidoso y pobremente iluminado que no les permitía tener ningún lugar privado donde descansar. No había ningún rincón donde los delfines pudieran escapar del constante desfile de personas que querían observarlos, y no había ningún lugar donde pudieran aislarse entre ellos mismos para tener descanso. Así que Mimí, Kiby y Afrodita desarrollaron úlceras a causa de la tensión.

"Al observar cómo se alimentaban y jugueteaban, uno concluiría que estaban bien", dijo el director del acuario. Pero la presión constante que les producía un lugar tan concurrido y público era más de lo que estos tres delfines podían soportar. De manera que fueron enviados a una escuela de delfines situada en Florida, Estados Unidos, en un avión especial. Allí recibieron el descanso y el relajamiento tan necesitado. De vuelta en Baltimore, su tanque de agua fue renovado para permitirles mejorar su salud.

¿No es notable que otras criaturas que Dios ha hecho no tienen más capacidad de evitar los efectos de la tensión de la que nosotros tenemos? Como un amante Padre celestial, Dios nos ha dado instrucciones sobre cómo vivir en forma sana. El vivir bajo tensión no es saludable. Cuando desobedecemos las reglas de la salud, sufrimos las consecuencias. A veces se necesita que un animal juguetón y agradable como el delfín nos enseñe los resultados de una vida malsana. Pero al confiar en que Jesús se hace cargo de nuestros problemas diarios, nuestras presiones se reducen y no sufrimos las consecuencias de una vida bajo presión.

UN VIAJE DIFERENTE

Luego nosotros los que vivimos, los que hayamos quedado, seremos arrebatados juntamente con ellos en las nubes para recibir al Señor en el aire, y así estaremos siempre con el Señor **(1 Tesalonicenses 4:17).**

Un día de octubre, una maestra de jardín de infantes de Rhode Island, Estados Unidos, encontró dos orugas de mariposas monarca que se alimentaban de una planta de asclepiadea o algodoncillo. Las orugas se habían formado demasiado entrada la estación para que se desarrollaran antes del invierno, e indudablemente estaban condenadas a morir de frío. La maestra sacó suficientes hojas como para proporcionar alimento para las orugas durante varios días, y las llevó a su aula de clases, donde se alimentaron durante días y estuvieron protegidas del frío. Pronto se formaron sus crisálidas verdes y luminosas. En cada crisálida se estaba realizando el proceso de la transformación, y al mes siguiente, tiempo después de haber llegado el invierno, las dos mariposas monarca surgieron de sus estuches y desplegaron sus hermosas alas.

Las monarcas emigran hacia el sur durante el invierno, pero éstas habían salido mucho tiempo después del último vuelo. Las dos mariposas nunca sobrevivirían si se las liberara en el aire frío de noviembre, en el hemisferio norte.

Pero la maestra tuvo una idea. Preparó una jaula pequeña y colocó dentro de ella a las dos mariposas. Llevó la cajita al aeropuerto, donde pidió un pasaje para las dos mariposas. El empleado consultado, sin pestañear, arregló para que las monarcas viajaran al sur del país en forma diferente que cualquier otra monarca del pasado, ya que fueron puestas en la cabina de los pilotos de un avión de United Airlines. Cuando fueron liberadas, volaron en el aire cálido, como si eso fuera parte del vuelo migratorio habitual de su especie hacia el sur.

Mientras dure el tiempo, no es demasiado tarde para prepararse para la venida de Jesús. Pero el tiempo se está pasando, y necesitamos una ayuda especial del Maestro para que contribuya a prepararnos para el viaje, de manera que cuando él venga estemos listos para ir a volar con él. Nosotros también estaremos viajando con el Piloto.

Octubre 18

LOS TERRIBLES ESCORPIONES

***He aquí os doy potestad de hollar serpientes y escorpiones, y sobre toda fuerza del enemigo, y nada os dañará* (Lucas 10:19).**

Tal vez tú nunca has vivido donde hay escorpiones, pero una de las mayores amenazas del lugar donde vive mi familia son estos minúsculos dragones con aguijones en sus colas. No hay nada bueno que yo pueda decir con respecto a los escorpiones. Son venenosos, beligerantes, astutos, feos, y primos hermanos del diablo. No conozco a nadie que le gusten los escorpiones. ¡Son terribles! En el primer mes que vivimos en nuestra casa de campo, encontramos tres de ellos que rondaban alrededor de la casa, y dos más, con hijitos, en una olla. Por supuesto que destruimos a estos pequeños animales antes que pudieran dañarnos.

Hablando de dañar, el escorpión puede producir intenso dolor a sus víctimas. Es una promesa andante, literalmente, de un dolor tremendo. El aguijón que tiene en el extremo de la larga cola es curvo como una cimitarra, y está conectado con dos grandes glándulas ponzoñosas que contienen un veneno que afecta los nervios. El veneno es mucho más poderoso que el de las serpientes más mortíferas del mundo. Cuando un escorpión te pica, el dolor es inmediato e intenso. La única experiencia que tuve en ese sentido fue suficiente para convencerme de esto para toda la vida. Fui picado en un dedo mientras recogía algunos periódicos viejos (a los escorpiones les gusta esconderse en periódicos viejos, ropas u otras cosas antiguas). Nunca sufrí un dolor tan fuerte como ése.

No es común que la persona muera por la picadura de un escorpión, pero eso ocurre de vez en cuando. Los efectos letales de la picadura son similares al envenenamiento por estricnina. Primero se producen vómitos, sudores, temblores, y dificultad para hablar, y luego la víctima empieza a echar espuma por la boca y la nariz, y finalmente, la víctima entra en convulsiones y muere.

Para mí, el escorpión es un ejemplo perfecto de la verdadera naturaleza del diablo. ¡Es terrible! No tengo que pedir disculpas por llamar al pecado por su debido nombre. "El aguijón de la muerte es el pecado... mas gracias sean dadas a Dios, que nos da la victoria por medio de nuestro Señor Jesucristo" (1 Corintios 15:56-57).

EL REGRESO DE LOS VISONES

***Alza tus ojos alrededor y mira, todos éstos se han juntado, vinieron a ti; tus hijos vendrán de lejos, y tus hijas serán llevadas en brazos* (Isaías 60:4).**

Los visones son criados en granjas por su piel. A fin de obtener la mejor clase de piel, es importante que los encargados cuiden muy bien a los animales. Son bien alimentados, sus jaulas están limpias y se los mantiene tan felices como pueden ser los visones.

Hay personas que creen que criar animales salvajes y mantenerlos enjaulados, cuando deben estar libres, es algo terrible. Un grupo de personas semejantes invadió una granja de visones en Essex, Inglaterra, hace varios años. Los invasores enmascarados llegaron y rompieron las jaulas, dejando libres a todos los animales. Esa gente creyó que estaba haciendo un gran favor a los visones al ponerlos en libertad.

Pero ocurrió que casi todos los animales regresaron a la granja el próximo día a la hora de la comida; se alinearon en sus comederos, y esperaron ser alimentados como de costumbre. No se encolerizaron cuando fueron conducidos de nuevo a las jaulas después de que éstas fueron reparadas.

Como ves, un visón salvaje tiene que trabajar mucho más para conseguir su comida, y tiene que ubicar sus propios lugares para dormir, que pueden no ser calientes y secos. Un visón salvaje puede pasar días sin comer antes que encuentre alimento. El ser salvaje y estar libre no es lo más interesante del mundo.

A veces la gente desea tener plena libertad, y piensa que ser cristiano es como estar enjaulado: no se sienten libres para hacer las cosas que quieren hacer. De manera que destruyen sus jaulas y los muros que el Señor ha construido en torno a ellos para protegerlos del peligro, y vuelven a obtener la libertad que buscaban. El texto de este día es una promesa para las madres y los padres, en el sentido de que aun cuando sus hijos quieran marchar por su cuenta por un tiempo, Jesús sigue llamándolos, y volverán al hogar a encontrarse con Jesús cuando se vean solitarios y hambrientos de amor.

Octubre 20

EL GORRION QUE CAYO EN LA IGLESIA

¿No se venden cinco pajarillos por dos cuartos? Con todo, ni uno de ellos está olvidado delante de Dios... No temáis, pues; más valéis vosotros que muchos pajarillos **(S. Lucas 12:6-7).**

Una tarde sonó el teléfono en mi casa. La voz en el otro extremo dijo: "Esta es la *CBS News* de Nueva York. Estamos llamando por pedido de Roger Mudd, quien necesita saber cuánto pesa un gorrión". No explicaron por qué, pero se hallaban en un gran apuro por obtener la información. No pude saber hasta más tarde que la información había de usarse en el informativo vespertino de la CBS que había de transmitirse en menos de diez minutos.

Como no conocía el peso de un gorrión, le dije que volvería a llamarlo al poco rato. Colgué, busqué y encontré que el peso era aproximadamente de 30 gramos (una onza). De manera que llamé de nuevo y di la información al hombre que contestó. El dijo: "Muchas gracias", y eso fue todo.

Más tarde me enteré que habían estado grabando la música de un guitarrista de fama mundial que tocaba en la iglesia de una pequeña aldea de Inglaterra. La grabación había de ser transmitida por la BBC, de manera que las autoridades de la iglesia estaban ansiosas de que nada interfiriera con el programa. Ellos pensaron que habían tomado todas las providencias, pero un gorrión que estaba en las cabriadas del techo aparentemente gustó de la música y se unió con su propio canto.

El pastor Robin Clark se enojó por la interrupción. Ordenó al auditorio que saliera, y entonces llamó a alguien para que le disparara al gorrión. El concierto entonces continuó sin otro inconveniente. Pero cuando apareció en las noticias la transmisión de lo que había ocurrido, ese tiro fue oído en el mundo entero. El *Daily Telegraph*, de Londres, publicó el siguiente título en primera página: "El reverendo Robin ordena la muerte de un gorrión".

Roger Mudd simplemente contó la historia y entonces terminó el noticioso de la noche haciendo la observación de que era darle mucha importancia a algo que pesaba solamente alrededor de 30 gramos (una onza).

¡Una gran importancia! Una mujer del auditorio había llorado cuando cayó el gorrión, y yo sospecho que el Gobernante del universo debe haber derramado lágrimas también.

EL AVE DEL PARAISO

***En la casa de mi Padre muchas moradas hay; si así no fuera, yo os lo hubiera dicho; voy, pues, a preparar lugar para vosotros. Y si me fuere y os preparare lugar, vendré otra vez, y os tomaré a mí mismo, para que donde yo estoy, vosotros también estéis* (Juan 14:2-3).**

Hace algunos años unos teólogos propusieron la idea de que posiblemente Dios había muerto. Fue una época en la que se escuchaba por doquiera a la gente discutiendo si Dios había muerto o no. Cuando leí acerca del reciente redescubrimiento en Nueva Guinea del ave del paraíso, "el jardinero de la frente amarilla", recordé estas discusiones.

Hasta 1980 la única evidencia que había en el mundo occidental de que el jardinero de cresta amarilla, como se llama al ave del paraíso, hubiera vivido alguna vez, eran tres pieles y unas pocas plumas del ave. Estas fueron llevadas a Inglaterra en 1895. Una cantidad de expediciones hechas a Nueva Guinea no habían podido encontrar rastros de esta ave misteriosa. Se supuso que el ave se había extinguido. Luego, en 1980, en un viaje hecho para ayudar al gobierno a fundar un parque nacional en las montañas casi inexploradas de Gauttier, los exploradores encontraron el ave. No solamente existe allí, sino que existe en gran cantidad.

Los machos construyen unos nidos especiales, llamados en inglés "bowers", para sus compañeras. El jardinero de cresta amarilla edifica una torre de cuatro pisos de alto hecha de palos, sobre el tronco de un árbol de helecho. Los palos están cruzados, y la base del nido es una plataforma redonda cubierta de musgo que tiene más o menos un metro (tres pies) de diámetro: una mansión, para la señora del ave del paraíso. Sobre la plataforma, el macho coloca frutas de colores. Luego llama a la hembra y sostiene una fruta con el pico, ofreciéndosela como regalo, si ella se aproxima y acepta la mansión que él ha edificado para ella.

¡Dios no ha muerto! Jesús murió, eso es cierto. Pero él resucitó y ha ido a preparar mansiones para su pueblo, a quien llama su "esposa" en la Biblia. El está llamando y ofreciendo la fruta del árbol de la vida: nosotros necesitamos solamente aceptarla.

Octubre 22

EL HISOPO

Purifícame con hisopo, y seré limpio; lávame, y seré más blanco que la nieve **(Salmo 51:7).**

La primera noticia que tuvimos acerca del hisopo se relaciona con la cena de Pascua, cuando los israelitas estaban listos para salir de Egipto. Una cantidad de estas plantas se usaban para pintar, con la sangre del cordero pascual, la puerta y ambos postes de toda casa en el campamento israelita. La sangre era la señal para el ángel destructor de que en esa casa los habitantes creían en Dios y estaba dispuestos a seguirlo completamente.

Se cree que el hisopo era la planta que los botánicos hoy llaman mejorana gris-verdosa. Es una planta pequeña que crece en toda Palestina aun hoy. Tiene tallos plumosos y una masa de flores blancas al final. La planta es muy fragante, y sabe muy parecido a la menta. No sabemos mucho acerca de su uso en los tiempos bíblicos, fuera de que se la empleaba como símbolo de purificación, pero en los tiempos modernos el hisopo se ha usado como un condimento, y se dice que tiene valor medicinal.

Salomón, uno de los grandes naturalistas de la Biblia, estudió el hisopo. En 1 Reyes 4:33 se nos dice que "también disertó sobre los árboles, desde el cedro del Líbano hasta el hisopo que nace en la pared". Y el hisopo realmente nace entre las piedras y se cría en los muros de la tierra santa.

Dios le dijo a Israel que usara hisopo, no solamente como medio de asperjar la sangre sobre los postes de las puertas, sino también como parte de una cantidad de otros ritos purificadores: se lo usaba para limpiar a un leproso, o en la purificación de una casa en la cual había vivido el enfermo de una plaga. También se lo empleaba en la purificación de los artículos o personas que eran declaradas impuros por el contacto con muertos.

Tal vez la más hermosa referencia al hisopo en la Biblia es la que usa David en el Salmo 51 para rogar al Señor que lo limpie de pecado. Podemos ciertamente elevar esa oración juntamente con David: todos nosotros necesitamos la sangre de Jesús que nos limpia.

EL OLFATO LO DISTINGUE

Has amado la justicia y aborrecido la maldad; por tanto, te ungió Dios, el Dios tuyo, con óleo de alegría más que a tus compañeros. Mirra, áloe y casia exhalan todos tus vestidos; desde palacios de marfil te recrean **(Salmo 45:7-8).**

El salmista está describiendo las grandes cualidades del reino de Dios. En los días cuando estas palabras fueron escritas, la gente acostumbraba guardar sus ropas junto con sustancias que les daban un aroma agradable. La mirra, el áloe y la madera de acacia eran tres de las sustancias que hacían fragantes las ropas, tanto que a ti te hubiera gustado usarlas o estar cerca de alguien que las usara.

Dios hizo a los seres humanos con la capacidad de percibir olores y apreciar las maravillosas fragancias presentes en la naturaleza. El también les dio la capacidad de distinguir ciertas cosas por la fragancia y los olores que tienen. Hay otro tipo de fragancia a la cual todos respondemos, pero que no es tan evidente.

Los fisiólogos nos dicen que habitualmente el olfato del hombre no interviene en la percepción y el proceso mental de muchos tipos de olores. Además de la capacidad de oler cosas maravillosas, como perfumes, flores fragantes, el pasto recién cortado y cosas semejantes, también tenemos la facultad de percibir olores que no sabemos que estamos oliendo. Es como la facultad de escuchar sonidos demasiado altos para que nuestros oídos los perciban. Hay un órgano especial ubicado en el piso de la cavidad nasal de todo animal mamífero, con excepción del delfín. Se llama el órgano de Jacobson. Por muchos años se pensó que éste no tenía ningún propósito, pero ahora se cree que es el receptor de ciertos olores especiales que afectan la forma en que actuamos y sentimos. El órgano de Jacobson está conectado mediante nervios con una parte diferente del cerebro: la parte que controla la producción hormonal. El encontrar un sentido semejante es como descubrir un sexto sentido que ni siquiera sabíamos que existía. Como el Salmista dijo, ¡estamos admirablemente formados!

Octubre 24

EL JADE Y SUS TONALIDADES

***Toda palabra de Dios es limpia; él es escudo a los que en él esperan* (Proverbios 30:5).**

Si le preguntaras a un experto en minerales qué es el jade, él tendría que decirte que nadie lo sabe. Esto no significa que un experto no podría decirte de qué está hecha una pieza de jade; sencillamente significa que un trozo de jade está compuesto de un grupo de minerales, mientras que otra pieza del mismo material puede estar compuesta de un grupo completamente diferente. La discusión con respecto a lo que es el jade existe desde hace siglos, y ha de ser resuelta como un problema más bien de lenguaje que como problema de mineralogía.

La verdad es que diferentes combinaciones de minerales se llaman jade. Lo que se llama jade puede ser *jadeíta*, que es silicato de sodio y aluminio, o puede ser *nefrita*, que es un silicato de calcio, hierro y magnesio. La jadeíta puede ser roja, azul, gris, blanca, anaranjada, amarilla, negra o verde. El color que se considera más estimado es el verde brillante, determinado por pequeñas cantidades de cromo. La nefrita se presenta en los siguientes colores: amarillo, café, gris, blanco, verde, y raramente azul o negro.

Estos dos minerales son tan similares que no resulta fácil distinguirlos. La composición del jade no es importante para quien la explota, pues ambos minerales serán igualmente valiosos en la producción de una fina obra de arte.

Y para hacer aún más difícil el problema del jade, hay muchas maneras de copiar la apariencia del jade, y el mundo está lleno de productos de jade falsificado. Solamente un experto puede distinguir el verdadero jade de una falsificación. Las figuras "de jade" también aparecen en vidrio, que tiene la misma apariencia que el producto original.

A semejanza del jade, hay muchas personas con diferentes personalidades que pretenden ser cristianas. Cuando llegamos al asunto de quién es y quién no es cristiano, solamente Jesús puede ver más allá de la superficie y analizar nuestro verdadero carácter.

EL CEREBRO DE LOS CANARIOS

***Cantad a Jehová un nuevo cántico, su alabanza desde el fin de la tierra; los que descendéis al mar, y cuanto hay en él, las costas y los moradores de ellas* (Isaías 42:10).**

Hay una maravillosa relación entre las dos mitades de nuestro cerebro. Habitualmente empleamos el lado izquierdo para aprender a hablar y escuchar a los otros hablar. Con el lado derecho normalmente vemos figuras, trabajamos en problemas aritméticos, y escuchamos música sin palabras. El hemisferio izquierdo del cerebro es normalmente el lado lógico, mientras que el derecho es el hemisferio más creativo. Pero siempre hay excepciones a esta regla. En algunas personas las funciones de los dos hemisferios están invertidas. También, si una porción del cerebro llega a dañarse en cualquiera de ambos hemisferios, el lado no dañado puede aprender a hacer lo que hacía el lado enfermo. ¿Ocurre lo mismo con el cerebro de los pájaros?

Recientemente se descubrió que en los pájaros también cada lado del cerebro controla distintas funciones. Por ejemplo, los experimentos muestran que los canarios usan el lado izquierdo de su cerebro para aprender a cantar, precisamente como en el caso del hombre. Y cuanto más años tiene un canario, más cantos diferentes conoce, lo cual es cierto en el caso de la mayor parte de la gente. El canario, a semejanza de lo que pasa con casi todos lo pájaros cantores, aprende muchos de los cantos que entona, pero al mismo tiempo nace con la capacidad de reconocer los trinos de su propio género.

La ciencia todavía no puede explicar por qué cantan los pájaros. Si el propósito primordial del canto del pájaro es cubrir un cierto territorio, los pájaros no continuarían aprendiendo nuevos cantos. Parece que a los pájaros les gusta aprender, y también entonar sus trinos.

¿No es maravilloso que Dios nos diera cerebros que podemos usar para aprender nuevos cantos? ¿No es lindo cantar? Escucha los pájaros mientras cantan alabanzas al Creador, y eleva tu propia voz en acción de gracias. Canta a Jesús, que te dio a ti y a los pájaros cerebros semejantes.

Octubre 26

LA MUJER AMIGA DEL LOBO

***Y en efecto, pregunta ahora de las bestias, y ellas te enseñarán; a las aves de los cielos, y ellas te lo mostrarán* (Job 12:7).**

Una mujer va todas las semanas —en realidad dos o tres veces por semana— a sentarse en un banco de concreto frente a la jaula de los lobos en el zoológico de Filadelfia, Estados Unidos. Se llama Janet Lidle, y es una graduada del Colegio Bíblico de Columbia, Carolina del Sur, que ahora vive en Filadelfia. Es parcialmente ciega, pero puede ver a los lobos, y al observarlos ella dice que encuentra paz, una paz de la cual carecía anteriormente. Descubrió el gozo que procede de la capacidad de "apreciar algo por lo que es, no por lo que pueda obtener de él".

Cuando se le preguntó por qué continúa sentándose frente a la jaula de los lobos en medio de la nieve, la lluvia o a la luz del sol, la Srta. Lidle contestó: "No estoy segura, pero algo me impulsa a hacerlo. Dios llama a las personas a diferentes cosas... y los animales son tanto una creación de Dios como lo somos nosotros". Ella dice que cada una de las criaturas de Dios despliega cualidades únicas del carácter del Creador.

"Tomemos por ejemplo el dodo [un ave ya extinguida] —explica la amiga del lobo—. Era una expresión del carácter de Dios, y debido a que el dodo se ha extinguido, hay cierto aspecto del carácter de Dios que ahora es invisible, y que nunca podremos conocer".

La Srta. Lidle ha tomado miles de fotografías de lobos, y hace planes de escribir un libro acerca de sus observaciones y sentimientos desde que viene a observar estos animales. Ella no trata de perturbar las actividades de los lobos; no trata de mimarlos o llegar cerca de ellos. Su lobo favorito se llama Muchacho Tímido, pero no habla de él en absoluto. Dice que su libro versará primordialmente acerca de Muchacho Tímido y lo que ella ha aprendido al observarlo.

¿No has deseado tú más de una vez poder hablarle a los animales, a las ardillas, a los pájaros, a las mariposas, a los sapos? Bien, en un sentido puedes hacerlo: Jesús, que los creó a todos, habla contigo por medio de su Espíritu mientras observas a esos animales, y puedes hablarles de vuelta a ellos al decirle a Jesús lo que aprendiste acerca de él observándolos.

LA ARAÑA DE LA CRUZ

***Porque su esperanza será cortada, y su confianza es tela de araña* (Job 8:14).**

Hace algunos años pregunté a un amigo por qué no era cristiano. Su respuesta fue la siguiente: "Porque observé a los que afirmaban ser cristianos, y sus vidas no eran dignas de ser copiadas". Si bien es cierto que no debemos mirar a otros para tomarlos como ejemplo, el verdadero seguidor de Jesús crece a su semejanza. Hay muchos que pretenden tener la cruz, pero que no permiten que esa cruz tenga ningún efecto en su vida diaria. Pueden mentir, engañar, robar, o hacer algunas cosas peores aún, pero cuando llega la hora de ir a la iglesia, allí están. ¿Cómo puede ser esto?

La araña de la cruz recibe ese nombre por tener una figura en forma de cruz en la parte dorsal del abdomen. Esta araña teje una de las más hermosas telas. Lo que parece a simple vista ser un conjunto de hebras hermosamente organizadas y cuidadosamente dispuestas y trabadas para construir la tela, es en realidad mucho más que eso. Cada hebra que sale del abdomen de esta araña no es una hebra sencilla y única, sino que puede contener hasta cuarenta mil finísimas hebras. Y cada una de ellas tiene entre una milésima a dos milésimas de milímetro de diámetro. La hebra más fina que el hombre haya producido está hecha de fibra de vidrio o de tungsteno, y tiene un diámetro de cinco milésimas de pulgada. El equipo de hilar de la araña de la cruz es como un telar que tuviera cuarenta mil lanzaderas individuales, increíblemente pequeñas, de las cuales salen las hebras. Cada lanzadera está unida a un nervio que puede ser puesto en acción o detenido por el sistema nervioso central de la araña, según el tamaño de la hebra que se necesite.

Una vez que la tela está terminada la talentosa araña de la cruz espera que aparezca el primer insecto y sea atrapado. Hasta un compañero macho que fuera atraído por su hermosura tendría que cuidarse. Ella trataría también de comerlo.

Muchas personas talentosas y en otros sentidos magníficas operan bajo la señal de la cruz, pero eso no los hace cristianos. Un cristiano está continuamente asemejándose a Jesús.

Octubre 28

PLANTAS CONTRA INSECTOS

Por tanto, tomad toda la armadura de Dios, para que podáis resistir en el día malo, y habiendo acabado todo, estar firmes **(Efesios 6:13).**

Lo que puede llamarse "una carrera armamentista" ha estado produciéndose entre plantas e insectos por un largo tiempo. En algún momento, cuando los insectos empiezan a atacar a las plantas en grandes cantidades, éstas tienen la capacidad de comenzar la producción de elementos químicos que son desagradables y aun tóxicos para los insectos. Entonces los insectos pasan hambre, a menos que logren alguna forma de anular la nueva arma de las plantas.

Bien, los insectos tienen una forma de hacerlo. Ellos poseen una mezcla de diferentes elementos químicos, llamada "oxidasas de función múltiple". Las oxidasas pueden tomar el elemento químico perjudicial y transformarlo en una sustancia que no es desagradable, y que al principio no es tan perniciosa para el insecto. Ahora es el turno para que la planta actúe, y, por cierto que ésta tiene otra arma en su arsenal. Ahora empieza la producción de elementos químicos que el insecto transformará en un elemento delicioso, pero que será ponzoñoso para él. De manera que este insecto, usando sus mejores defensas, toma lo que cree que es un elemento dañino y lo cambia en lo que él piensa que es un químico seguro, pero al ingerirlo, descubre demasiado tarde que era tóxico.

En este punto de la investigación, parece que la batalla está siendo ganada por las plantas. Ellas tienen la última palabra. Pero los insectos tienen movilidad, de manera que cuando son vencidos por las plantas, simplemente van a buscar otras plantas inocentes y comienzan de nuevo el proceso.

Nuestras vidas son muy semejantes a esas plantas. Satanás viene a nosotros como un insecto atacante con toda clase de artimañas. Necesitamos tener toda la armadura de Dios, porque nunca sabemos qué armas necesitaremos. Necesitamos el cinturón de la verdad, la coraza de la justicia, los zapatos del Evangelio de paz, el escudo de la fe, el casco de la salvación y la espada del Espíritu, que es la Palabra de Dios (Efesios 6:17).

LAS ESCAMAS DE LOS PECES

Esto comeréis de todos los animales que viven en las aguas: todos los que tienen aletas y escamas en las aguas del mar, y en los ríos, estos comeréis **(Levítico 11:9).**

En su misericordia, Dios dio a los hijos de Israel una serie de principios de salud. Y las reglas de Dios eran muy sencillas y muy prácticas. Cuando él les enseñó qué peces eran aceptables y qué peces no lo eran, hizo la diferencia muy clara, de manera que no podía haber ninguna equivocación. Las reglas de Dios son siempre claras, pero a veces nos confundimos tratando de torcerlas para que quieran decir lo que nosotros queremos que digan.

Unos pocos hechos acerca de las escamas pueden ayudarnos a saber por qué éstas cubren a un pez "limpio". En primer lugar, las escamas proporcionan una armadura contra la enfermedad. En segundo lugar, se encuentran primordialmente en peces que habitan en aguas más claras, y la razón es que las escamas tienen una luz especial que, reflejada, ofrece protección al pez contra los peces de rapiña que pueden haber por encima o por debajo. Finalmente, puede ser que las escamas tiendan a disminuir la movilidad de los peces que las poseen. Eso los haría menos capaces de ser carnívoros, porque no podrían nadar tan rápidamente para capturar a otros peces. Por eso los peces con escamas y aletas también tienen la tendencia a ser vegetarianos en el mundo del agua.

Los peces sin escamas y aletas más probablemente son carnívoros o basureros. Cuanto más cercano un animal se conserva al régimen vegetal que Dios nos dio originalmente, más probabilidad tiene de ser saludable. Por eso, aunque Dios puede haber sabido que el régimen alimentario que permitió después del Diluvio no era el mejor, era sin embargo el mejor que él podía recomendar bajo las circunstancias.

Hay mucha discusión con respecto a si esas reglas se aplican aún hoy. Generalmente hablando, se trata de principios sanitarios y, como tales, son tan buenos hoy como lo fueron en los tiempos de Moisés. También debemos considerar la información adicional reciente que poseemos acerca de la condición deteriorada de todas las carnes. Hoy en día es difícil encontrar un ambiente libre de enfermedad, aun en medio del mar o en las corrientes más claras de las montañas.

Octubre 30

PLANTAS QUE MEDRAN EN LA OSCURIDAD

Y su Señor le dijo: Bien, buen siervo y fiel; sobre poco has sido fiel, sobre mucho te pondré; entra en el gozo de tu señor **(Mateo 25:21).**

Existen grandes cantidades de algas que crecen profusamente en una oscuridad casi completa en el fondo de varios lagos antárticos, debajo de una capa sólida de hielo de más de seis metros (18 pies) que nunca se derrite. Estas plantas, que son algas, fueron descubiertas cuando los hombres de ciencia usaron un generador especial de vapor para hacer perforaciones en el hielo sólido que ha cubierto estos lagos por muchos centenares de años. Para su sorpresa, los hombres de ciencia hallaron toneladas de algas de color rojizo anaranjado que crecen en el fondo de los lagos, en capas de unos diez centímetros (4 pulgadas) de espesor.

¿Cómo pueden vivir estas plantas, que necesitan luz para mantenerse vivas, en tales condiciones? Al principio los hombres de ciencia pensaron que las plantas tenían la capacidad de generar alimento mediante un proceso que se conoce con el nombre de quimosíntesis. Las algas de estos lagos frígidos fueron estudiadas con más detención, y se encontró que había otra explicación para que se conservaran tan sanas.

El color rosado anaranjado de las plantas les da la mayor capacidad de absorber luz. Y durante ocho meses del año hay una cantidad pequeñísima de luz que llega hasta estas plantas. La cantidad de luz que ellas necesitan usar es una milésima parte de la que se puede obtener encima de la cubierta de hielo. Con esa cantidad pequeñísima de luz las plantas pueden crecer y desarrollar abundante follaje en la oscuridad.

Cuando tenemos solamente un poco de algo con lo cual trabajar, debemos hacer el ejor uso posible de ese recurso. Siempre hay algo que puede hacerse cuando las condiciones parecen pobres. Podemos vivir según la poca luz que tenemos, y a medida que desarrollamos nuestras vidas cristianas encontraremos que tendremos más luz para usar y compartir con otros.

"LAS LUCES FANTASMAS" EXPLICADAS

Porque los que viven saben que han de morir; pero los muertos nada saben, ni tienen más paga; porque su memoria es puesta en olvido **(Eclesiastés 9:5).**

De noche, en diversos puntos de la superficie de la tierra, aparece un fenómeno que ha intrigado a la gente durante siglos: lo que parecen ser bolas de luz misteriosas y fantasmagóricas que surgen de la tierra, se trasladan de un lado a otro, y se mueven como sabiendo a dónde van. Muchas personas han creído que estas luces eran los espíritus de los muertos, mientras que otros los llaman platos voladores. Algunos cristianos que no poseían otra explicación dijeron que las luces era espíritus malos, y que acercarse a ellas era entrar en el campo del diablo.

Estas luces fantasmas fueron estudiadas recientemente por hombres de ciencia. Ellos creen que las luces representan un fenómeno natural asociado con fisuras en la corteza terrestre. Resultó que en la investigación cada zona en que había luces fantasmas se encuentra en una zona geológica donde hay una falla terrestre. Cuando aumenta la presión a lo largo de tales fallas, aumenta la amenaza de un terremoto. Sin embargo, antes que pueda ocurrir un terremoto, otras cosas necesitan producirse, y en algunas zonas estas otras cosas incluyen las luces fantasmas.

¿Qué es lo que produce las luces? Aparentemente las luces ocurren solamente sobre zonas en que existen grandes cantidades de cuarzo en la línea de la falla. Cuando la presión aumenta, se ejerce una fuerza de hasta dos toneladas por pulgada cuadrada sobre las rocas de cristal de cuarzo muy por debajo de la superficie terrestre. Cuando el cuarzo es presionado con tal fuerza, produce una carga eléctrica. Desde abajo de la tierra, la carga procedente del cuarzo oprimido sale al aire, donde se calienta y empieza a brillar.

De modo que estas luces no son espíritus. Los buenos espíritus son ángeles que no usan estas tretas, y los malos espíritus no se congregan en lugares tan aislados de los bosques, a menos que haya gente allí para engañar. Aunque hay apariciones de fantasmas producidas por malos espíritus, éstas manifestaciones por cierto no lo son. Y mucho menos son espíritus de muertos, pues la Biblia es clara con respecto a este punto.

Noviembre 1

EL HIPOTALAMO DECIDE SI VOY A SUDAR O TIRITAR

Turbantes de lino tendrán sobre sus cabezas, y calzoncillos de lino sobre sus lomos; no se ceñirán cosa que los haga sudar **(Ezequiel 44:18).**

Tenemos un Dios muy práctico, un Dios que se interesa en nuestra comodidad física, así como en nuestro bienestar espiritual. En el texto de hoy el Señor presenta las reglas para el trabajo de los sacerdotes en el templo. Entre todas las ordenanzas está la recomendación de que los sacerdotes no han de ceñirse con nada que les dé calor y los haga sudar. Si Dios no les hubiera dicho esto, podrían verse tentados a abusar físicamente de sí mismos, hasta el punto de dañarse para servir "debidamente" al Señor. Dios desea nuestro culto y nuestro amor, pero no requiere que nos sometamos a ninguna penitencia para agradarle.

Si Dios hubiera querido que sufriéramos todo el tiempo, no hubiera formado en nuestro cerebro un termostato llamado hipotálamo, ubicado en el centro de nuestra cabeza, debajo de la porción mayor del cerebro. La sangre pasa a través de este instrumento en el hipotálamo. Si la temperatura es de 37 grados centígrados (98,6 F) no sucede ningún cambio. Pero si la temperatura sube o baja una pequeña fracción, ese termostato automático envía unos cuantos mensajes químicos a través del cuerpo para regular la temperatura.

Cuando escribía este comentario salí a cortar el césped. Afuera hacía 38 grados C (100 F), y antes de terminar el corte, yo estaba empapado de sudor. Ahora volví a la casa refrescada con aire acondicionado. Siento frío y se me forma carne de gallina. Tanto el sudor como la carne de gallina fueron ordenados por mi hipotálamo. La tarea del hipotálamo es más complicada que meramente hacerme sudar o tiritar, pero esa acción basta para moverme a agradecer a mi Creador por interesarse en mi bienestar.

LOS CUERNOS DEL ESCARABAJO

***Quebraré todos los cuernos de los impíos, y los cuernos del justo se alzarán* (Salmo 75:11, BJ).**

En la Biblia los cuernos son símbolos de poder y fuerza, tanto físico como político. Cuando se quiebran unos cuernos, el poder o la fuerza de la bestia que representan, también se quiebra o termina.

Durante años los entomólogos se preguntaban cual sería el propósito de los cuernos que muchos escarabajos tienen en la cabeza. ¿Serán armas, o tienen la intención de atraer a las hembras, ya que sólo los machos tienen cuernos? Un joven científico inglés, llamado Timoteo Palmer, decidió descubrirlo. Colocó un escarabajo macho con cuernos en una jaula de observación, junto con dos hembras. Los escarabajos siguieron sus actividades de costumbre, y el macho nunca usó sus cuernos. Los escarabajos viven en madrigueras, así la jaula de observación fue construida de modo que Timoteo podía ver los escarabajos dentro de su madriguera, donde efectúan sus actividades de rutina.

Después el científico colocó un segundo escarabajo macho con cuernos dentro de la jaula. En seguida se libró una batalla. Durante más de una hora esos dos escarabajos pelearon, primero usaron los cuernos para atormentarse uno al otro. No se podían causar mucho daño físico con los cuernos, pero los usaban para empujarse, tumbarse y darse vuelta mutuamente. Tarde o temprano uno de los escarabajos abandona la lucha y se va de la madriguera, empujado por el otro.

Con todas sus observaciones, Timoteo Palmer no pudo descubrir otro propósito de los cuernos del escarabajo que para ayudarse en sus luchas. Además, todo escarabajo macho sin cuernos que se presenta a pelear, era automáticamente vencido. Evidentemente, los escarabajos también están sujetos a la regla que menciona el salmista. Nosotros también, sin el poder de Dios, somos incapaces de hacer frente a los "escarabajos" del mundo. Pero el ha prometido quebrar sus cuernos y darnos su poder para ser salvos mediante Jesús.

Noviembre 3

PAJAROS DE TROPIEZO

***No nos juzguemos más los unos a los otros, sino más bien decidid no poner tropiezo u ocasión de caer al hermano* (Romanos 14:13).**

En este texto Pablo está diciendo a los romanos que cuiden su manera de vivir, en su nueva libertad en Jesús. Debían evitar de hacer algunas cosas, que aunque no son malas en sí, pueden inducir a otros a pecar.

En la mañana del 8 de septiembre de 1981, el Tte. Coronel David Smith, comandante de un grupo de las fuerzas aéreas llamado Thunderbirds (Pájaros Tronadores), despegó del aeropuerto de Cleveland, en los Estados Unidos. Un compañero de Smith, el sargento Roberts, estaba volando detrás de él. El grupo acababa de pasar tres días de vuelo de precisión en la exposición nacional aérea de Cleveland. De modo que éste era un despegue de rutina y los aviones iban perfectamente.

Unas gaviotas que estaban en la pista, espantadas por el ruido, levantaron vuelo ante los aviones que iban hacia ellas. Pero esos pájaros no podían volar a la par de esos aviones a chorro, y muchos de ellos fueron tragados por las turbinas. Los motores dejaron de funcionar. Los pilotos fueron lanzados al aire y los aviones se estrellaron. El paracaídas del sargento Roberts se abrió y él descendió salvo. Pero el comandante Smith no fue tan afortunado. Quiso guiar su avión hacia el lago en vez de dejarlo caer en la pista, de modo que perdió valiosa altura, su paracaídas no tuvo tiempo de abrirse, y murió al estrellarse sobre las rocas de la orilla del lago.

Esos pájaros no intentaban interferir el vuelo de los aviones, y no estaban haciendo nada malo, pero causaron la pérdida de muchos millones en dinero y la pérdida de una vida. Claro que no sabían hacer algo mejor. A veces, cuando nos dicen que lo que estamos haciendo puede perjudicar a otro, respondemos: "Bien, yo estoy cumpliendo con mi tarea. No puedo evitar lo que piensan o hacen los demás". Pero si podemos ser ayuda a otro, por medio de lo que hacemos o decimos, ¿no te parece que debemos portarnos debidamente?

ACARICIO A UN VENADO ADULTO

No matarás **(Exodo 20:13).**

A veces uno oye cosas casi increíbles. Este es el caso de Kulik que solía ser cazador de venados. Un nevoso día de invierno, durante la estación de caza, Kulik salió con su rifle, tres sandwiches y un termo. Se internó en el bosque hasta que encontró una senda de venados bien transitada. Buscó un escondite desde donde podría vigilar el cruce de algún venado. Encontró abrigo entre las rocas y se acomodó para esperar. Después de una hora de espera sintió hambre y decidió comer. Había terminado de comer dos sandwiches y tomar una bebida caliente, cuando vio un venado.

A menos de siete metros de distancia (20 pies) un magnífico venado adulto. La distancia más segura para tirar a un venado era de unos diez metros (30 pies). De modo que no había manera de que Kulik errara este tiro. Había estado cazando por muchos años y había matado muchos venados, pero nunca había tenido una oportunidad como ésta. Kulik no se movió. Quedó esperando que el venado se diera cuenta de que Kulik estaba ahí y huyera en busca de refugio. Si el venado hubiera huido, entonces probablemente Kulik lo hubiera abatido con uno o dos tiros.

Pero el venado no huyó. Sin duda había escapado de muchos cazadores, pero esta vez, cuando se dio cuenta de la presencia de este cazador, ni siquiera intentó escapar. En cambio, empezó a acercarse lentamente hacia Kulik. Con cuidado, paso a paso, se acercó más y más, tal vez curioso, hasta llegar frente a Kulik, y quedó mirándolo fijamente en los ojos.

¿Qué hubiéramos hecho si eso nos hubiera pasado a nosotros? Kulik no sabía qué hacer. Así que extendió la mano y acarició la cabeza del venado entre los cuernos. El venado ni siquiera retiró su cabeza. Entonces Kulik deslizó la mano por el lomo del venado y lo palmeó. Con la mano izquierda, le ofreció su último sandwich, y el venado lo comió. Después, el venado se alejó lentamente por el sendero.

Kulik nunca más mató otro venado. Después de esa edénica experiencia, no pudo cazar a ningún animal.

Noviembre 5

ACIDO DEOXIRRIBONUCLEICO

***Te alabaré porque asombrosa y maravillosamente he sido formado; admirables son tus obras; y mi alma lo sabe muy bien* (Salmo 139:14, VM).**

No te sientas incómodo si no puedes pronunciar la palabra del título. La mayoría de las personas nunca pueden pronunciar bien las palabras largas. Los científicos la abrevian con estas iniciales DNA. Y ¿qué es el DNA? Bien, es el elemento más importante del mundo entero. Es lo que nos hace lo que somos.

Cuando fuimos concebidos en el seno materno, heredamos de nuestros antepasados, por medio de nuestros padres, el color de los ojos, la forma de la nariz, el largo de los dedos, y los demás distintivos. Estos rasgos estaban contenidos en mensajes en clave en los genes. Se los llaman genes, palabra que procede de la misma raíz que la palabra génesis, que significa, creación. Los genes de nuestro padre y nuestra madre, nos crearon a nosotros. Tal vez una de las cosas más maravillosas de la creación es que Jesús dio a nuestros primeros padres la facultad de crear, al tener hijos. Y el secreto está en el DNA.

Nadie sabe aún cómo sucede, pero se sabe que todos los rasgos que heredamos, todos los rasgos que los gatos y los perros heredan, todos los rasgos que heredan las plantas, todos los rasgos que heredan las cosas vivientes, vienen en mensajes en clave en el DNA, que es el componente de los genes. Si creemos que eso es maravilloso, como realmente es, esperemos hasta enterarnos del diminuto tamaño de estos mensajes en clave. Si tomáramos todas las personas que hay en el mundo actual —más de cuatro mil millones— y si juntáramos todo el DNA que se necesita para producir a todas esas personas, tendríamos suficiente cantidad de DNA para formar una pastilla del tamaño de una aspirina. ¿Podemos imaginar eso? ¿No es realmente maravilloso?

EL NIÑO

***Cuando vino el cumplimiento del tiempo, Dios envió a su hijo* (Gálatas 4:4).**

Cada siete años, por el tiempo de navidad, ocurre un fenómeno natural en la costa occidental de Sudamérica, que los residentes llaman "el niño", en recuerdo del niño Jesús. Es cualquier cosa menos un evento bienvenido, porque marca un alto en los negocios de la zona costera. Toda esa región cae en una depresión económica.

Normalmente la costa occidental de Sudamérica es bañada por la corriente de Humboldt, una corriente de agua clara y fría llena de vida marina. Es esta abundante cantidad de vida marina la que sirve de base a la economía de la mayor parte de la zona costera del Perú y Chile.

Pero cada pocos años, el agua cálida cercana a Panamá desborda hacia el sur e inunda el agua de aquella costa. La llegada del agua cálida del norte, acaba con la vida marina. Los peces descienden a la profundidad más fresca y los pescadores quedan sin pesca. En la costa, el viento que sopla sobre esa agua desacostumbradamente cálida, trae lluvias torrenciales sobre la tierra, y el barro desborda en el océano y lo oscurece de modo que no llega suficiente luz para mantener la vida de la increíble gran cantidad de plantas marinas, que es normal allí. Las plantas mueren, y a eso sigue la muerte de los peces que se alimentan de las plantas. La decadencia llega a todas partes. Unos organismos microscópicos, llamados dinoflagelados, de repente empiezan a multiplicarse en cantidad epidémica dando al agua un color rojo, que se vuelve tóxica para la poca vida marina que ha quedado, incluyendo las tortugas. Esa es una calamidad de gran proporción que requiere muchos meses hasta aclararse y volver a lo normal.

Es interesante que la gente llame a ese tiempo, el niño. Cuando Jesús vino a esta tierra, era también un tiempo de tinieblas espirituales. Pero no fue él quien trajo las tinieblas. Sino que él vino para traer el remedio. El mundo fue bendecido por la venida del niño Jesús, y su vida y su sacrificio trajeron esperanza a todo el mundo.

Noviembre 7

UNA ORQUIDEA SUBTERRANEA

***Esta es la condenación: que la luz vino al mundo, y los hombres amaron más las tinieblas que la luz, porque sus obras eran malas* (Juan 3:19).**

Algunas personas no quieren oír hablar de Jesús, porque él, que es la luz del mundo, revela la oscuridad de sus pecados, y ellos aman tanto sus pecados que no quieren la luz del amor de Jesús en su vida. Esas personas son como la orquídea subterránea de Australia.

El nombre científico de esta flor extraña es Rhizenthella gardneri. Esta orquídea pasa toda su vida bajo tierra. Tiene un pequeño tallo, echa una sola flor formada de un centro rojo púrpura dentro de una copa de pétalos blancos y púrpura, y pequeñas hojitas como escamas. Pero no tiene raíz. Un hombre llamado Juan Trott fue el primero en descubrir esta flor cuando estaba limpiando su finca de árboles y arbustos, en Australia. Estaba desmontando unos árboles llamados paja de escoba, cuando vio algo de color violeta, parecido a una planta, que estaba bajo tierra y alrededor del tronco.

Esta orquídea depende por completo de otros dos organismos para su existencia: de ese árbol paja de escoba y de un hongo. El hongo extiende unos hilos a través del suelo en busca de los tocones podridos del árbol paja de escoba. Entonces, ese hongo extrae de la madera muerta, azúcar y minerales, y transporta ese alimento a la orquídea por medio de otros filamentos. Como es alimentada de este modo, la orquídea no necesita raíz. Pero el hongo no guarda alimento para sí, porque la planta lo absorbe todo, y el hongo muere.

Esas dos plantas, que se alimentan de madera muerta, están destinadas a morir. El hongo se suicida al alimentar a la orquídea, y esa orquídea mata su única fuente de vida, al absorber todo el alimento.

Ese fin espera a toda la gente de este mundo que prefiere vivir en tinieblas, en vez de disfrutar de la Luz del mundo, que es Jesús.

EL RASCON O POLLO DE AGUA

***El me esconderá en su tabernáculo en el día del mal; me ocultará en lo reservado de su morada* (Salmo 27:5).**

Es siempre emocionante ver un rascón. Este pájaro se esconde tan bien entre el pasto, los juncos y las plantas que requiere mucha paciencia y hasta suerte para ver a uno de los rascones pequeños. Los rascones grandes con frecuencia salen de los pastos de los pantanos y andan por los bordes fangosos, pero los pequeños rascones no aparecen, excepto en raras ocasiones. Estas aves varían en tamaño, desde unos diez centímetros (cuatro pulgadas) hasta el tamaño de un pollo.

Un día en que estábamos en el sur de México, quisimos ver a algún pequeño rascón rojo. Podíamos oír sus cantos entre el alto pasto del pantano, pero no podíamos divisar a ninguno de esos pájaros de rojo plumaje. Aunque esos rascones no son más grandes que un gorrión, hacen tanto alboroto como una docena de gallinas. Hasta procuramos atraerlos hacia el campo despejado usando un grabador. Grabamos sus sonidos y llamados, y después los tocamos con la esperanza de que se acercaran para poder verlos. Al oír sus llamados los rascones se acercaron. Podíamos oír su respuesta y podíamos ver el movimiento del pasto que se acercaba hacia nosotros. Uno de ellos se acercó hasta casi tocar mis botas. Pude ver el movimiento del pasto y oír su graznido, pero no pude ver al rascón. No pude divisar a ninguno de los rascones rojos, aunque andaban a nuestro alrededor en pleno día. En tres viajes que hice a México y en varias visitas al mismo pantano, nunca pude ver un rascón rojo. Es un misterio cómo se pueden esconder de esa manera.

En los Estados Unidos existe el rascón negro, que es casi del mismo tamaño que el rojo. En treinta años de búsqueda, nunca vi a ninguno.

Si Dios puede formar un pabellón de pasto capaz de proteger tan bien a los rascones, seguramente podrá escondernos en los días malos.

Noviembre 9

LA HIENA PATRULLA SUS FRONTERAS

***Porque fortificó los cerrojos de tus puertas; bendijo a tus hijos dentro de ti. El da en tu territorio la paz; te hará saciar con lo mejor del trigo* (Salmo 147:13, 14).**

La hiena no es un animal tan malo como muchos han sido inducidos a creer. En muchos respectos cumple en las llanuras del Africa lo que hace el lobo en los llanos del hemisferio occidental. Y parece que es tan inteligente y tan bien organizada como el lobo.

Hans Kruuk pasó tres años y medio observando las hienas en el Africa, y escribió sus observaciones en un libro titulado *La hiena moteada*. La mayor corrección de la mala fama atribuida a la hiena, fue descubrir que una manada de hienas prefiere cazar sus propias presas, y las abaten con más rapidez y compasión que los leones. Las hienas no son dadas sólo a robar su alimento, como nos han hecho creer, aunque no están libres de ese hábito.

Las hienas tienen un sistema social muy desarrollado, y mantienen bien marcado su territorio, que patrullan regularmente. Un grupo de ocho a diez hienas se juntan en un punto fijado para patrullar el límite de su territorio. Después de mucho olfatear y de amigable roce de los hocicos, la hembra dominante dirige la vigilancia de la porción que han de patrullar en ese día. Las hienas no sólo tienen glándulas odoríferas debajo de la cola como otros animales carnívoros, sino que también las tienen debajo de las patas. Por eso pasan bastante tiempo a lo largo de su frontera, raspando la tierra para asegurar que su propio olor quede bien plantado en el suelo. Después de haber cubierto uno o dos kilómetros de su frontera, la patrulla deja la tarea para seguirla al día siguiente.

De esa manera las hienas mantienen el respeto de su territorio donde otras hienas probablemente no las molestarán. De modo que hasta las menos amables criaturas de Dios están provistas de medios para mantener su territorio.

DONDE HAY LUZ, HAY VIDA

En él estaba la vida, y la vida era la luz de los hombres **(Juan 1:4).**

Un día en que estaba leyendo un libro acerca de las cavernas, llegué a una sección titulada: "Donde hay luz, hay vida". Me pareció un título raro en un libro acerca de las cavernas, pero pronto me di cuenta de lo que el autor quería decir. Aunque hay algunas cosas vivientes en las cavernas, suelen ser ciegas y descoloridas por haber vivido en la oscuridad durante cientos de generaciones, pero todavía dependen de la luz exterior que les provee vida.

La vida en esta tierra depende de la luz del sol, y las criaturas que viven en la oscuridad de las cuevas reciben esa vida después de haber pasado a través de varias formas de vida y haberse descompuesto y convertido en alimento que las criaturas de las cavernas comen. Estas criaturas reciben su alimento de lo que dejan otros seres que salen de la caverna para alimentarse y luego vuelven a refugiarse en ella. Con frecuencia esas criaturas mueren en el interior y dejan su cuerpo que también sirve de alimento.

Hasta las plantas que crecen en la oscuridad de una cueva o en los huecos debajo de las casas, como las bacterias, el moho y los hongos, reciben su alimento de otras cosas descompuestas que una vez estuvieron vivas en la luz del sol, como ramas de los árboles, hojas y raíces de otras plantas, insectos muertos y hasta de otros hongos, bacterias o moho.

Ninguna vida se origina en las tinieblas, sino que depende de otra fuente de vida que vive en la luz. "Donde hay luz, hay vida".

Esta verdad es un hecho también en nuestra vida. No podemos existir sin Jesús. El es la Luz del mundo. Algunas personas pueden vivir como los parásitos, de la vida que otros reciben de Jesús, pero nuestra salvación depende de la luz que *nosotros* recibimos directamente de Jesús, no de la que obtenemos de otros.

Noviembre 11

HORMIGAS MEDICAS

Lo que de Dios se conoce les es manifiesto, pues Dios se lo manifestó. Porque las cosas invisibles de él, su eterno poder y deidad, se hacen claramente visibles desde la creación del mundo, siendo entendidas por medio de las cosas hechas, de modo que no tienen excusa **(Romanos 1:19, 20).**

A veces pensamos que los paganos que nunca oyeron hablar de Jesús, no tienen manera de conocer a Dios. En este texto Pablo dice que esa gente no tiene excusa, porque han tenido las maravillas creadas por Dios a su alrededor todo el tiempo.

Hasta la gente más primitiva de las selvas y los desiertos del mundo ha aprendido a emplear las cosas de la naturaleza para mantenerse sanos. Hay medicinas y remedios naturales que han sido usados durante miles de años, y muchos de ellos han sido adoptados por los médicos entendidos. Algunas de estas medicinas son muy primitivas, pero en ausencia de otras cosas mejores, dan resultado. Las hormigas médicas son un buen ejemplo.

En las selvas y bosques del Brasil hay una hormiga cortadora de hojas, bastante grande, que los indios usan para suturar heridas, las primeras suturas del mundo. Estas hormigas tienen una especie de mandíbulas grandes, muy afiladas. Cuando un indio se hiere, sus compañeros buscan una cantidad de estas hormigas. Le limpian la herida, le juntan los bordes de la herida, toman una de esas hormigas y la acercan a la herida de modo que muerda la piel separada de la herida. Cuando la hormiga ha mordido la herida y juntado sus bordes, le arrancan el cuerpo, y esas mandíbulas se mantienen cerradas hasta que sana la herida. Los indios han aprendido a usar esas hormigas en la misma forma como el médico emplea el hilo para coser las heridas.

Una de las cosas admirables que los misioneros cristianos cuentan a esa gente primitiva del mundo es que Jesús los ama y quiere ser su gran Médico.

"QUARKS" ENCANTADOS

***¿Descubrirás tú los secretos de Dios? ¿Llegarás tú a la perfección del Todopoderoso?* (Job 11:7).**

Toda materia está compuesta de *quarks*, que probablemente están unidos entre sí con *gluons*. Cuando leí por primera vez una versión más complicada de esa frase, viajaba en un avión, y el pensamiento me pareció tan divertido que empecé a reír en voz alta. Otros pasajeros me miraron y sonrieron, pensando que tal vez yo estaría leyendo algún chiste. Pero aunque los *quarks* y *gluons* no son bromas, yo seguí riendo porque el artículo continuaba diciendo que nadie ha visto jamás un *quark*, que algunos de ellos ni habían sido descubiertos aún. Los *quarks* son difíciles de hallar porque duran sólo dos millonésimas de segundo. Uno tiene que estar muy alerta para tener alguna vislumbre de un *quark*.

Sin embargo el equipo técnico actual y la investigación científica son tan exactos y maravillosos, que esas cosas se pueden estudiar. Hasta hace poco, los hombres pensaban que la más pequeña partícula de materia era el átomo. El descubrimiento de que los átomos están formados de protones, electrones y neutrones, fue algo impresionante. Ahora, nuevas máquinas bombardean con más fuerza al átomo, y han empezado a aparecer otras partículas como los muones, y los neutrinos. Y bien pronto hubo tantas clases de partículas, que hubo que clasificarlas por familias. Así, las partes que componen los protones fueron llamadas hadrones, mientras que las partículas como los muones, los electrones y los neutrinos fueron llamados leptones. Tal vez tú también sonríes debido a esos nombres raros y por el desencanto de no poder siquiera imaginarse cosas tan pequeñas, que nadie ha visto jamás, ni aun con los microscopios electrónicos.

Así, cuando leí que los protones están compuestos de partículas aún menores, llamadas *quarks*, estuve a punto de desistir. Ahora algunos físicos sostienen haber encontrado *quarks* elevados, otros inferiores, otros extraños y hasta *quarks* encantados. Me queda una sola pregunta: ¿Y de qué están formados los *quarks*?

Noviembre 13

UN CIELO PARA LOS MONOS

***De Jehová es la tierra y su plenitud; el mundo y los que en él habitan* (Salmo 24:1).**

La visita a un zoológico ha sido siempre deprimente para mí. Me gusta ver a los animales, pero ni aun el mejor zoológico provee a los animales la libertad que disfrutarían en la vida natural de su ambiente. Los pequeños zoológicos con grandes letreros, que hay en algunos países, para atraer a los turistas, son una cárcel para los animales de vida selvática, y no pienso visitarlos jamás. Por otro lado hay unos pocos casos en los cuales algunas personas han provisto un ambiente muy natural para los animales, que es una delicia visitar.

Scott Lindbergh, uno de los tres hijos del famoso aviador Carlos Lindbergh, ha construido un hogar campestre en Francia para varias clases de monos. Scott es diplomado en sicología animal, y está estudiando los hábitos de varias clases de monos en su estado natural. Allá ha preparado algo así como un cielo para los monos. Los monos chillones, los monos ardillas y otras clases de monos viven allí en relativa paz entre sí, excepto peleas territoriales entre algunos machos dominantes. Uno de los monos hasta decidió huir de ese hogar y vivir en el bosque. Y Lindbergh va de vez en cuando al bosque para observarlo. Fuera de eso lo deja que se atienda a sí mismo.

Los demás monos tienen plena libertad en ese lugar, y pueden irse al bosque si quieren. Pero parece que les gusta quedarse en la hacienda de Lindbergh. Los monos están aprendiendo a llevarse bien entre sí y les va bien, probablemente porque se satisfacen todas sus necesidades. En la mayoría de los casos no se necesita enjaularlos, porque raramente salen de la hacienda.

Nosotros no somos monos, pero con frecuencia actuamos como ellos cuando nos peleamos en las selvas o peleamos por el alimento y la tierra. En Jesús tenemos todo lo que requerimos. No necesitamos luchar por más cosas. ¿Cuándo aprenderemos a confiar en nuestro Señor y a vivir en paz? Si los monos pueden aprenderlo, de seguro que nosotros también.

LA VAQUITA DE SAN ANTON

Reprenderé también por vosotros al devorador, y no os destruirá el fruto de la tierra, ni vuestra vid en el campo será estéril **(Malaquías 3:11).**

Aparecen de muchas maneras y tienen muchos nombres, pero es uno de los mejores destructores de las pestes. Los agricultores de la Edad Media creían que la vaquita de San Antón obraba milagros en sus cosechas, y la llamaban Nuestra Señora, porque atribuían su envío a la Virgen María. Hay más de cuatro mil variedades de ese insecto en el mundo. Además del rojo con manchas negras, hay algunos carmelitas, otros amarillos y otros negros. Una de esas vaquitas especialmente hermosa es de color negro con puntos rojos, exactamente lo contrario al tipo más conocido.

Abundan los mitos acerca de este fascinante insecto. Antiguamente creían que la vaquita traía buen tiempo y buena suerte. En algunos lugares creían que sanaba el dolor de muelas. Para eso aplastaban a ese insecto y lo colocaban sobre la muela dolorida. Pero no era un mito que la vaquita de San Antón traía buenas cosechas a los agricultores.

La vaquita es uno de los más benéficos insectos, porque come millones y millones de otros insectos perjudiciales. Hasta se pueden comprar vaquitas y soltarlas en el jardín para destruir las pestes. Las vaquitas son insectos muy resistentes. Pueden vivir semanas sin alimento, y pueden comer insectos así como polen. Y como tienen mal gusto para los pájaros, sobreviven bastante bien. En invierno se juntan en gran cantidad para hibernar debajo de palos, hojas, cáscaras y hasta debajo de piedras. En un grupo que hibernaba en California, contaron 750 millones de vaquitas de San Antón.

Con tantos insectos dañinos que hay en el mundo, es maravilloso saber que Dios ha provisto a los agricultores con este insecto benéfico. El Creador permite que el pecado siga su curso, pero ha prometido bendecir a los que confían en él.

Noviembre 15

CUANDO CAEN LOS RAYOS

***Como el relámpago que sale del oriente y se muestra hasta el occidente, así será también la venida del Hijo del hombre* (Mateo 24:27).**

¿Saben ustedes dónde ir cuando empiezan a caer los rayos? O tal vez más importante, ¿sabes dónde no se debe ir cuando caen? ¿Sabes que cada año más personas mueren por los rayos que por los huracanes, los tornados y las inundaciones combinados? Y en contra de la creencia popular, los rayos pueden caer dos veces en el mismo lugar. Es muy importante saber qué hacer y dejar de hacer en una tormenta eléctrica.

Se estudiaron mil caídas de rayos causantes de muerte para determinar cuál es el lugar más seguro durante una tormenta con rayos. A los siguientes puntos no conviene ir: espacios abiertos, debajo de los árboles, cerca del agua, cerca de objetos altos de metal, dentro de refugios o graneros pequeños, cerca de aparatos eléctricos, frente a un hogar de calefacción, frente a una ventana o puerta abiertas, ni hablar por teléfono.

Para estar seguro conviene estar en un edificio grande, especialmente cuando está protegido por pararrayos. Cuanto más grande sea el edificio, más seguro será. Un auto cerrado, no un convertible, también es bueno.

Si cuando estalla la tormenta de rayos, estamos en un lugar abierto, conviene entrar en un canal o zanja más baja que el nivel de la tierra, pero que esté sin agua. Si la tierra está seca y no está lloviendo, y no hay ninguna zanja disponible, conviene acostarse en el suelo. Si el suelo está mojado o empieza a llover, hay que agacharse y poner la cabeza entre las rodillas. Si se está en un bosque, hay que buscar un grupo de los árboles más bajos o arbustos bajos y quedarse allí, pero sin apoyarse ni contra el más bajo de los árboles.

Cuando los rayos de la segunda venida de Cristo empiecen a centellear por todo el mundo, ¿habrá lugares donde no debiéramos estar? ¿Dónde nos encontraremos cuando Jesús venga?

LA FLOR QUE ORA

***Dios les envía un poder engañoso, para que crean la mentira* (2 Tesalonicenses 2:11).**

Probablemente estarás familiarizado con un insecto común, miembro de una familia numerosa extendida por todo el mundo. Se llama mantis rezador, por la forma en que pone sus patas delanteras que parecen manos dobladas en oración. Sin embargo, los mantis probablemente no sean un buen ejemplo de una saludable vida de oración. Más bien, son un excelente ejemplo de una vida engañosa y sanguinaria. A pesar de su nombre, el mantis rezador es un agresivo y cruel cazador.

En el sureste de Asia hay muchas clases de mantis. Algunos tienen la apariencia de hojas enfermas, con nervadura de hojas, puntos magullados y otros defectos. Otros mantis parecen hojas secas. Pero tal vez, el más interesante de todos los mantis es el que parece una hermosa orquídea.

Los mantis floridos empiezan su vida en forma engañosa, y después cambian a otra forma. Al principio los mantis jóvenes son de un rojo brillante con puntos negros. Tienen el aspecto de esos insectos que los animalitos de rapiña no atacan por su mal gusto. Sin embargo, después de su primera forma, los mantis floridos adquieren la apariencia de flores. Y la semejanza es tal que la gente los examina pensando que son una flor, sin darse cuenta de que es un mantis escondido entre las flores. Uno de estos mantis floridos es de color rosado suave, exactamente como las orquídeas sobre las cuales vive. Sus patas delanteras son ensanchadas y parecen pétalos, y su abdomen finamente listado se parece al centro de una flor. Cuando el confiado insecto llega para alimentarse de lo que creía que era una flor, termina como alimento del mantis.

Los engaños de Satanás son del todo engañosos como los mantis floridos. Sólo Jesús, viviendo en nosotros, puede ver el peligro a tiempo para salvarnos de las mentiras del diablo.

Noviembre 17

EL GANSO Y EL JUGADOR DE GOLF

***Mucha paz tienen los que aman tu ley, y no hay para ellos tropiezo* (Salmo 119:165).**

¿Hiciste alguna vez algo que después hubieras deseado no haber hecho? ¿Dijiste alguna vez alguna mentira para evitar la consecuencia de una mala acción? Según los informes, cierto jugador de golf hizo eso hace pocos años.

Llamémoslo Juan, aunque no es su verdadero nombre. Juan acomodó su palo de golf para golpear la pelota; y como es normal, estaba un poco tenso. En el momento en que levantó el palo para golpear la pelota, cantó un ganso que estaba cerca, Juan erró, culpó al ganso y con su palo le dio un golpe que resultó mortal.

Es dudoso que después de matar al ganso, Juan se sintiera mejor. Después tuvo que hacer frente al hecho de que no sólo había perdido su dominio propio, sino que había quebrantado varias leyes. Para cubrir su falta, Juan escondió el ganso muerto dentro de su bolsa de golf y se lo llevó. Pero algunos testigos denunciaron a Juan a las autoridades, que lo arrestaron. Fue acusado de haber matado a un ganso fuera de la estación permitida y de tener un ganso en su poder, un ave protegida por la ley de los Estados Unidos, donde esto sucedió.

En un esfuerzo por librarse, Juan contó el caso de un modo diferente que los testigos. Dijo que la pelota de golf había golpeado al ganso por accidente, y que el ganso había quedado herido de gravedad, por lo que el tuvo que matarlo para aliviar su sufrimiento. Algunos amigos testificaron en su favor, y como el ganso ya estaba muerto, poco más se podía hacer.

Si los testigos de esta acción están en lo cierto, Juan se enojó fácilmente y se dejó llevar a acometer una mala acción. No respetó la ley que protege a los gansos, ni respetó al ganso. ¿Qué significa amar la ley?

ABEJAS QUE HACEN BOLSAS DE POLIESTER

***Diré yo a Jehová: Esperanza mía, y castillo mío; mi Dios, en quien confiaré* (Salmo 91:2).**

Si creemos que Dios creó todas las cosas, y que ordenó todo para la protección de sus criaturas, no será difícil que creamos que el mismo Creador, nuestro Señor y Maestro, Jesucristo, será capaz de protegernos y guardarnos de todo peligro.

Veamos, por ejemplo, las abejas del género *Colletes.* Haciendo extensas pruebas químicas, se ha llegado a saber que estas abejas producen en realidad, bolsas de poliéster para sus crías. Hacen esas bolsas del mismo material de esas bolsas plásticas para sandwiches que se compran en los mercados. Es asombroso que esas diminutas criaturas han estado siempre produciendo esa compleja sustancia.

Aunque hace tiempo que se sabía que esas abejas producían bolsas plásticas, poco se sabía cómo las producían, hasta que la entomóloga (persona que estudia los insectos) Susana Batra empezó a estudiar esa variedad de abejas. Antes se creía que hacían esas bolsitas de plástico con una secreción que emitían de la boca. Pero la Dra. Batra descubrió que se producía en el aguijón, en gotitas que luego la abeja extendía en el suelo donde fabricaba la bolsa.

Al final la bolsita tiene el tamaño de un dedal, con una tapa. Entonces la abeja la llena con polen y néctar, pone allí un huevo, y la sella. El proceso lleva varias horas, y cuando está terminada, la bolsita de poliéster queda impermeable a la entrada de todo líquido. El huevo y el alimento de la futura larva se conservan secos en el suelo, aunque la tierra esté constantemente empapada por las densas lluvias. Allí dentro, la abejita se mantiene seca y protegida del moho y los animales de rapiña.

Si Jesús protege así a las diminutas abejitas, ¿no nos protegerá con mucha más razón a nosotros?

Noviembre 19

DISMUTASA SUPEROXIDA

***El ángel de Jehová acampa alrededor de los que le temen, y los defiende* (Salmo 34:7).**

Existe una posible situación peligrosa en toda célula viviente, de planta o animal. Es la presencia del oxígeno. Alguien dirá: el oxígeno no puede ser peligroso, más bien lo necesitamos. Es cierto, pero debido a su composición, un átomo de oxígeno fácilmente puede atraer cualquier electrón extraviado. En realidad, eso sucedería si no fuera por un agente protector especial que hay en las células de toda cosa viva.

En la operación de rutina de las células vivas, el oxígeno puede atraer cualquier electrón que ande por ahí. Y esos electrones abundan en toda la naturaleza. Cuando se agrega un electrón a la estructura del oxígeno, de repente llega a ser una fuerza mortífera en la célula, al destruir el DNA, que es la sustancia vital de la célula. Y entonces, ¿por qué no sucede eso?

Porque en las células hay un cazador de electrones perdidos, que opera como una aspiradora y prende cada electrón que pasa y lo une a otra sustancia, para que no se agregue al oxígeno. El nombre de este maravilloso cazador es dismutasa superóxida, que se halla en toda célula viva.

Es interesante que el único lugar donde se halla la dismutasa superóxida es en las células, exactamente donde se la necesita para evitar ese posible peligro. Cuando Dios nos hizo, nos dio toda la protección que necesitamos. Mientras cuidamos nuestro cuerpo y seguimos las reglas de la buena salud, el cuerpo funciona bien.

También es cierto que el mismo Creador que dio la protección a cada célula de nuestro cuerpo, nos dio protección contra el pecado y los peligros de este mundo, que no es más que una célula en el vasto universo. Nos ha dado el cuidado de sus ángeles, que nos guardan en todos nuestros caminos (Salmo 91:11). Somos tan esenciales para el programa de Dios como el oxígeno en la naturaleza, y él nos ha dado toda la protección que necesitamos.

LAS ALMENDRAS NO SON NUECES

***El día siguiente Moisés vino al tabernáculo del testimonio; y he aquí que la vara de Aarón de la casa de Leví había reverdecido, y echado flores, y arrojado renuevos, y producido almendras* (Números 17:8).**

Tal vez éste sea un punto rebuscado, pero en realidad las almendras son las semillas de la fruta. La almendra está emparentada con el durazno (melocotón). En su estado inicial es difícil notar la diferencia entre una almendra y un durazno. Si alguna vez hemos quebrado el carozo de un durazno para examinar la semilla que tiene dentro, habremos podido comprobar el parentesco de esos dos árboles. La semilla interior del durazno parece una almendra en miniatura. Pero cuando las dos frutas maduran, el durazno se convierte en la fruta jugosa que a todos gusta, mientras la fruta de la almendra se vuelve un casco reseco que contiene la semilla y la almendra dentro.

En California crecen las mejores almendras del mundo, con el mayor rendimiento. Los únicos otros lugares del mundo que producen almendras en cantidad comercial son algunos países mediterráneos. Las almendras son muy nutritivas; ricas en magnesio y fósforo, bajas en colesterol, con alto contenido de ácido linoleico, necesario para la salud de la piel. Son un admirable alimento, pero son generalmente caras. Uno de los regalos especiales que Jacob mandó a Faraón fueron almendras.

En la Biblia Dios usa el almendro para simbolizar su favor especial y su cuidado sobre su pueblo. Cuando hubo que decidir qué tribu sería líder espiritual de Israel, Dios pidió a Moisés que los representantes de cada tribu trajeran una vara al tabernáculo, para dejarlas en él durante la noche, y les dijo que la vara del representante elegido florecería en esa noche. Al día siguiente hallaron que la vara de Aarón no sólo había florecido, sino que también había producido almendras.

Noviembre 21

LA COBRA QUE "ESCUPE"

***El que aborrece a su hermano está en tinieblas, y anda en tinieblas, y no sabe a dónde va, porque las tinieblas le han cegado los ojos* (1 Juan 2:11).**

No todas las cobras escupen, algunas sólo muerden. Pero en el Africa por lo menos, las cobras normalmente escupen en vez de morder, para debilitar y enceguecer a sus víctimas antes de cazarlas para comerlas.

El naturalista inglés R.C.H. Sweeney relata su primer encuentro en el Africa, con una cobra de cuello negro, que escupe. No había conocido antes esas cobras que escupen, de modo que no conocía la mortal puntería con que pueden proyectar su veneno a los ojos de sus enemigos. Un día, un vecino de Sweeney le dijo que tenía en su garaje una víbora en una caja. Cuando Sweeney fue a verla, levantó con cuidado la tapa de la caja. Y como no salía ninguna víbora, se asomó a mirar. Lo último que vio ese día fue parte de una víbora negra. De repente sintió un líquido en toda su cara y un fuerte dolor en los ojos. Se asió del brazo de su vecino y le gritó: "¡Sáqueme fuera! ¡Echeme leche en los ojos! ¡Es una cobra que escupe!"

Lo único que salvó a Sweeney de quedar ciego fue que se lavó los ojos en seguida con una solución alcalina para neutralizar el ácido del veneno.

Esa cobra escupe por medio de dos colmillos que tiene en los lados de la mandíbula superior. Su puntería es asombrosa, siempre "escupe" a los ojos, los que ubica por la luz que reflejan. Las gafas y los espejos también la inducen a escupir. Una cobra de un metro y cuarto (cuatro pies) puede lanzar su líquido hasta más de un metro de distancia.

Es muy apropiado que Juan dijera que el odio enceguese. El odio es el veneno del diablo, y su único antídoto es el amor de Jesús.

LA ZARIGUEYA VERDE

***Líbrame de mis enemigos, oh Jehová; en ti me refugio* (Salmo 143:9).**

Para los que viven en Estados Unidos, la palabra zarigüeya les evoca un animal más bien feo, blanco grisado, con una cola semejante a la de las ratas. Las dos clases de zarigüeyas de los Estados Unidos son la de Virginia y la de México, y las dos se asemejan entre sí. En Australia hay más de veinte clases, que están entre las más bonitas del mundo. Igual que las zarigüeyas de los Estados Unidos, son criaturas nocturnas. Y les dan nombres intrigantes, como zarigüeya pigmea de cola larga, zarigüeya común de cola arrollada, cola plumosa de planeador y zarigüeya verde. Esta última vamos a considerar ahora, aunque las otras son igualmente fascinantes.

El color de la zarigüeya verde está producido por los pigmentos negro, blanco y amarillo de su piel. La zarigüeya verde es un mamífero velloso muy bonito, de unos 60 cms de largo (25 pulgadas) desde la nariz hasta la punta de la cola. La mitad de ese largo es la cola. Su pelo largo y tupido forma una hermosa ondulación, y el animal pasa mucho tiempo peinándose en elaborado proceso. Hasta realiza notables contorsiones, doblándose hacia atrás para alcanzar la piel de su lomo, hasta que parece que se hubiera separado en dos partes, con los dos extremos mirando en la misma dirección.

Esa piel verde protege a la zarigüeya cuando duerme, porque se acurruca en la espesura de los árboles rodeada de hojas verdes. Con esa protección, es la única zarigüeya que no necesita madriguera ni hueco donde esconderse de día.

Si alguna vez tú sientes temor, acuérdate de la zarigüeya verde, que es capaz de esconderse en pleno día. Jesús, que dio a la zarigüeya verde su protección, ciertamente puede protegete a ti.

Noviembre 23

SALVADO DE LAS ABEJAS ASESINAS

Me rodearon como abejas; se enardecieron como fuego de espinos; mas en el nombre de Jehová yo las destruiré **(Salmo 118:12).**

La gente de los tiempos bíblicos conocía las abejas asesinas. En Deuteronomio 1:44, Moisés cuenta que los amorreos persiguieron a los israelitas como lo hacen las abejas, y los destruyeron. En años recientes hemos oído que las abejas asesinas del Africa han sido llevadas a Sudamérica, que se están extendiendo hacia el norte, y que dentro de algunos años llegarán a los Estados Unidos. Si eso es cierto, algún día podremos experimentar el Salmo 118:12 muy directamente.

Un naturalista estaba viajando en un Land Rover por la región desierta del noreste del Africa. Una mañana, cuando él y sus ayudantes nativos tomaban el desayuno, un enjambre de abejas los atacó. Eso sucedió tan rápidamente que no tuvieron tiempo de escapar al Land Rover. Los tres hombres huyeron a pie, seguidos por el denso enjambre de abejas. El naturalista entró en un matorral de pasto alto y se echó de bruces. Como a las abejas no les gusta el pasto, quedó a salvo. Sus ayudantes fueron picados muchas veces antes de poder huir.

Desafortunadamente, su campamento con el agua y el Land Rover —su único medio de escape— estaba rodeado por esas abejas asesinas. Después de varias horas y de muchas tentativas de llegar a su equipo, y después de muchas dolorosas picaduras, los hombres se preocuparon por sus vidas. Si no podían llegar hasta el agua, tal vez morirían deshidratados por el calor, y si las abejas seguían picándolos, podrían morir envenenados.

En un pálpito, el naturalista y uno de sus ayudantes cortaron varias ramas de una verbena muy fragante, y las sostuvieron sobre sus cabezas, en otro intento de llegar a su vehículo. El plan dio resultado. Las abejas quedaron confundidas por la fragancia y los hombres pudieron llegar hasta el Land Rover, con sólo unas pocas picaduras más.

Así también, la fragancia de Jesús, la Rosa de Sarón, confunde a nuestro enemigo, y nosotros quedamos a salvo.

INVENTOS ANTEDILUVIANOS

¿Quieres tú seguir la senda antigua que pisaron los hombres perversos, los cuales fueron cortados antes de tiempo, cuyo fundamento fue como un río derramado? **(Job 22:15, 16).**

En su obra en inglés *Secretos de las razas perdidas,* René Noorbergen presenta evidencias de que los antediluvianos tenían, si no todos, muchos de los inventos científicos de nuestros días. Muchas de las evidencias provienen de los hallazgos arqueológicos que no cuadran con las ideas clásicas de la historia del mundo. Los que no creen en la Biblia, tienen el problema de explicar ciertos artículos hallados. Como esos objetos no cuadran con las teorías de los hombres, ellos los consideran artículos extraños, fuera de lugar.

Uno de esos artículos fue hallado en 1961, cuando varios exploradores de rocas buscaban algunas muestras en California, cerca de la cumbre de las montañas Coso, a unos 1.400 metros de altura (4.200 pies). Lo que esta gente encontró, al principio parecía una geoda, una masa rocosa, generalmente hueca, tapizada de cristales. Al día siguiente, un hombre del grupo cortó la geoda en dos y encontró dentro un objeto que confundió a los científicos que trataron de explicarlo.

Dentro de la roca con apariencia de geoda hallaron un cilindro de cerámica de unos dos centímetros (menos de una pulgada) de diámetro. En el centro del cilindro había un alambre magnético y alrededor del cilindro había anillos de cobre. Después del esfuerzo por identificar ese objeto, todo lo que pudieron determinar es que parecía ser una especie de bujía, diferente de las que se conocen hoy. Cuando dieron esa roca a los geólogos para determinar su antigüedad, dijeron que por lo menos tenía medio millón de años de edad.

Hay toda razón para creer que los antediluvianos conocían la electricidad, y tenían máquinas e invenciones más fantásticas aún. La "senda antigua" que describe Job estaba repleta de cosas maravillosas, pero la maldad dominó hasta el punto en que todas las maravillosas invenciones fueron empleadas para la gloria y la degradación del hombre, y no para la gloria de Dios.

Noviembre 25

¿HABLAN LAS FLORES?

***Buscad primeramente el reino de Dios y su justicia, y todas estas cosas os serán añadidas* (Mateo 6:33).**

Si tú me preguntaras si las flores hablan, yo te preguntaría qué quieres decir con hablar. Si quieres decir comunicarse en algún lenguaje humano, te diría que no. Pero en realidad las flores nos hablan cuando las escuchamos. En realidad toda cosa viva que Dios creó, nos fue dada para hablarnos de él.

Para aprender lo que Dios quiere decirnos mediante la naturaleza, necesitamos aprender un lenguaje enteramente nuevo, que se siente más de lo que se habla o se oye. Oímos la voz de Dios como una suave y armoniosa voz. Adán y Eva asistieron a la escuela para aprender a leer, aunque no tuvieron libros ni pupitres como los de ahora. Del gran Maestro y de los ángeles aprendieron a leer el amor, la misericordia y la grandeza de Dios al oír las cosas que los rodeaban en el Edén y al contemplar los hermosos panoramas que se presentaban ante ellos. ¿Podemos aprender como aprendieron ellos? Sin duda, aunque no tan fácilmente.

No podemos hablar directamente con Jesús, pero él nos habla. Podemos oírlo al mirar las flores y pensar en él. Por ejemplo, el texto de hoy revela algo de lo que nos enseñan las flores. Jesús acababa de invitar a sus oyentes a considerar los lirios del campo. Empleó las flores para decirles a ellos y a nosotros, que él se encarga de nuestras necesidades, y que nuestra preocupación debe consistir en ser semejantes a él. Aquí va otro ejemplo: Todos sabemos que las flores se secan. En su primer libro, Pedro nos dice algo que las flores le dijeron a él, que la palabra de Dios "permanece para siempre" (1 Pedro 1:25).

Las flores nos cuentan algo de lo que Jesús quiere que aprendamos acerca de él y de nosotros. ¿Puedes tú pensar en algunas cosas que las flores te dijeron a ti? Practica dejar que las flores te hablen. Quedarás sorprendido de lo que dicen.

FUERTE, SALUDABLE Y FELIZ

***El entendido en la palabra hallará el bien, y el que confía en Jehová es bienaventurado* (Proverbios 16:20).**

No hace mucho la Dra. Kobasa, de la Universidad de Chicago, estudió la relación que hay entre la salud y la felicidad. Encontró que las personas que no saben afrontar las situaciones que se les presentan, son más propensas a enfermarse.

La Dra. Kobasa analizó la vida de 350 comerciantes, y encontró que el comerciante que no se aflige por los problemas que confronta cada día, es más probable que goce de mejor salud, rara vez se queda en casa por causa de enfermedad. Pero el que se siente miserable cada vez que algo diferente sucede inesperadamente, se enferma con frecuencia. Afronta la tensión enfermándose.

La Dra. Kobasa dice que las personas saludables no sólo atienden bien los problemas, sino que se sienten a gusto con ellos. Las personas saludables dan la bienvenida a los desafíos de la vida. Para ellos, los problemas son más como aventuras que como eventos desanimadores. ¿Te gusta tener problemas?

La Biblia dice que para un cristiano saludable, las tentaciones diarias son medios para mostrar que el poder de Dios está operando en él (Santiago 1:2, 3; 1 Pedro 1:6, 7). Cuando Moisés trató de afrontar con su propia fuerza los problemas de la vida, fue un miserable fracaso. Pero cuando dejó que Dios se encargara de su vida, *eligió* "antes ser maltratado con el pueblo de Dios, que gozar de los deleites temporales del pecado" (Hebreos 11:25).

Experimenta cada mañana diciendo: "Señor, puedes disponer de este día. Si yo hago mis propias cosas, estoy seguro de fracasar. Confío que no me guiarás a ninguna tentación demasiado grande para mí, y estaré dispuesto a enfrentar las aventuras que pondrás en mi camino". Y entonces atiende las actividades del día esperando lo que el Señor te envíe. Encontrarás que así tendrás más fuerza para afrontar los problemas del día, y estarás más feliz y más saludable.

Noviembre 27

ROTACION ALIMENTICIA DEL MIRLO

***El está sentado sobre el círculo de la tierra, cuyos moradores son como langostas; él extiende los cielos como una cortina, los despliega como una tienda para morar* (Isaías 40:22).**

Las bandadas de mirlos son comunes en el sur de los Estados Unidos. El tamaño de esas bandadas varía, pero pueden estar formadas de millones de diferentes clases de mirlos que se reúnen al atardecer. Aunque las bandadas son comunes, poco se sabe de qué manera se conducen en el descanso y cómo seleccionan el lugar. Sin embargo, dos ornitólogos observaron el comienzo de uno de esos descansos, y su informe es notable.

Steve Fretwell y Elmer Fink observaron una bandada de como 300.000 mirlos. Era evidente que era la primera mañana de la bandada. Los pájaros partieron volando hacia el sur. La siguiente mañana hacia el este. La tercera mañana los pájaros volaron hacia el norte. Después, cada mañana giraron la dirección de su vuelo en 25 a 30 grados en sentido contrario al de la brújula. Además, cuando los pájaros volvían cada tarde, venían volando de una dirección que tenía 15 grados de diferencia con la dirección en que habían salido esa mañana. Los pájaros siguieron esa rotación diariamente hasta completar el círculo, y estar listos —así pensaron los observadores— para iniciar el círculo de nuevo. Pero a la mañana siguiente después que los mirlos habían completado su rotación, se dividieron en grupos y volaron en toda dirección. Parecía que habían explorado todo el contorno, y ahora cada grupo se movía por su cuenta en busca de lo que pudieran en esa región. Como lo dice Fretwell: "Era una escena desordenada, con oleadas de pájaros que volaban en toda dirección".

El Señor, que se sienta sobre el círculo de la tierra, ha puesto el conocimiento de ese círculo dentro de los mirlos, y les ayuda a buscar su alimento invernal.

MONO FUERA DE LA JAULA

***No os conforméis a este siglo, sino transformaos por medio de la renovación de vuestro entendimiento, para que comprobéis cuál sea la buena voluntad de Dios, agradable y perfecta* (Romanos 12:2).**

Hace varios años se construyó una nueva exhibición en el zoológico de Chicago. Ese proyecto, que costó nueve millones de dólares, se llamó Edificio Tropical del Mundo. Era un escenario natural, más grande que una cancha de fútbol, completa con árboles, peñascos, enredaderas, cascadas y piscinas. Era una magnífica exhibición de las regiones tropicales del mundo.

Cuando abrieron la exhibición, soltaron una cantidad de pequeños monos en ese nuevo y admirable ambiente. Todos pensaban que los monos se sentirían a gusto en lo que era su ambiente nativo. Pero los monos habían pasado la mayor parte de su vida en jaulas, detrás de rejas, y ese nuevo lugar era tan extraño para ellos que no sabían qué hacer.

Los monitos caían de los árboles, algo que ningún mono haría. Un mono vio un gorila y se atemorizó tanto que cayó en una piscina, y se hubiera ahogado si un empleado del zoológico no lo hubiera rescatado a tiempo.

Los monos no tenían experiencia en trepar a los árboles ni a las enredaderas. Pero después de pasar un tiempo en ese nuevo ambiente, y antes de mucho pudieron adaptarse a todas las maravillas de la selva que nunca antes habían conocido. Su conocimiento del mundo pasó por una completa transformación en pocas horas.

Llegar a ser un cristiano, después de haber sido un pecador, es una experiencia similar a la de esos monos. Hemos sido esclavos del pecado, y cuando Jesús nos liberta a una nueva vida con él, nos toma tiempo ajustarnos a esta nueva y maravillosa vida. Si no hubieran dado a esos monos un poco de tiempo para ajustarse, hubieran preferido su antigua vida en las jaulas. Lo mismo sucede con nosotros. Cuando llegamos a ser cristianos, tropezamos y caemos; pero Jesús nos da tiempo, y nos rescata cuando caemos en dificultad.

Noviembre 29

BUSCADORES DE ORO

***Sin fe es imposible agradar a Dios; porque es necesario que el que se acerca a Dios crea que le hay, y que es galardonador de los que le buscan* (Hebreos 11:6).**

Los exploradores del Africa están usando termitas para que les ayuden a encontrar oro. Creen que hay enorme cantidad de oro debajo de las arenas del vasto desierto de Kalahari. Sin embargo, el problema de los exploradores está en saber dónde cavar. No sólo hay miles de hectáreas cuadradas de desierto, sino que las vetas de oro pueden estar a cien metros (300 pies) debajo de la superficie. Sería muy costoso cavar millones de pozos de prueba para descubrir el oro.

Pero las termitas viven en toda esa región y hacen sus nidos hasta 170 metros de profundidad (500 pies) en busca de agua. Estas termitas cultivan hongos en sus castillos de tierra para su alimento, y la humedad es necesaria para producir esos hongos. Los túneles que las termitas construyen hasta llegar al agua, no son tanto para beber el agua sino para que el agua se evapore y suba hasta las cámaras de los hongos.

La tierra que las termitas sacan para formar esos túneles, la depositan en la superficie como parte de sus casas. Esos castillos de las termitas pueden tener hasta casi dos metros de altura (seis pies). Todo lo que hacen los exploradores es llevar muestras de tierra de los centenares de montículos, y efectuar un examen químico de las muestras para determinar la presencia de oro y de otros minerales que podrían extraerse en forma comercial. Si encuentran oro en el montículo, los exploradores saben que pueden abrir una entrada para la mina debajo del nido de las termitas.

Los exploradores creen que hay oro en el desierto de Kalahari, y lo están buscando con diligencia. ¿Puedes tú imaginar la alegría que sienten cuando encuentran oro en esos montículos? Se sentirán como el hombre que Jesús contó que halló un gran tesoro en el campo, y vendió todo lo que tenía para comprar ese campo y quedarse con ese tesoro. Por supuesto, el tesoro que nosotros buscamos es Jesús.

EL INFIERNO DE LAS ESTRELLAS DE MAR

***El día del Señor vendrá como ladrón en la noche; en el cual los cielos pasarán con grande estruendo, y los elementos ardiendo serán deshechos, y la tierra y las obras que en ella hay serán quemadas* (2 Pedro 3:10).**

Durante el invierno de 1977 y 78, a lo largo de la costa mexicana del Pacífico y la de California, un tipo común de estrella de mar empezó a morir por millones. Al fin del verano de 1978, esas abundantes estrellas de mar, quedaron virtualmente extinguidas, y nadie sabía por qué.

Hasta ese tiempo la estrella de mar de diez centímetros (4 pulgadas) había deleitado a los buscadores de criaturas marinas. Eran tan abundantes que había un promedio aproximado de una estrella por metro.

El Dr. Donaldo Thomson, biólogo marino de la Universidad de Arizona, decidió ver si podía descubrir a qué se debía esa muerte masiva. Y descubrió que la causa era el calor. En el invierno de 1977 y 78 unos desacostumbrados vientos del sur soplaron constantemente a lo largo de la costa del Pacífico, donde viven las estrellas de mar, desplazando hacia el norte aguas más cálidas de las que se habían conocido en la historia reciente. La temperatura del agua aumentó entre dos y cuatro grados. Aunque ésta no era una elevación muy grande de la temperatura, fue mortal para las estrellas de mar, cuyo sistema estaba delicadamente adaptado a la temperatura más baja acostumbrada. Debido al aumento del calor en ese invierno, las estrellas se debilitaron, desarrollaron úlceras en la piel y murieron de infección bacterial que no pudieron resistir.

Pero algunas estrellas sobrevivieron, y cuando llegó el siguiente invierno sin ese viento sur cálido, una nueva generación de estrellas saludables empezó a multiplicarse de nuevo.

Cuando llegue el fin del mundo, el pecado y la maldad, que abundan en todas partes, serán destruidos por medio de un calor irresistible. La copa de la iniquidad estará llena; pero unos pocos, los que confían en Jesús, como oro probado por el fuego, serán salvos para vivir para siempre en un mundo nuevo.

Diciembre 1

SOMOS DIFERENTES

***Pues la Escritura dice: Todo aquel que en él creyere, no será avergonzado. Porque no hay diferencia entre judío y griego, pues el mismo que es Señor de todos, es rico para con todos los que le invocan* (Romanos 10:11, 12).**

Es obvio que un pájaro es diferente de una tortuga, y una mariposa es diferente de un pez. Es también obvio que hay diferencia entre los animales de especies diversas; por ejemplo, el ratón es diferente del elefante y el gorrión es diferente del águila, así como las personas son diferentes entre sí.

Hay diferencia no solamente entre los miembros de la misma raza, sino aun entre los miembros de una misma familia, a pesar de que es difícil a veces diferenciar a dos hermanos gemelos. Las diferencias hacen que el individuo sea único; y hacen que seamos lo que somos. No hay nadie, ninguna persona en el mundo, que sea exactamente igual a ti.

Una vez, un ornitólogo estudió las marcas negras de la cara y de la cabeza de ciertos pájaros azules con copete, que habitan en los Estados Unidos, para ver si los podía diferenciar entre sí. Si tú conocieras estos pájaros, dirías que son todos iguales; sería como decir que todos los gorriones son iguales. Pero, no es así. Después de observar a muchos de estos pájaros, el hombre de ciencia descubrió que cada uno de ellos era diferente de los demás y se lo podía distinguir del resto.

A veces, permitimos que las diferencias entre los individuos se conviertan en base para condenar a los demás, por ejemplo: diferencias de color de piel, altura, tamaño y forma de la nariz. En nuestro texto, Dios nos hace ver claramente que estas diferencias no importan en absoluto, pues él suple las necesidades de los que confían en él. No importa lo que parezcamos, Dios nos ama exactamente lo mismo. Pero él también sabe que cada uno de nosotros es diferente. Jesús lo expresó cuando dijo: "Pues aun vuestros cabellos están todos contados" (Mateo 10:30).

Recuerda que las características físicas de tu cuerpo y las de tu personalidad son diferentes de las de los demás, y son las que te convierten en un ser único, especial. Imagínate cuán aburrido y confuso sería el mundo si todos fuéramos exactamente iguales.

LLAMANDO A TODOS LOS INSECTOS

***Porque se levantará nación contra nación, y reino contra reino; y habrá pestes, y hambres, y terremotos en diferentes lugares* (Mateo 24:7).**

A través de todo el mundo, las superpotencias, y aun los países de menor importancia, tienen sistemas de observación para detectar lo que sucede en el plano militar de otros países. Es posible que el dirigente de un país llame a los dirigentes de otros países para invitarlos a aliarse con él e iniciar una guerra. La facilidad que tienen los gobernantes actuales para efectuar tales comunicaciones es tan sencilla, que la consideramos una cosa común. Sería muy fácil, en efecto, comenzar una guerra hoy día. Lo único que impide que diferentes países del mundo inicien una guerra es el poder de Dios; porque él espera que escuchemos al Espíritu Santo y que respondamos afirmativa o negativamente.

Tú sabes que los insectos tienen antenas en la cabeza. Y también sabes que éstas les sirven para recibir información. Hasta hace poco se creía que esta información venía a través de los olores. Cuando una molécula de olor era liberada, y recogida por otro insecto mediante las antenas, se suponía que tenía un signficado. Ahora, en cambio, hay evidencias de una teoría mejor. ¿Qué sucedería si las antenas de los insectos fueran realmente como las antenas de nuestra radio? Y suponte que lo que ellos recogen fuera la radiación electromagnética de la molécula de olor y no el olor mismo?

Si esto fuera así, entonces pronto sería posible controlar los movimientos de los insectos aprendiendo a transmitir las señales adecuadas a la población entera, por ejemplo, de las doríferas, que son unos insectos que atacan las plantas de las papas. Sería bueno tener esta capacidad, excepto que un poder enemigo podría transmitir otro mensaje que haría que los insectos se comieran nuestros alimentos. Si se probara que esta teoría es correcta, se desarrollaría toda una nueva forma de guerra.

Recuerda que el Creador, quien hizo los insectos, te hizo a ti y me hizo a mí; y que él nos llama. ¿Está tu antena sintonizada con Jesús? ¿Estás captando el mensaje? El fin está cercano, como nos lo dirían los insectos, si pudieran.

Diciembre 3

REY DE LA MONTAÑA

***Mas Jehová es el Dios verdadero; él es Dios vivo y Rey eterno; a su ira tiembla la tierra, y las naciones no pueden sufrir su indignación* (Jeremías 10:10).**

Cuando yo era muchacho, nos gustaba con mis amigos un juego llamado "Rey de la montaña". Generalmente lo jugábamos cuando una máquina de mover tierra levantaba un enorme montón de tierra en nuestro vecindario. Era un verdadero desafío poder mantenerse el último en la cima del montón mientras era empujado constantemente por los otros, cada uno de los cuales trataba de convertirse en el rey de la montaña. Generalmente, nadie podía mantenerse demasiado tiempo en la cima, y el "rey" de aquella montaña cambiaba muy seguido.

Hay un animal que también juega a ser el rey de la montaña. Es una clase de oveja que vive en las laderas de las montañas de Alaska y del noroeste del Canadá. Comiendo el pasto tierno y las flores que crecen en los valles y entre los peñascos, estas ovejas viven pacíficamente la mayor parte del año. Poseen una vista muy buena, que les permite evitar a los lobos y a los cazadores. Los carneros pueden llegar a medir hasta un metro de altura (40 pulgadas), sin contar la cabeza, y pesar hasta 90 kilos (200 libras). Tienen, además, grandes cuernos enroscados, que les dan una magnífica apariencia cuando se paran como estatuas en la cima de una montaña, y su silueta se recorta contra el cielo azul. Ellos también juegan al rey de la montaña, cuando son pequeños. Pero un día se convierten en adultos y llega la estación en que deben buscar una compañera. Y es entonces cuando se entablan tremendas batallas para determinar quién es el rey. Dos de estos carneros corren a toda velocidad uno frente al otro, y el choque que se produce entre sus cuernos puede oírse desde casi dos kilómetros de distancia (más de una milla). Y vuelven a repetir lo mismo hasta que uno se cansa y se va, dejándole el dominio al más fuerte. Pero el "rey" debe mantener constantes batallas para continuar con su título. Una cosa es convertirse en rey; otra, continuar siéndolo.

Nosotros tenemos un Rey en el que podemos confiar con certeza que seguirá siempre siendo Rey; y él siempre tendrá un reinado de paz. Hablando de su reinado, Dios dice: "No harán mal ni dañarán en todo mi santo monte; porque la tierra será llena del conocimiento de Jehová como las aguas cubren el mar" (Isaías 11:9).

EL QUETZAL ESTA DESAPARECIENDO

***He aquí, vuestra casa os es dejada desierta; y os digo que no me veréis, hasta que llegue el tiempo en que digáis: Bendito el que viene en nombre del Señor* (Lucas 13:35).**

El quetzal, esa magnífica ave que fue llamada con el nombre del dios azteca de la paz, Quetzalcoatl, es el ave nacional de Guatemala. Pero, ¡qué pena! Ya casi no hay más quetzales en ese país. ¡El quetzal está desapareciendo!

No hay pájaro más hermoso que éste en todo el mundo, y poder ver aunque fuera un solo quetzal fue por mucho tiempo uno de mis sueños más acariciados. No puedo ver cuadros, dibujos o fotografías de un quetzal sin pensar que debe haber descendido directamente, sin ningún cambio, del Jardín del Edén. El quetzal mide aproximadamente 1,20 metros de largo (4 pies), pero la mayor parte está constituida por su flotante cola, la que despliega resplandeciente y ondulante como una cinta de luz esmeralda, mientras vuela entre la densa selva.

Un amigo mío me contó que bajando por una montaña del sur de México, al salir de una nube baja que había en la cima, vio la escena inolvidable de un quetzal macho que sobrevolaba el lugar desplegando sus bellísimos colores. Volaba hacia arriba y hacia abajo, hacia adelante y hacia atrás, hacia la nube y saliendo de ella; volaba el quetzal como un rayo de sol que danzaba vestido de verde, dejando a mi amigo mudo y conmovido ante tanta belleza.

Pero el quetzal se está yendo de Guatemala. Los habitantes de ese país han talado las selvas en que vivía desde hace muchos siglos este pájaro que tan bellamente representaba el espíritu de la paz. Y las selvas de México, Honduras, Nicaragua, Costa Rica y Panamá donde todavía se lo encuentra, están siendo rápidamente taladas, explotadas y quemadas.

El quetzal no se iría, si tuviera un lugar adecuado donde estar. Pero no tiene otra alternativa que irse de sus lugares nativos.

Cuando nosotros no le dejamos lugar en nuestro corazón a Jesús, quedamos como la tierra desolada, sin la espesa selva y sin el quetzal.

Diciembre 5

LA AVISPA DE MAR

***¿Dónde está, oh muerte, tu aguijón? ¿Dónde, oh sepulcro, tu victoria?* (1 Corintios 15:55).**

Existen alrededor de tres mil clases diferentes de medusas, comúnmente llamadas aguamalas. Se las encuentra en todos los océanos y hasta en agua dulce. Muchas de ellas resultan un peligro para los bañistas, pero ninguna es tan potente como la llamada "avispa de mar", que se encuentra en las aguas que bañan las costas de Australia y el sudeste de Asia.

Las medusas tienen unos tentáculos que cuelgan desde la parte inferior del cuerpo; dichos tentáculos están provistos de pequeñas células que contienen una especie de flechas o dardos aún más pequeños, que están conectados a unas glándulas llenas de veneno, mediante una especie de hilos huecos. Cuando un pez u otro ser viviente se acerca a uno de sus tentáculos, la medusa lanza estos pequeños dardos como si fueran harpones, los que explotan e inyectan el veneno que contienen en la piel del ser que constituirá su futuro almuerzo. Si una medusa te aguijonea, lo recordarás por bastante tiempo. Debes recordar que las pequeñas células que poseen el aguijón o flecha todavía son potentes aun cuando el cuerpo de la medusa esté muerto; o aun cuando los tentáculos hayan sido separados del cuerpo. Aunque la mayoría de las medusas no son peligrosas, hay una excepción, y es la de la avispa de mar, cuyos dardos contienen un veneno mortal.

Los bañistas de las playas donde hay avispas de mar deben ser muy cuidadosos, porque la picadura de este animalito, de solamente diez centímetros (cuatro pulgadas) de diámetro, puede provocar la muerte en solamente tres minutos.

En nuestro texto, el apóstol pregunta acerca de otra clase de aguijón, el aguijón del pecado. Primeramente pregunta acerca de si hay alguna salvación posible de este aguijón y de la muerte que resulta como consecuencia, pues "la paga del pecado es muerte" (Romanos 6:23). Luego, nos da la respuesta él mismo: "El aguijón de la muerte es el pecado... Mas gracias sean dadas a Dios, que nos da la victoria por medio de nuestro Señor Jesucristo" (1 Corintios 15:56-57); junto con la tentación nos dará la salida (1 Corintios 10:13). ¿No es esto maravilloso?

LA COLMENA

***Y no cesaban día y noche de decir: Santo, santo, santo, santo es el Señor Dios Todopoderoso, el que era, el que es, y el que ha de venir* (Apocalipsis 4:8).**

El apóstol Juan no encontró las palabras adecuadas para describir lo que vio, así que hizo lo que pudo, y lo describió como lo expresa el versículo de hoy. Parece que el cielo es un lugar donde los seres vivientes se pasan alabando a Dios y sirviéndole. Nunca descansan, como lo hacemos nosotros, porque no se cansan ni se aburren.

Un buen ejemplo de este estilo de vida es una colmena de abejas. Veamos qué hacen.

Tan pronto como las obreras nacen y secan sus alas, comienzan a trabajar. Y nota que digo "obreras", porque todas las abejas que hacen miel en una colmena son hembras. Cada obrera tiene una tarea específica que realizar: algunas son enfermeras, otras son limpiadoras, otras funcionan como un equipo de aire acondicionado, y otras recogen néctar para hacer la miel. Una vez que comienzan a trabajar, que es inmediatamente después de su nacimiento, no dejan de hacerlo hasta su muerte. No se toman ningún tiempo de vacaciones, ni un fin de semana siquiera para descansar. Cuando no pueden trabajar afuera, trabajan en el interior de la colmena, ayudando en la limpieza u otra actividad. Son como verdaderas máquinas que trabajan incesantemente; y pareciera que no sabrían qué hacer con el tiempo libre. Su única preocupación en su vida es servir a la reina. Parecería que, literalmente, se matan trabajando, porque las obreras no dejan de hacerlo, excepto de noche, desde que nacen hasta que mueren.

¿Te gustaría, en el caso de que tuvieras trabajo, hacer una misma tarea todo el tiempo, sin poder hacer otra cosa? Supongamos que tengas que lavar platos de la mañana a la noche, durante toda tu vida. ¿Estás contento de no ser una abeja?

En un sentido, todos tenemos una tarea que hacer también; un trabajo continuo por el Rey y además nuestro culto de adoración a él. La Biblia dice: "Estad siempre gozosos. Orad sin cesar" (1 Tesalonicenses 5:16-17). Permitiendo que el Espíritu Santo more en nuestros corazones, alabaremos continuamente a Jesús, el Rey de reyes y Señor de señores.

Diciembre 7

LAS ENORMES BALLENAS

***Y creó Dios los grandes monstruos marinos, y todo ser viviente que se mueve, que las aguas produjeron según su género* (Génesis 1:21).**

Jesús debe haberse divertido bastante haciendo planes y creando este mundo con todas sus maravillas. Yo no sé exactamente cómo creó todas las cosas, pero la Biblia dice que "él dijo, y fue hecho" (Salmo 33:9). Por ejemplo, me pregunto cómo hizo Jesús las ballenas. ¿Te imaginas a Adán con una ballena domesticada? La ballena azul, el animal más grande del mundo, puede pesar hasta más de 150 toneladas. ¿Puedes ver a Adán llevando atada con una cuerda a una ballena azul a la orilla del agua?

Ultimamente, las ballenas se han hecho populares en las noticias, porque se las está cazando tanto que algunas clases se hallan en peligro de extinción. Jesús se debe entristecer cuando ve que matan una de sus criaturas de un modo tan cruel.

Los hombres de ciencia que estudian las ballenas nos dicen que las mamás ballenas muestran una ternura casi humana en el cuidado de sus pequeñuelos. Cuando nace el ballenato, que mide unos siete metros (24 pies) de largo, la mamá ballena azul se mantiene a su lado constantemente, tocándolo y acariciándolo con sus aletas, las que ella usa como nosotros usamos los brazos. Como las ballenas son animales mamíferos, el ballenato toma leche que le da la madre, que no es poca, pues es nada menos que 370 litros (100 galones) por día.

Además, te interesará saber que las ballenas cantan. Sí, cantan. Yo tengo una grabación de sus sonidos. Pareciera que tuvieran un idioma propio. ¿Verdad que sería interesante saber qué dicen o qué cantan? Me pregunto si Adán entendía el idioma de las ballenas.

Las enormes ballenas están entre los animales más maravillosos del mundo. Por medio del estudio de sus hábitos podemos aprender más acerca del poder y del amor de nuestro Creador. Quizá en la tierra nueva puedas hablarle a una ballena.

EL LENGUAJE DE LAS PROTEINAS

¡Cuán innumerables son tus obras, oh Jehová! Hiciste todas ellas con sabiduría; la tierra está llena de tus beneficios **(Salmo 104:24).**

Como tú sabes estás hecho de piel, huesos y músculos; también sabes que tienes glándulas, venas, arterias, pulmones, corazón, estómago, y una cantidad de otros órganos. Todas estas partes del cuerpo están hechas de células; y las células están formadas de partículas microscópicas de muchas clases. En realidad, nuestro cuerpo es tan complicado, que nadie conoce ni la mitad de lo que pasa dentro de él. Uno de los temas de mayor interés es el modo en que manufacturamos las proteínas, que son el elemento que construye y repara los tejidos del cuerpo, los que a su vez forman los órganos, y están a su vez, formados por células.

Es importante que consumas suficientes proteínas cuando comes, pero la proteína que tú comes solamente provee el material necesario para la producción de proteínas en el cuerpo. Las proteínas están hechas de unas sustancias que se llaman aminoácidos. Puedes imaginar que las proteínas son como las palabras, y los aminoácidos como las letras. Y así como hay 29 letras que componen todas las palabras del idioma español, hay veinte o más aminoácidos que fabrican toda la proteína que se encuentra en la naturaleza.

Las células manufacturan esta proteína de una manera especial. Si lo simplificamos, diremos que el proceso consiste en lo siguiente: una parte de la célula envía un mensaje codificado, o sea en clave, llamado RNA (ácido ribonucleico). Cada mensajero RNA se pone en contacto con una fábrica productora de proteína llamada ribosoma. El ribosoma recibe el mensaje y se dispone a fabricar la proteína que se le ha pedido que haga. Como las proteínas están hechas de aminoácidos, el ribosoma descifra el mensaje codificado traído por el RNA y envía pedidos de cada uno de los aminoácidos que necesita. Recuerda que hay solamente unos veinte aminoácidos diferentes. A medida que los aminoácidos pedidos específicamente son colocados juntos, se produce la proteína que queda lista para trabajar y cumplir su función de cuidarte.

Las proteínas realizan funciones tales como la de transmitir las señales de los nervios, detener una hemorragia cuando te cortas un dedo, y proteger tu cuerpo de enfermedades mediante el sistema de inmunidad. ¡Qué maravilloso Creador tenemos, que nos ha hecho tan bien!

Diciembre 9

INSECTOS COMESTIBLES

***De ellos pueden comer los siguientes: toda clase de langostas, langostones, grillos y saltamontes* (Levítico 11:22, versión Dios Habla Hoy).**

Seguramente te sorprenderá que Dios les haya dado a los israelitas permiso para comer insectos. El versículo anterior decía que debían considerar despreciable todo insecto que vuele y camine, "pero pueden comer de los que, aunque vuelen y caminen, tengan también piernas unidas a sus patas para saltar por el suelo" (versículo 21).

Los insectos mencionados aquí se relacionan entre sí. Así como los animales y los pájaros mencionados en el mismo capítulo, estos insectos son herbívoros, o sea que comen plantas solamente. Este hecho hace que muy difícilmente sean portadores de enfermedades. Ahora, ¿quisieras salir y atrapar algunas langostas y grillos para la cena? Debemos reconocer que este texto no recomienda tal cosa, sino que simplemente se trata de un reglamento para los que estaban acostumbrados a comer *toda* clase de insectos.

Aun hoy los insectos constituyen una porción importante de la dieta de la gente de algunas de las naciones cuya economía no está muy desarrollada. Los salvajes nómades africanos comen cucarachas; algunos habitantes de ciertas regiones de Colombia comen hormigas fritas; en Bali, es común comer mariposas y polillas tostadas, y en Tailandia se hace una pasta con el mantis religioso o predicador, con la que se unta el pan.

Sin embargo, son las langostas y los saltamontes los insectos que se consumen más comúnmente en muchas partes del mundo, especialmente en el Africa y en Asia, donde se los sirve hervidos, asados, guisados y de cualquier otra forma, como un plato básico. También se los seca, se los ahúma y se los conserva para usar más tarde. Sin embargo, aun así, no siento ganas de probar esos insectos.

¿Por qué habrá Dios permitido que este versículo aparezca en la Biblia? Yo creo que es porque Dios toma a las personas donde están, con el conocimiento que tienen, y les ayuda a crecer y desarrollar hasta alcanzar la medida que deben tener. El régimen alimentario original para el hombre estaba compuesto de frutas, granos y nueces; y sigue siendo el mejor de todos.

UNA PLAGA DE RANAS AFRICANAS

Jehová ha dicho así: Deja ir a mi pueblo, para que me sirva. Y si no lo quisieres dejar ir, he aquí yo castigaré con ranas todos tus territorios **(Exodo 8:1-2).**

Hace algunos años, probablemente en la década de 1940, algunas ranas que habían sido importadas del Africa para hacer experimentos, se escaparon de un laboratorio de investigaciones en el sur de California. No se dijo nada de esta fuga ni entonces ni durante más de veinte años. Pero en 1960, un guardabosque encontró una de esas ranas en una zanja. Pronto se descubrió que había miles de estas ranas, pues se habían estado multiplicando silenciosamente durante todo ese tiempo. Ahora se calcula que hay más de un millón de estas ranas africanas y su número continúa aumentando. Y es un verdadero problema, porque este animalito se come prácticamente a todo ser viviente que pueda engullir.

El guardabosque que encontró el primer ejemplar de estas ranas dice que hay pequeñas charcas donde ellas son los únicos animales visibles que quedan, pues, evidentemente, han devorado a todos los demás. Para colmo, pueden vivir tan contentas con temperaturas muy altas de hasta 48°Centígrados (120°Farenheit), como también muy bajas de hasta 8°Centígrados (45°Farenheit). Si se envenenan las aguas para eliminarlas, ellas simplemente se entierran en el lodo hasta que pasa el efecto del veneno. Y como están dotadas de una buena capa mucosa protectora, pueden subsistir aun si se echara bastante petróleo en el agua. Cuando no les queda más alimento natural, estas voraces ranas se comen a sus compañeras, hasta que solamente queda la más fuerte. Estos sobrevivientes emigran luego a alguna otra charca más propicia, cruzando distancias de hasta ocho kilómetros (cinco millas).

Estas ranas no tienen enemigos naturales en California, su nuevo ambiente. Los investigadores han encontrado solamente una cosa que podría comérselas: la voraz piraña. Pero nadie quiere llenar los pequeños lagos y las charcas de California con este verdadero demonio acuático.

En la vida espiritual puede suceder algo parecido. No damos importancia a algunos pequeños e insignificantes hábitos, y los dejamos pasar en lugar de eliminarlos cuando son aún pequeños. Pero, con el tiempo, pueden crecer y arraigarse de tal modo que sea difícil controlarlos. Sólo el poder de Jesús puede hacerlo. Recuerda que se necesitó el gran poder de Dios para limpiar la plaga de ranas en Egipto.

Diciembre 11

FERTILIZANTES NATURALES

***Siembren ustedes justicia y recojan cosecha de amor. Preparen la tierra para un nuevo cultivo, porque es tiempo de buscar al Señor, hasta que él venga y traiga lluvia de salvación sobre ustedes* (Oseas 10:12, versión Dios Habla Hoy).**

Media hectárea de terreno (un acre) puede contener hasta tres millones de lombrices de tierra. Se podría decir que estas simples criaturas se encuentran entre las más importantes del mundo, porque sus hábitos naturales pueden convertir la tierra improductiva en tierra fértil. ¿Cómo?

Las lombrices de tierra viven solamente dos o tres años, pero como ponen muchos huevos en poco más de un mes pueden aportar miles de pequeños "arados" a la tierra donde viven, que en poco tiempo se convierten a su vez en millones.

Las lombrices de tierra son literalmente pequeñas fábricas de fertilizante, además de ser arados muy efectivos. En un pedazo de tierra del tamaño de una cancha de fútbol, pueden producir hasta 20 mil kilos (50 mil libras) de un material muy rico en elementos nutritivos, que resulta un excelente fertilizante.

También forman un buen sistema de riego, muy útil para las raíces de las plantas. Sus túneles se extienden hacia abajo hasta alcanzar una profundidad de tres metros (diez pies) bajo tierra, y cuando llueve, estos túneles se llenan de agua. Las raíces de las plantas también necesitan aire, y cuando las lombrices pasan a través de ellas, dejan pequeños espacios de aire atrapados en los bocados de tierra que han masticado y depositado por todas partes en el lugar donde viven.

Las lombrices de tierra tienen en su cuerpo partes que son sensibles a toda clase de luz, excepto a la luz roja. Si tú alumbraras una lombriz de tierra con una luz roja por la noche, podrías observarla; pero si la alumbraras con luz normal, no podrías verla porque se iría a su cueva.

Es imposible describir cuán valiosas son las lombrices de tierra para mejorar el terreno de cultivo. La Biblia nos habla de sembrar la semilla en buena tierra. Jesús dijo que la semilla representa la Palabra de Dios, y el suelo es nuestro corazón. El planta allí la semilla de su palabra; y el mismo Jesús que ha provisto de lombrices a la tierra para hacerla fértil, también proveerá el buen terreno en nuestro corazón. Quebrantará nuestro corazón endurecido y hará llover su justicia sobre nosotros, porque así lo ha prometido.

ANTEOJOS PARA SOL

***Mas a vosotros los que teméis mi nombre, nacerá el Sol de justicia, y en sus alas traerá salvación* (Malaquías 4:2).**

Los rayos del sol contienen no solamente rayos visibles, sino también rayos invisibles, como los ultravioletas. Algunos de estos rayos pueden ser peligrosos para los ojos y dañarlos.

La nieve y la arena del desierto son particularmente peligrosas porque reflejan los rayos del sol directamente en nuestros ojos. En las zonas polares, donde los rayos del sol del verano caen verticalmente casi veinticuatro horas al día, y se reflejan en el hielo, la gente usa protección especial para los ojos.

Todos hemos experimentado un gran alivio cuando nos ponemos un par de anteojos para sol en un día de sol brillante. Pero algunos investigadores que han estudiado el efecto del uso de estos anteojos sobre la vista, creen que éstos tienen un efecto perjudicial, pues su uso evita que los ojos pongan en acción los recursos preventivos naturales para su protección, con lo que quedan expuestos a los rayos solares más peligrosos.

Aunque los anteojos para sol atenúan los rayos visibles del sol, disminuyendo su efecto dañino y haciéndonos sentir como si estuviéramos a la sombra, en realidad la mayoría de ellos no filtran los rayos ultravioletas, sino que hacen que los ojos estén bien abiertos y por eso más directamente expuestos a los mismos.

De acuerdo con las palabras del profeta Malaquías, Jesús es el Sol de justicia. Cuando él brilla en nuestra vida, a menudo vemos que hay cosas que no debieran existir en ella. Cuando nos comparamos con su vida perfecta, podemos ver claramente nuestras faltas. Podemos ponernos anteojos cada vez más oscuros, sin embargo los rayos del Sol continuarán brillando. Y si tratamos de apagar el brillo de la gloria de Jesús en nuestra vida, nos convertiremos, con el tiempo, en ciegos espirituales. Pidámosle hoy que abra nuestros ojos para que lo veamos claramente y lo sigamos. Y cuando él nos muestre cosas que no debemos tener en nuestra vida, no nos pongamos anteojos oscuros para escondernos de su luz.

Diciembre 13

UNA CURA TOTAL O NO HAY CURACION

***Entonces va, y toma consigo otros siete espíritus peores que él, y entrados, moran allí; y el postrer estado de aquel hombre viene a ser peor que el primero. Así también acontecerá a esta mala generación* (Mateo 12:45).**

Jesús se refería a los fariseos y sus seguidores, naturalmente, cuando se refirió al hombre que fue liberado de un espíritu malo, pero que no reemplazó ese espíritu con el Espíritu genuino; de ahí que el espíritu malo y siete amigos suyos, peores aún que él, volvieron a entrar en el hombre.

Cuando atrapas alguna infección bacteriana y te enfermas, vas al médico. Este te examina, te hace algunas pruebas de laboratorio y te dice que tienes una seria infección. Luego, te prescribe un antibiótico. Te dirá que tomes el remedio hasta que éste se acabe, y no hasta que te sientas mejor. El antibiótico destruye los gérmenes y tú comienzas a sentirte mejor. El error que hace mucha gente es pensar que debido a que se siente mejor, la infección ha desaparecido. Pero nada puede estar más lejos de la verdad; los gérmenes han reducido su número al punto de que no puedes sentirte mal, pero están aún allí, listos para reproducirse otra vez. Si, en cambio, continúas tomando el remedio como se te prescribió, las bacterias probablemente serán eliminadas completamente y la enfermedad no será causada otra vez por los mismos gérmenes.

Si no tomas todo el remedio, el resto de los gérmenes que ha quedado en tu organismo desarrolla una inmunidad al antibiótico, o sea que se ponen resistentes al remedio, y cuando tengas que tomar ese remedio alguna vez en el futuro, los gérmenes se reirán de ti y ni le harán caso.

Sabrás que con el pecado sucede lo mismo que con una infección por gérmenes. Si no continuamos tomando el remedio, se hará cada vez más difícil resistir a la enfermedad del pecado, la que finalmente nos matará. ¿Sabes tú cuál es el remedio para el pecado? Jesús, por supuesto.

EL MISTERIO 9,6

Mientras la tierra permanezca, no cesarán la sementera y la siega, el frío y el calor, el verano y el invierno, y el día y la noche **(Génesis 8:22).**

En 1942, la Fuerza Aérea de los Estados Unidos escogieron la isla de Ascención, al oeste de la costa de Africa, como estación de reabastecimiento para los aviones de bombardeo B-25 de la Segunda Guerra Mundial. Se sabía que la isla era el lugar de anidamiento de miles de golondrinas, las que representaban un verdadero peligro para los aviones que aterrizaban y los que levantaban vuelo. Pero como se presumía que los pájaros estarían allí solamente una vez al año, en la época del empollamiento, el peligro parecía ser mínimo.

En cuanto notaron la primera estación de empollamiento, los pilotos tuvieron cuidado de evitar a las golondrinas durante esos días. Y cuando éstas se fueron, los pilotos respiraron tranquilos, creyendo que tendrían un año de alivio del peligro potencial de los pájaros. Pero no fue así, pues alrededor de tres meses antes de lo que esperaban, las golondrinas volvieron. Los oficiales de la Fuerza Aérea se molestaron, y uno de ellos se puso en contacto con un ornitólogo del Museo Americano de Nueva York. Este le dijo, para su sorpresa, que las golondrinas de la isla Ascención empollan en ciclos de 9,6 meses, en lugar de hacerlo una vez por año, como suelen hacerlo la mayoría de los pájaros. Cuando se le preguntó por qué las golondrinas tienen un ciclo de empollamiento más corto en ese lugar, el ornitólogo dijo que nadie sabía la razón. Han pasado más de cuarenta años, y todavía no lo sabemos.

Los registros muestran que en 1735 la población de linces canadienses alcanzaba su cantidad máxima cada 9,6 años. Los pescadores de salmones del Atlántico tienen su mejor pesca cada 9,6 años; un insecto que es la peor plaga del trigo en el Estado de Illinois, Estados Unidos, también pareciera regirse por un ciclo de 9,6 años, así como la cantidad de trigo que se cosecha en dicho país y el número de casos de enfermedades al corazón en Nueva Inglaterra.

¿Cuál es el secreto del ciclo de 9,6 años? Conocemos muy bien los ciclos de las estaciones, los ciclos anuales, así como la sucesión de días y noches; pero existen, además, otros ciclos igualmente importantes que el Creador tiene en su calendario de acontecimientos. Dios usó estos ciclos como una promesa hecha a Noé (y también a nosotros) de que sus palabras son seguras.

Diciembre 15

HORMIGAS PEREZOSAS

***El perezoso no ara a causa del invierno; pedirá, pues, en la siega, y no hallará* (Proverbios 20:4).**

Puede ser difícil de creerlo, pero *existen* algunas hormigas perezosas en este mundo. La Biblia usa a las hormigas normales como ejemplo para decirle al perezoso cómo debe actuar: "Vé a la hormiga, oh perezoso, mira sus caminos, y sé sabio" (Proverbios 6:6). Pero existe cierta clase de hormigas cuyo ejemplo no quisiéramos seguir.

Por ejemplo, tomemos el caso de las hormigas llamadas teleuto, que es uno de los casos más extremos de insectos parásitos sociales. Esta hormiga vive en los Alpes suizos, y ha degenerado a tal punto de que no solamente no trabaja, sino que apenas se mueve. Por alguna razón, es hospedada por otra clase de hormiga muy grande. Si hubiera estado en otro medio, podríamos decir que la hormiga teleuto es la dueña y señora de la hormiga grande que le hace todo, pero es tan pequeña y delicada, que nos cuesta pensar que lo sea, aun cuando en la realidad pareciera serlo. Las hormigas teleuto se las encuentra solamente en los nidos de esas otras hormigas grandes, y se pasan la mayor parte de su tiempo siendo transportadas por sus huéspedes. Hasta han desarrollado abdómenes cóncavos en la parte inferior, los que les permite asirse mejor de las otras hormigas para no caer.

Cuando estas hormigas fueron descubiertas, los hombres de ciencia formularon la teoría de que originalmente ellas habían sido las dominadoras, y que habían sido fuertes y saludables; pero que, con el tiempo, por ser constantemente servidas por sus esclavas y no trabajar, perdieron su fuerza, su tamaño, y eventualmente la importancia en su colonia. De allí que los que las estudiaron llegaron a la conclusión de que esta extraña hormiga había llegado al final de su desarrollo como especie y le dieron el nombre científico de *Teleutomyrmex*, que significa "hormiga final".

En la Biblia se nos dice claramente: "Todo lo que te viniere a la mano para hacer, hazlo según tus fuerzas" (Eclesiastés 9:10). Hay fortaleza física, espiritual y emocional en esta norma que se nos propone.

MIL MILLONES DE PERSONAS

***Después de esto miré, y he aquí una gran multitud, la cual nadie podía contar, de todas naciones y tribus y pueblos y lenguas, que estaban delante del trono y en la presencia del Cordero, vestidos de ropas blancas, y con palmas en las manos* (Apocalipsis 7:9).**

¿Cuánta gente crees que habrá en esa gran multitud? Los comentaristas bíblicos y los teólogos no están seguros de lo que significa este texto, cuando dice: "una gran multitud, la cual nadie podía contar"; pero podemos estar seguros de que será mucha gente que estará muy contenta, será toda la gente que ha vivido alguna vez en el mundo y que ha aceptado a Jesús como su Salvador.

No pasará mucho tiempo hasta que haya 5 mil millones de personas en el mundo, y se nos dice que luego no pasará demasiado tiempo hasta que ese número se duplique, y vuelva a duplicarse otra vez. Si Jesús no viene pronto, habrá un número incalculable de millones de personas en la tierra. ¿Y cuánta gente piensas tú que puede vivir en este planeta? Nadie lo sabe a ciencia cierta, pero se calcula que hay suficiente tierra, aire y agua para 100 mil millones de personas. Y puedes estar seguro de que mucho antes de que se alcance ese número habrá muchas más guerras, y el crimen aumentará hasta alcanzar un punto insospechado. Solamente el crecimiento de la población ha hecho aumentar las desgracias predichas por Jesús como señales de su venida.

Pero debemos recordar que cada bebé que nace es un alma que Jesús ama. Y cuando el Espíritu se derrame sin medida, quién sabe cuántos de los que viven en el mundo entregarán su corazón a Jesús y se prepararán para unirse a él en aquella multitud sin número.

¿Puedes imaginarte lo que será estar en medio de esa muchedumbre y sentirse invadido por la emoción cuando los millones de personas que han sido salvas expresen su gozo y sus alabanzas a Jesús, el Cordero de Dios y Rey de reyes? Aun si diéramos rienda suelta a la imaginación no podríamos siquiera acercarnos a lo que será aquello. Hay una cosa que sé, sin embargo, y es que vale la pena dejar de lado los placeres de este mundo para heredar los placeres eternos.

Diciembre 17

"TODA CARNE ES HIERBA"

Voz que decía: Da voces. Y yo respondí: ¿Qué tengo que decir a voces? Que toda carne es hierba, y toda su gloria como flor del campo. La hierba se seca, y la flor se marchita, porque el viento de Jehová sopló en ella; ciertamente como hierba es el pueblo" **(Isaías 40:6-7).**

En un sentido muy real, "toda carne es hierba", pues cada criatura viviente desde el microbio más simple hasta el hombre, tiene un elemento básico que proviene solamente de las plantas. Ese ingrediente es el carbón, que es el elemento que forma parte de todas las células de todos los seres animales o vegetales existentes en este mundo. Y hay una sola fuente original de carbón: las plantas. Y cada ser viviente de esta tierra, aun los animales que se alimentan de otros animales, dependen del carbón de las plantas.

Sólo las plantas tienen la manera de tomar el carbón y hacerlo digestible para los animales. Y las plantas pueden realizar esta función mediante el proceso de fotosíntesis, en el cual toman el anhidrido carbónico del aire, agua del suelo, y con la luz del sol, combinan estas dos sustancias para formar azúcar, que es el combustible básico y el material de construcción de todo ser viviente. El hecho de que solamente las plantas pueden producir azúcar significa que cada ser viviente en última instancia depende para su alimentación de las plantas. El león se come a la cebra, la cual come hierba. El halcón se come a la serpiente, y ésta a los ratones, y estos a su vez se alimentan de hierbas o granos. No importa qué animal escojas, en última instancia verás que depende del mundo vegetal para su alimentación. Las plantas son, pues, el alimento básico de todos los animales. Y esto ha sido así desde la creación.

El misterio es, sin embargo, cómo pueden las plantas tomar anhidrido carbónico y agua, dos elementos que no tienen absolutamente ningún valor nutritivo, y elaborar azúcar, que es la fuente primordial de energía. El secreto radica, naturalmente, en una sustancia verde de la planta, la clorofila, que por un proceso que todavía nadie ha descubierto, toma la energía del sol y la empaqueta en forma de moléculas de azúcar las que proveen exactamente la cantidad de energía que tu cuerpo y el mío necesitan.

MUERTOS DE MIEDO

***Desfalleciendo los hombres por el temor y la expectación de las cosas que sobrevendrán en la tierra; porque las potencias de los cielos serán conmovidas* (Lucas 21:26).**

¿Has estado alguna vez muy asustado, como se dice comúnmente, "muerto de miedo"? Es evidente de que no, porque de lo contrario no estarías leyendo esto. Pero puedes sin embargo, haber estado tan asustado en alguna ocasión, que pensaste que te ibas a morir de miedo. El cristiano no debiera experimentar ese temor, porque la Biblia promete que tendremos perfecta paz si confiamos en el Señor (Isaías 26:3).

Desde hace mucho tiempo se sabe que los animales sometidos a gran tensión, pueden morir. El temor genera una tensión fuerte. Cuando uno está muy asustado sufre una tensión tan grande que puede dañar el corazón. Hay algunos tipos de tensión que resultan normales y hasta saludables, como por ejemplo cuando vemos que algo está por caer encima de nosotros. En tal situación, el cuerpo se pone en tensión y nos prepara para actuar de manera muy rápida, mucho más que si estuviera pasando por una situación normal. Lo que sucede es que el conocimiento de un peligro inmediato hace que el cerebro envíe un mensaje a las glándulas suprarrenales las que en un santiamén segregan una sustancia química poderosa, la adrenalina. Cuando la adrenalina penetra en el organismo uno tiene más fuerza de la que posee normalmente. Uno se puede mover más rápidamente, tiene los sentidos más activos y se capacita para hacer lo que se debe hacer para salir del peligro inmediatamente.

Si por alguna razón uno no puede salir del peligro, las glándulas suprarrenales continúan produciendo adrenalina, la que es tan poderosa que destruye el músculo del corazón y causa la muerte. Se han comprobado muchas veces muertes de este tipo, producidas tanto en animales como en personas.

En el tiempo del fin, cuando la gente vea que el mundo se está acercando a su final y no sepa qué hacer para salvarse, literalmente estará "muerta de miedo". Y esto ya está sucediendo hoy. Tenemos que compartir con la gente el amor de Jesús y hacerle saber de la paz que se puede experimentar solamente con él.

Diciembre 19

EL QUINTO QUARK

***Pero entendiendo Jesús que iban a venir para apoderarse de él y hacerle rey, volvió a retirarse al monte él solo* (Juan 6:15).**

Hay grandes novedades en el mundo de la física: se ha descubierto un nuevo quark. Esta partícula atómica, la quinta del tipo quark que se conoce, ha sido llamada la partícula épsilon. Se la describe como un quark que posee una masa tres veces más grande que cualquier otro quark, pues son partículas tan pequeñas que ni se pueden ver con el más poderoso microscopio electrónico.

El problema que se presenta inmediatamente al tratar de estudiar un quark es que permanece muy unido con los otros quarks. En efecto, la fuerza que mantiene el protón unido en el núcleo del átomo es tan grande, que el hombre no ha encontrado ninguna fuerza lo suficientemente poderosa para separarlo de modo que los quarks quedan en libertad y pueden ser estudiados individualmente. Fue solamente cuando el hombre pudo fisionar, o sea dividir el átomo cuando se comenzó a entender algo acerca de los electrones, pero esa fuerza no es nada comparada con la fuerza que mantiene los quarks unidos.

Los hombres de ciencia creen que hay fuerzas misteriosas que mantienen los protones juntos; se las llama a estas fuerzas gluones. Y se cree que no hay ninguna "pasta de pegar" en todo el universo más fuerte que los gluones; y las partículas que están unidas de ese modo constituyen los elementos básicos de la materia. Bueno, eso es lo que ellos pensaban acerca de los electrones del átomo, y ahora mira dónde nos hallamos. Los electrones, protones y neutrones de hace cincuenta años se han expandido en muones, neutrinos, piones, kaones, partículas lamda, quarks, y otros.

Creo que para el cristiano todo este asunto de partículas atómicas tiene un gran significado. El Creador de esta fuerza que los científicos solamente sueñan entender, anduvo entre los hombres, tratando de ayudarlos a comprender mejor la fuerza de su carácter, que es una fuerza mucho mayor que la más poderosa de todas las fuerzas de la física. ¿Puedes imaginarte el poder que tenía Jesús a su alcance? Y sin embargo, dejó todo ese poder a un lado para permitir que esa gente obstinada actuara, creída de que podría apoderarse de él por la fuerza.

LA COMIDA MALSANA DE LOS OSOS GRISES

***¿Por qué gastáis el dinero en lo que no es pan, y vuestro trabajo en lo que no sacia? Oídme atentamente, y comed del bien, y se deleitará vuestra alma con grosura* (Isaías 55:2).**

¡Qué buen texto es éste para relacionarlo con la comida preparada comercialmente que carece de valor alimenticio! El hombre moderno, a pesar de estar rodeado de abundancia, se está convirtiendo en un ser malnutrido. ¿Por qué? Porque nos hemos enviciado con lo que no es pan, o sea, verdadero alimento. La comida que se vende en los comercios, como la papa frita y otras cosas tiene sabor agradable, pero no satisface; aunque nos hartamos de esas cosas, no encontramos satisfacción en ellas y seguimos teniendo hambre o sintiéndonos mal.

Cuando el gobierno de los Estados Unidos estableció el sistema de Parques Nacionales, comenzó con el famoso Parque Nacional Yellowstone. Allí había muchos osos grises, los que muy pronto se acostumbraron a comer la comida y los desperdicios que los turistas arrojaban en los recipientes de la basura. Estos osos se enviciaron con la comida que encontraban con tanta facilidad, y no se preocuparon por buscar la comida fresca natural con la que solían alimentarse. Se convirtieron en verdaderos vagabundos que merodeaban, ante la deleitada vista de los turistas, por los lugares donde se arrojaban los desperdicios descompuestos y malholientes.

Nadie pensó en el peligro potencial hasta que, en 1967, una joven que se hallaba acampando a pocos metros de uno de los vaciaderos de desperdicios, fue atacada por un oso, que la arrastró con su talego de dormir y la mató.

Muchas de las acciones de la gente de hoy que se consideran verdaderas locuras, se relacionan con la alimentación que ésta consume por toneladas, especialmente el azúcar y los elementos químicos que se le agregan, que no formaban parte del régimen alimentario original que Dios proveyó para que nos mantuviéramos sanos.

¡LOS HUEVOS RESPIRAN!

***Todo lo que respira alaba a Jah. Aleluya* (Salmo 150:6).**

Este es el último versículo del Salmo 150, que a su vez es el último de los salmos. ¡Qué oportuno es terminar con él uno de los más hermosos libros de la Biblia! El salmista, para resumir todo lo que ha dicho antes, siente que todo ser viviente a través de toda la creación debe alabar a Jehová. Y te lo hayas imaginado o no, todos los seres vivos, grandes o microscópicos, respiran. La respiración es esencial para la vida.

¿Sabías tú que los huevos respiran? En uno de los libros que tengo en mi biblioteca, hay una fotografía de la superficie de un huevo vista con un microscopio electrónico, con un aumento de 3.800 veces. La fotografía muestra que en la superficie del huevo, es decir, en la cáscara, hay poros, o sea orificios a través de la cáscara. En el aumento parecen verdaderas cuevas, pero en realidad son tan pequeños que sólo las moléculas de aire pueden pasar a través de ellos. Por medio de ellos, el huevo toma el oxígeno del aire y despide el anhidrido carbónico. ¡Los huevos respiran!

En cada huevo, ya sea el huevo gigante del avestruz, cuya cáscara tiene un espesor de dos milímetros, hasta el minúsculo huevecillo del picaflor, cuya cáscara es de solamente cuatro centésimos de un milímetro de espesor, hay poros que se encargan de dejar pasar el oxígeno necesario dentro del huevo para el polluelo que crece dentro.

Un pichón de pájaro respira por primera vez, aun antes de salir del cascarón, es decir, cuando está dentro del huevo. Probablemente habrás notado al pelar un huevo cocido duro, que en uno de los extremos tiene un espacio vacío entre la clara y la cáscara. A medida que el huevo respira, este espacio se llena de aire puro y fresco. Cuando llega el tiempo en que el pichón debe salir del cascarón, éste picotea primero a través de la membrana suave, y encuentra entonces aire en el espacio vacío. Es en ese momento cuando respira por primera vez, y pronto tiene fuerza suficiente para picotear la cáscara, que es más dura, y salir hacia afuera.

El esfuerzo que hace un pichón para salir del huevo, se acompaña de un suave piar, primeramente mientras se halla dentro del huevo, y luego cuando sale de él. Me gusta imaginarme que el pichón que está dentro del huevo alaba al Señor cuando respira por primera vez.

CIEN MIL CUERVOS

Entrad por la puerta estrecha; porque ancha es la puerta, y espacioso el camino que lleva a la perdición, y muchos son los que entran por ella **(Mateo 7:13).**

Si por casualidad hubieras vivido en el pueblo de Holdrege, en el Estado de Nebraska, en los Estados Unidos, durante el invierno de 1981-1982, tendrías conocimiento de una invasión de cuervos. Ese invierno hubo diecisiete veces más cuervos que gente en aquel pueblo, lo que significa que eran muchos cuervos, pues vivían más de cinco mil personas entonces en Holdrege. ¿Y por qué habían ido tantos cuervos a ese lugar? Nadie lo sabe. Por alguna razón que no conocemos, escogieron ese lugar y se quedaron allí para pasar el invierno. Cuando se le preguntó a una señora cuál creía ella era la razón, contestó: "Supongo que se debe a que es un pueblo lindo".

Eran tantos cuervos que cuando se posaban en las ramas de los grandes árboles por la noche, su peso quebraba ramas de hasta cinco centímetros (dos pulgadas) de diámetro y durante el día inundaban los campos en busca de comida. A veces, eran tantos los que se posaban en un recipiente de desperdicios que lo derribaban con su peso.

Las autoridades de la ciudad, desesperadas, tomaron la drástica medida de matar los cuervos con escopetas. Por la noche, venían los equipos organizados para esa tarea, y haciendo gran ruido, alumbraban a los cuervos encaramados en las ramas de los árboles, para espantarlos y alejarlos del pueblo. Una vez que lograban esto, los mataban. Y así mataron a miles de cuervos. Cada mañana recogían los cadáveres de los pájaros que habían matado la noche anterior. ¿Y crees que los cuervos se fueron a otra parte? ¡Pues no! Les gustaba el lugar. No les importó que miles de sus compañeros fueran muertos. Se habían aquerenciado con el lugar y no quisieron irse, así que permanecieron allí. Y por más que los habitantes del lugar trataron de expulsarlos, no lo consiguieron.

Puedes decir que esos cuervos eran realmente tontos al querer permanecer en un lugar donde era seguro que se los iba a matar. Pero me pregunto si la gente no actúa de una manera tan insensata como los cuervos cuando insiste en vivir una vida de pecado que sabe que finalmente la llevará a la muerte.

Diciembre 23

EL MUERDAGO

***Con todo eso, no se apartaron de los pecados de la casa de Jeroboam... y también la imagen de Asera permaneció en Samaria* (2 Reyes 13:6).**

En algunas versiones de la Biblia, en otros idiomas, dice que "el bosque" o bosquecillo, permaneció en Samaria. ¿Qué significa esto?

Los adoradores de dioses paganos acostumbraban a colocar sus ídolos en los bosques, porque creían que los árboles, especialmente las plantas, tenían poderes espirituales. Uno de esos ídolos era la diosa Asera, y una de esas plantas era el muérdago.

Como el muérdago, una planta parásita, produce hojas verdes aun en medio del invierno, cuando el árbol huésped sobre el cual crece parece estar sin vida, la gente le atribuía poderes mágicos. Los druidas, que eran los sacerdotes paganos de lo que hoy son los países de Francia, Inglaterra e Irlanda, hace alrededor de mil años, creían que el muérdago era alguna clase de espíritu, pues la planta parece vivir sin raíces. (En realidad, tiene unas raíces tan pequeñas que la gente de la antigüedad parecía no verlas.)

También había quienes pensaban que el muérdago tenía poderes para curar a los enfermos y moribundos. Esa gente llevaba ramas de muérdago dentro de las casas para asegurarse de que estarían libres de las influencias del mal y de las brujerías.

Los antiguos escandinavos peleaban con sus enemigos solamente debajo de las ramas de muérdago; y de allí se originó la costumbre de besar a quien se encontrara debajo de una rama de muérdago en la época de la Navidad, costumbre que perdura hasta la actualidad en algunas partes.

En realidad, el muérdago es un tipo de organismo de los llamados parásitos, que obtiene toda la sustancia necesaria para vivir de otro organismo, el huésped. Sus semillas pegajosas se pegan al tronco del árbol, las que con el tiempo desarrollan raíces tan delgadas como cabellos. Esas raíces penetran el tronco del árbol y comienzan a absorberle los jugos alimenticios. Se podría decir que casi el único valor que tiene el muérdago es el de sus pequeñas frutas blancas, que sirven de alimento para los pájaros. Pero nunca pruebes una, pues son venenosas para los seres humanos.

Aunque no creemos en los ídolos de los bosques, como la estatua de Asera, es posible que haya escondidos algunos pecados en nuestra vida; pero recordemos que Jesús ha prometido limpiarnos de todo mal y pecado.

CHANGO

***Beberás del arroyo; y yo he mandado a los cuervos que te den allí de comer... Y los cuervos le traían pan y carne por la mañana, y pan y carne por la tarde; y bebía del arroyo* (1 Reyes 17:4-6).**

Es probable que hayas visto u oído acerca de perros que sirven de ojos para los ciegos, o de perros que sirven de oídos para los sordos. Pero ¿has oído alguna vez hablar de un mono que sirva de ayudante? Bueno, permíteme que te presente a Chango.

El joven Roberto Foster acababa de terminar sus estudios. Tenía 18 años de edad, y había conseguido un buen trabajo. Pero lamentablemente tuvo un accidente automovilístico que lo dejó paralizado desde los hombros hacia abajo. El había sido siempre un muchacho muy independiente, y no quería ahora ser un hombre inútil, dependiente de los demás.

Un día, mientras miraba televisión, vio un programa en el que un científico entrenaba a un monito como ayudante de gente incapacitada. Inmediatamente Roberto se puso en contacto con el Dr. Willard, —Que así se llamaba el científico— de la Universidad de Tufts, Estado de Massachusetts. Roberto se enteró de que solamente se usaban monos capuchinos, con ese fin, porque son muy inteligentes, cariñosos y leales. Estos son los mismos monos que usan los organilleros en las calles. Miden solamente unos 28 centímetros (once pulgadas) de alto y pesan entre dos y tres kilos y medio (cinco a ocho libras). Además, como viven alrededor de treinta años, se los considera buenos candidatos para ser ayudantes de personas incapacitadas.

Chango, que era uno de estos monitos, se convirtió en el ayudante de Roberto. Recoge las cosas del suelo, peina a su amo, enciende y apaga las luces, lo mismo que el aparato de música, quita el polvo de los muebles y hasta pasa la aspiradora para limpiar el piso. (Naturalmente, tiene una aspiradora especial, con un mango corto.) Saca y guarda la comida de la refrigeradora, pone la mesa y alimenta a su dueño con una cuchara. Es así como Roberto, gracias a Chango, se convirtió otra vez en una persona que puede valerse por sí misma. Y, como es de esperar, ambos son muy buenos compañeros.

Así como Chango ayuda a Roberto, Dios usó a los cuervos para que alimentaran a Elías en la antigüedad.

Diciembre 25

EL TREPATRONCOS DE PECHO BLANCO

***Yo he venido para que tengan vida, y para que la tengan en abundancia* (Juan 10:10).**

Una fría tarde de diciembre, un profesor de biología estaba observando una pareja de trepatroncos de pecho blanco, en el comedero de pájaros, situado frente al gran ventanal de su casa, en el Estado de Michigan. Y como suelen hacerlo muchas veces los pájaros, uno de ellos, el macho, abandonó el comedero y se lanzó volando directamente hacia el ventanal, y se dió un fuerte golpe contra el vidrio. El pájaro cayó al suelo cubierto de nieve. Al verlo su compañera, inmediatamente voló hacia donde se encontraba.

En seguida comenzó a picotearlo alrededor de la cabeza y el cuello, como para revivirlo. Trató de empujarlo, luego de atraerlo hacia sí, pero fue en vano. El pájaro no se movía. Entonces introdujo su pico en el de él, como si tratara de practicar respiración artificial de pico a pico. Por lo menos eso es lo que le pareció a este profesor de biología, pero nadie sabe a ciencia cierta qué intentaba hacer. Sus afanosos esfuerzos duraron entre cuatro y cinco minutos y quizá se hubieran extendido más, a no ser por la aparición de un gato que se sintió atraído por la escena.

El profesor tuvo que intervenir para que el pobre pájaro caído no fuera a convertirse en el almuerzo del gato. Después de examinarlo cuidadosamente, vio que estaba muerto.

Se cree generalmente que los animales y los pájaros no realizan actos de bondad por amor, como lo hacen los humanos; pero nadie está seguro de ello. Yo no puedo pensar que Dios no haya hecho a los pájaros y animales poniéndoles aunque sea un poquito de su amor en sus corazones. ¿Qué piensas tú? La hembra de ese trepatroncos ciertamente se esforzó todo lo que pudo tratando de revivir a su compañero.

A veces nos sentimos tentados a pensar que Dios se ha dado por vencido y que no se preocupará más de nosotros, porque le hemos desobedecido tantas veces. Pero Jesús, que hizo también a los trepatroncos, no solamente es perseverante en atraernos hacia él, sino que tiene aun el poder de revivirnos cuando caemos. Y hasta puede evitar que caigamos, si solamente aceptamos su amor.

LOS QUASARES

***Los cielos cuentan la gloria de Dios, y el firmamento anuncia la obra de sus manos* (Salmo 19:1).**

En 1960, los astrónomos advirtieron que había una cantidad mucho mayor que la normal de señales de radio que provenían de lo que ellos suponían que eran unas estrellas comunes no muy lejanas. Estas señales son diferentes de los mensajes que solemos recibir por medio de la radio; son impulsos eléctricos como los que normalmente emiten los materiales radiactivos. Nuestro sol produce una cantidad relativamente pequeña de estas señales, así que los astrónomos estaban realmente sorprendidos de percibir tal cantidad de radiactividad proveniente de esas pequeñas estrellas.

Comenzaron a prestar atención a esas estrellas, y después de estudiarlas bastante, descubrieron que no estaban más o menos cerca, sino que por lo contrario, eran lejanas. La primera de ellas, a la que se llamó 3C273, se calcula que está a tres mil millones de años luz de nosotros. Esto, en kilómetros, se representa con un tres seguido de 22 ceros (en millas: un dos también con 22 ceros), lo cual representa una distancia muy grande, y más aún cuando consideramos que se cree que algunas de esas estrellas se hallan a una distancia cinco veces mayor que la mencionada.

Se ha llamado a estas estrellas quasares. Se cree que cada uno de estos quasares es el centro de una galaxia invisible para nosotros debido a su lejanía. Nadie sabe la razón por la cual los quasares emiten una radiación tan intensa. ¿Cuál es el propósito? ¿Cómo comenzaron a existir?

También nos dicen los astrónomos que pareciera que los quasares se mueven a una velocidad igual a 90 por ciento de la velocidad de la luz, lo cual es increíblemente rápido: 960 millones de kilómetros (600 millones de millas) por hora. ¿Hacia dónde van a esa tremenda velocidad? ¿Darán vuelta al universo así como nuestra tierra gira alrededor del sol? ¿Y qué significa esa radiación tan intensa? ¿Podría ser que haya una fantástica red de comunicaciones interestelares creadas y usadas por el Creador para sostener el universo? En la ausencia de información directa, sólo podemos especular, pero, ¿no será maravilloso cuando podamos viajar por el universo y comprendamos las diferentes maneras que Dios tiene para mostrar su gloria?

Diciembre 27

EL DODO Y EL ARBOL CALVARIA

***Hay camino que al hombre le parece derecho; pero su fin es camino de muerte* (Proverbios 14:12).**

Tal vez hayas oído hablar del dodo, un ave que se extinguió hace alrededor de trescientos años. Esta ave vivía en la isla Mauricio, en el Océano Indico. Debido a que era una ave grande, de aspecto desmañado, y que no parecía detectar el peligro, se la consideraba como el símbolo de la estupidez. Y a la verdad que no necesitaba temer ningún peligro, esto es, hasta que vinieron los colonizadores europeos a establecerse en la isla. Manso como era, el dodo fue fácil presa de los colonos y antes de mucho tiempo no quedaba ninguno de ellos.

En años recientes, se ha descubierto algo interesante relacionado con el dodo. En esa misma isla crece un árbol conocido con el nombre de *calvaria*. Actualmente quedan sólo trece ejemplares de ese árbol y todos ellos tienen más de trescientos años de edad. Producen semillas, pero desde 1681 nadie ha podido hacer germinar ni una de ellas. Observando esto, un hombre de ciencia se preguntó si el dodo no habrá desempeñado algún papel en la germinación de las semillas de las calvarias, ya que, interesante coincidencia, el último árbol había brotado aproximadamente en el tiempo en que desapareció el dodo para siempre. Y el Dr. Stanley, que así se llamaba el científico, propuso una teoría: la acción física y química de la molleja del dodo, y la de los ácidos y otros líquidos de su estómago, ablandaban la dura cáscara de la semilla y hacían que germinara. Para probar su teoría, el Dr. Temple, otro hombre de ciencia, tomó diez semillas de calvaria y se las hizo comer a la fuerza a unos pavos, pues se cree que estas aves tienen una molleja similar a la que tenían los dodos. Y, ¡maravillas de las maravillas! tres de esas semillas brotaron, y ahora se sabe que cuando desapareció el último dodo, se selló el destino de las calvarias; pero llevó nada menos que trescientos años para establecer la relación entre esa ave y ese árbol.

Aquellos colonos no se habían imaginado que matando los dodos causaban la desaparición de estos importantes árboles. De la misma manera, muchas veces nuestras acciones tienen efectos más abarcantes de los que nos imaginamos, tanto para el bien como para el mal.

CRISTIANOS VULCANIZADOS

Porque también a nosotros se nos ha anunciado la buena nueva como a ellos; pero no les aprovechó el oir la palabra, por no ir acompañada de fe en los que la oyeron **(Hebreos 4:2).**

El caucho es inútil, a menos que sea vulcanizado. Para comenzar, el caucho tiene la consistencia similar a la arcilla de modelar. Uno puede darle forma, estirarlo, amasarlo o convertirlo en una bola con facilidad. Pero cuando lo estiras, el caucho fresco no te hará el efecto de un elástico, o de las bandas de goma que uno suele usar. Tú no quisieras que las cubiertas de tu auto actuaran como arcilla de modelar, ¿verdad?

La vulcanización es un proceso que involucra varias sustancias químicas y calor. Lo que sucede es equivalente a atar todas las partes con nudos atómicos, ya que esto se logra por un proceso de reorganización de los átomos y las moléculas para mantener esas partes juntas. Después que el caucho ha sido vulcanizado, se convierte en elástico, y podrá rebotar como una pelota.

La iglesia de Dios en como la elaboración del caucho. Un conjunto de individuos, cada uno con su propia personalidad, se juntan para formar una iglesia. Pero la iglesia no podrá tener elasticidad hasta que Jesús no la tome y añada ingredientes adicionales y los caliente. ¿Puedes nombrar algunos de estos ingredientes que deben añadirse a la iglesia de Dios?

Diciembre 29

UNA BESTIA DEL BOSQUE

***Porque mía es toda bestia del bosque* (Salmo 50:10).**

Tiene el cuerpo parecido al de un cerdo, las orejas como las de un caballo, las patas como las de un rinoceronte, la trompa como la de un elefante. Nada como un pez, corre más rápido que un perro y gorjea como un pájaro. ¿De qué animal crees que se trata?

Este animal vive en la América del Sur y en el sudeste de Asia, pero en ninguna otra parte. Los antiguos habitantes de Tailandia, creían que después que Dios terminó de crear todos los animales, hizo uno llamado *psom-sett*, que significa "la mezcla está terminada". Este animal forma parte de una familia de más de 150 variedades, que pueden pesar desde unos 200 kilos (400 libras) hasta 400 kilos (800 libras), cuando es adulto. ¿Sabes ya de qué animal se trata?

El estudioso de estos animales, Roberto Wilson, crió uno de ellos en su casa. Un día, volvió a su hogar y encontró que el animal había abierto la puerta de atrás con el hocico, había ido a la cocina, abierto la refrigeradora, sacado 15 kilos de bananas (30 libras), las había pelado prolijamente y se las había comido todas de una sentada. Luego se dirigió al baño, quitó la pileta de lavarse las manos, con lo que quebró el caño del agua y la derramó a chorros en la tina de baño. Luego se metió de un salto en ella y se acomodó. Cuando los esposos Wilson regresaron a la casa, lo encontraron disfrutando de un baño en bañera, emitiendo gruñidos de satisfacción. ¿Sabes ahora de qué animal estamos hablando?

Cuando han llegado a la adultez, estos animales son de un color pardo, o negro, y a veces tienen grandes manchas blancas. Pero desde que nace hasta alrededor de los ocho meses, los bebés se parecen a una sandía rayada, con patas. Este animal vive en las selvas tropicales hasta una altura de 3.000 metros (15.000 pies), casi siempre en la parte más densa. Ya es tiempo de que te diga que este animal es el tapir.

Aunque el tapir no parece ser muy inteligente, lo es. Nuestro Creador, quien hizo todos los animales del bosque, les dio a cada uno de ellos algo especial que los hace interesantes, y también nos hizo a nosotros de tal manera que somos especiales, únicos.

CARLOS DARWIN Y EL OJO

El que hizo el oído, ¿no oirá? El que formó el ojo, ¿no verá? El que castiga a las naciones, ¿no reprenderá? ¿No sabrá el que enseña al hombre la ciencia? Jehová conoce los pensamientos de los hombres, que son vanidad **(Salmo 94:9-11).**

No hay nada en el mundo que ofrezca un desafío mayor a la teoría de la evolución como el ojo. Sí, los ojos que tú estas usando para leer estas palabras, constituyen uno de los sermones más efectivos en favor de la creación llevada a cabo por Dios, así como la relata el libro del Génesis.

Aun el mismo Carlos Darwin, el más famoso representante de la teoría de la evolución, tenía grandes problemas al tratar de explicar cómo el ojo había evolucionado. En una carta que lleva la fecha del 3 de abril de 1860, Darwin escribió:

"Suponer que el ojo, con todos sus inimitables dispositivos para ajustar el foco a diferentes distancias, para admitir diferentes cantidades de luz y para la corrección de deformaciones esféricas y cromáticas, pudo haber sido formado por selección natural, parece, lo confieso abiertamente, la cosa más absurda".

Uno de los problemas que tienen los evolucionistas con el ojo es que en todos los niveles de lo que ellos llaman el árbol de la evolución hay criaturas con ojos. No hay criaturas con ojos en estado intermedio, parcialmente desarrollados, para explicar cómo fue evolucionando este órgano. Miles de criaturas diferentes tienen ojos. Algunos seres, como los que viven en el fondo del mar o en cuevas, aparentemente han perdido los ojos, o la capacidad de ver, pero en ninguna parte encontramos animales que tienen ojos completamente desarrollados mientras que otros de su misma clase carecen totalmente de ojos.

En el ojo humano hay más de un millón de células sensibles a la luz que forman la retina, que es la porción del ojo que recibe la luz a través de la pupila y convierte la luz en impulsos nerviosos, que el cerebro transforma a su vez en colores y figuras tridimensionales, las cuales hasta pueden ser guardadas en la memoria para ser evocadas en algún otro momento.

Diciembre 31

LOS KISKADIS Y LAS SERPIENTES DE CORAL

***Respondiendo Jesús, le dijo: Vete de mí, Satanás, porque escrito está: Al Señor tu Dios adorarás, y a él solo servirás* (Lucas 4:8).**

La serpiente de coral es una de las serpientes más peligrosas del mundo. ¿Podrías reconocerla si vieras una? Hay otras serpientes de aproximadamente el mismo color y de un diseño muy similar. Todas estas serpientes que se parecen tienen tres colores básicos: negro, amarillo y rojo, y todas tienen anillos desde la cabeza hasta la cola. Pero en solamente la serpiente de coral los anillos rojos se tocan con los amarillos. Si aprendes esto te será muy útil saber si estás frente a una serpiente coral o no. Recuerda: para que sea una serpiente coral, los anillos rojos deben tocarse con los amarillos.

En los Estados Unidos, como en otras partes, hay serpientes corales, y también hay una clase de pájaro que reconoce los colores de la serpiente venenosa. Este pájaro que se llama kiskadí, tiene un tamaño mediano, y se alimenta de insectos. Además, come lagartijas y serpientes. Se han hecho experimentos con estos pájaros criados en cautividad, para ver si todavía reconocerían una serpiente de coral o no, porque de no reconocerla, si cazaban una, de cierto significaría su muerte.

Los pequeños kiskadís picotearon muy pronto los palos pintados como serpientes no venenosas, que se les pusieron en la jaula poco después de nacer. Pero cuando se les puso palos pintados con el diseño y colores de una serpiente de coral, no los picotearon, sino que, por lo contrario, se alejaron de ellos y desde el extremo de la jaula más alejado a los palos se pusieron a emitir chillidos de alarma. Un experimento adicional en el que se pintaron palos de solamente color rojo y amarillo reveló los mismos resultados. Los kiskadís nacieron con el instinto de evitar las serpientes venenosas. Aparentemente, distinguen los colores y saben que el rojo y amarillo juntos son peligrosos.

Recuerda al kiskadí la próxima vez que te veas tentado, Jesús nos ha asegurado que si resistimos al diablo él huirá de nosotros (Santiago 4:7), así como la serpiente de coral se aleja rápidamente cuando un kiskadí descubre sus verdaderos colores y lanza sus gritos de alarma.

INDICE DE REFERENCIAS BIBLICAS

GENESIS

EXODO

LEVITICO

NUMEROS

DEUTERONOMIO

1 SAMUEL

2 SAMUEL

1 REYES

2 REYES

1 CRONICAS

JOB

SALMOS

PROVERBIOS

ECLESIASTES

ISAIAS

JEREMIAS

EZEQUIEL

DANIEL

OSEAS

AMOS

JONAS

MIQUEAS

SOFONIAS

HAGEO

ZACARIAS

MALAQUIAS

MATEO

MARCOS

LUCAS

JUAN

HECHOS

ROMANOS

1 CORINTIOS

2 CORINTIOS

GALATAS

EFESIOS

FILIPENSES

1 TESALONICENSES

2 TESALONICENSES

1 TIMOTEO

2 TIMOTEO

TITO

HEBREOS

SANTIAGO

1 PEDRO

2 PEDRO

1 JUAN

3 JUAN

APOCALIPSIS

NOTAS

NOTAS

NOTAS

NOTAS

Se terminó de imprimir este libro el día 27 de agosto de 1984 en los talleres de
PUBLICACIONES INTERAMERICANAS PACIFIC PRESS DE MEXICO, S. A.
Carretera Nacional Km. 206
67500 Montemorelos, N. L.,
México.